La transformation du
POUVOIR
au Québec

ACSAL F : Colloque 1979

La transformation du POUVOIR au Québec

Actes du colloque de l'Association canadienne des sociologues et anthropologues de langue française

Textes publiés sous la direction de Nadia Assimopoulos, Jacques Godbout, Pierre Hamel et Gilles Houle

Éditions coopératives Albert Saint-Martin

LA TRANSFORMATION DU POUVOIR AU QUÉBEC :
le citoyen et les appareils

Textes publiés sous la direction de Nadia Assimopoulos, Jacques Godbout, Pierre Hamel et Gilles Houle
Préparation et correction des textes : Johanne Pichette
Composition et montage : Composition Solidaire inc.
Impression : Imprimerie Gagné Inc.

ISBN-2-89035-013-4
Dépôt légal : Bibliothèque nationale du Québec, 1re impression, 2e trimestre 1980 ; 2e impression, 1er trimestre 1981

COLLECTION « RECHERCHES ET DOCUMENTS »

Le Catéchisme des électeurs
Anonyme — 1,50 $

Deux pays pour vivre : un plaidoyer
Marcel Rioux et Susan Crean — 6,50 $

Démocratie et nation
Jacques Mascotto et Pierre-Yves Soucy — 12,00 $

Crise économique et contrôle social : le cas de Montréal (1929-1937)
Claude Larivière — 7,00 $

Le Capitalisme au Québec
Sous la direction de Pierre Fournier — 9,00 $

Sociologie politique de la question nationale
Jacques Mascotto et Pierre-Yves Soucy — 7,00 $

Le Québec en héritage
Robert Sévigny — 9,00 $

Le Sport et l'État au Québec
Michel Jamet — 7,00 $

Notre catalogue vous sera expédié sur demande :
Les Éditions coopératives Albert Saint-Martin
Case postale 68, Succursale Vimont
Laval, Québec H7M 3N7

DISTRIBUTION :

Québec :
Messageries littéraires des éditeurs réunis
6585 Saint-Denis
Montréal H2S 2S1

France
Distique
1, rue des Fossés Saint-Jacques
Paris 75005, France

Belgique
C.I. Gal
Place Galilée 67
B.P. 160
1348 Louvain La Neuve
Belgique

Table des matières

La publication de ce livre a bénéficié d'une subvention de l'Association canadienne-française pour l'avancement des sciences

Présentation

La transformation du pouvoir au Québec : le citoyen et les appareils. Ce thème du Colloque 1979 de l'ACSALF avait été l'objet d'un premier colloque organisé par la revue *Recherches sociographiques* en 1966 sur le pouvoir dans la société canadienne-française ; il avait donné lieu à une publication aux Presses de l'Université Laval. Ce n'est pas tous les jours au Québec qu'il est possible, lors de pareilles assises, de se référer à un bilan, à un état de la question posée et d'évaluer le chemin parcouru depuis ce bilan quant à la formulation de la question elle-même, aux diverses problématiques engagées, aux conclusions enfin, qui pourraient bien résumer l'état de la sociologie à cette époque. Inutile de souligner dès lors la nécessité d'une publication comme celle-ci.

Recherches sociographiques n'a plus fait de colloque depuis 1968. Ils étaient le fait d'un département. L'Association des sociologues et des anthropologues, mise sur pied depuis, a, d'une certaine façon, pris la relève, et tente aussi de réunir les états généraux de la sociologie sur des sujets jugés essentiels à l'explication de la société québécoise. Il importerait ici aussi de cerner les différences dans les chemins parcourus.

S'il est trop tôt pour juger des résultats, notons que les mêmes exigences devront prévaloir : qu'en est-il de ce bilan, de la question posée, des problématiques privilégiées, de la sociologie au Québec en 1979 ? Cette question est essentielle car c'est la visée même de ces assises, mais aussi de l'Association, qui veut contribuer au débat sur la société québécoise, engendrer un débat *sociologique* sur des questions réunissant théoriciens et praticiens de la sociologie, comme on pourra le constater.

* * *

Le troisième colloque de la revue *Recherches sociographiques* terminait ses travaux en soulignant un changement profond des valeurs et des élites au Canada français: une transformation des modèles d'autorité, l'émergence d'un pouvoir fondé sur la « rationalité », c'est-à-dire d'une technocratie. Par qui et par quoi a été remplacé le pouvoir clérical et libéral, lié au pouvoir économique et politique anglo-saxon et américain? Quels groupes, quelles classes, quelles fractions de classe ont pris la relève? Y a-t-il simplement eu changement de la garde ou modification réelle de la structure du pouvoir, à la fois au sein de la société québécoise et par rapport à son environnement extérieur? Quels groupes ont émergé, quels pouvoirs détiennent-ils? Technocrates gouvernementaux, appareils syndicaux, nouvelle bourgeoisie d'affaires, petite bourgeoisie « culturelle »? Ultimement, y a-t-il eu diffusion du pouvoir à l'ensemble des citoyens québécois?

Cette brève présentation de la question lançait le débat, Gérald Fortin assurant particulièrement le relais puisqu'il avait participé au colloque de 1966. La question était reprise en ateliers au nombre de huit, sur les questions du pouvoir régional, de l'organisation de la santé, des groupes ethniques, des travailleurs dans les syndicats et les entreprises, à propos de la contre-culture, des partis politiques, du mouvement coopératif, de la production et enfin des différents paliers de pouvoir dans la société québécoise. Ce sont là autant de lieux de pouvoirs qui n'étaient pas analysés en tant que tels au colloque de 1966. Par contre, certains thèmes, comme le pouvoir dans les petits groupes, n'apparaissent plus dans le présent colloque. Pour des raisons indépendantes de notre volonté, les rapports entre les pouvoirs politiques et les pouvoirs économiques n'ont pu, finalement, faire l'objet d'ateliers distincts. Cette lacune, que nous déplorons, a été en grande partie comblée par le débat d'ouverture; plusieurs participants ont aussi traité de ces aspects. Le débat de clôture avait pour thème le citoyens et les appareils : en terminant le colloque, on retrouve ainsi, posé dans les termes actuels, le thème dominant du colloque de 1966 : l'émergence du pouvoir des « techniciens ».

* * *

La lecture de l'ensemble des textes qui nous ont été fournis a permis de regrouper différemment les interventions des participants et d'adopter l'ordre de présentation suivant : outre les débats d'ouverture et de clôture, qui en forment l'introduction et la conclusion, l'ouvrage comprend trois parties portant respectivement sur les aspects politique, économique et culturel du pouvoir. Cette présentation est apparue plus apte à rendre compte du problème posé ; elle éclaire aussi les textes eux-mêmes, qui y trouvent, à notre avis, plus de relief.

Il convient enfin de remercier tous les sociologues qui ont bien voulu accepter de participer à ce débat ; outre les auteurs ici présents, Michel Doré, Gabriel Gagnon, Paul Bélanger, Huguette Demers et Jean-Marc Montagne ont aussi présenté des communications, sans cependant fournir un texte. Nous remercions aussi les animateurs des différents ateliers : Paul Bernard, Pierre Doray, Francine Bernard, Marc Renaud, Marcel Simard, André Thibault, Lyne Ross et Florient Sauvageau. Isabelle Perrault, Alain Guénette, Chantal Desgroseillers et Johanne Pichette ont aussi collaboré à la réalisation de ce travail ; qu'ils en soient vivement remerciés.

Il s'agit de la première publication des Actes de l'ACSALF. Nous espérons que cette expérience se poursuivra.

Nadia Assimopoulos
Jacques Godbout
Pierre Hamel
Gilles Houde

Introduction

L'analyse du pouvoir : nouvelles tendances ?

Les transformations du pouvoir (1966-1980)

En 1966, à l'occasion du colloque de la revue *Recherches sociographiques*, j'avais fait un certain nombre d'hypothèses sur la transformation de la structure du pouvoir au Québec. J'aimerais revenir sur ces hypothèses et examiner jusqu'à quel point elles se sont vérifiées, et dans quelle mesure il faut les transformer en 1979.

Il faut d'abord se rappeler qu'en 1966, nous étions à la fin de la phase exaltante de la Révolution tranquille. Révolution tranquille qui avait bouleversé considérablement sinon les règles du jeu, du moins les acteurs du pouvoir.

Après la grève d'Asbestos, le syndicalisme, et en particulier la C.T.C.C., était apparu comme le symbole et le porteur d'une libération de l'idéologie unitaire du nationalisme ruraliste et fermé sur lui-même. Plus encore que de Duplessis, qui lui aussi était un symbole, on voulait se débarrasser d'une religion sclérosante et sclérosée et d'une définition du moi collectif aliénante et dépassée.

Avec la Révolution tranquille, les valeurs et les forces du passé se sont effritées. Mais ce ne fut plus le syndicalisme qui incarna la libération, ce fut plutôt le gouvernement, l'État, grand acteur de la libération et de la modernisation. En particulier, ce fut l'ère des premiers grands fonctionnaires (le plus souvent diplômés des sciences sociales) rationalisateurs et planificateurs. Ce fut aussi le début de l'intervention massive et programmée de l'État dans tous les secteurs de la vie sociale et économique.

Mais surtout, la Révolution tranquille a été le creuset d'un nouveau nationalisme tourné vers l'avenir, la modernisation, la société post-industrielle. Il ne faut pas non plus oublier que ce nouveau nationalisme a été d'abord vécu et ressenti par les grands commis et leurs auxiliaires avant d'être explicité par eux et par René Lévesque.

C'est dans ce contexte, encore mal digéré par les sociologues parce qu'il demeurait proche et que beaucoup d'entre eux y étaient fortement impliqués, que s'est déroulé le colloque de 1966.

C'est presque autant comme acteur que comme analyste que j'avais formulé les quatre hypothèses que je voudrais maintenant réexaminer. Mon point de départ était que la justification du pouvoir était de moins en moins la tradition et de plus en plus la rationalité. La compétence et surtout la connaissance devenaient le fondement des décisions et des affectations aux postes de décision.

Ce changement dans le fondement du pouvoir justifiait l'importance croissante des hauts et moyens fonctionnaires. La tradition souvent identifiée au nationalisme ruraliste était incarnée non seulement dans le clergé mais aussi dans les professions libérales et dans une grande mesure dans les hommes politiques. La rationalité, par ailleurs, était la reconstruction volontaire, sinon la construction, d'une société tournée vers l'avenir. Cette reconstruction, seuls les techniciens de la planification, les experts de la vie sociale et de la vie économique pouvaient en indiquer à la fois l'objectif et les moyens

Par ailleurs, l'État apparaissait comme le seul moyen d'opérer une modernisation orientée dans le sens désiré. C'était le seul instrument qui appartenait aux Québécois, la structure économique étant contrôlée en très grande partie par l'extérieur. L'État devait donc non seulement réformer le social (éducation, santé, bien-être, etc.), mais aussi bâtir une économie québécoise (électricité, aciérie, etc.).

C'est donc autant l'ampleur de la tâche confiée à l'État que le recours à la rationalité pour accomplir cette tâche qui assura aux commis de toute grandeur un pouvoir qui fut parfois très proche de l'établissement d'une technocratie au sens strict. On discuta publiquement non seulement du rôle des députés mais même de celui des ministres.

Par ailleurs, le projet de société des grands commis n'était pas toujours partagé par les instances politiques, surtout à la fin des années 60 et au début des années 70. La nécessité d'incarner ce projet dans un parti politique s'imposait si l'on ne voulait pas le voir avorter ou si l'on ne voulait pas usurper complètement le pouvoir. Le Parti Québécois réussit à réunir, non sans compromis, le projet des commis et de la classe moyenne instruite et rationnelle aux projets nationalistes plus linguistiques qui étaient apparus dans la région de Montréal.

Depuis l'avènement du PQ au pouvoir, la base du pouvoir reste la rationalité, mais l'instance politique semble avoir repris de la force par rapport aux grands commis, qui restent plus dans l'ombre quand ils ne sont pas complètement anonymes.

Ce nouveau partage du pouvoir entre commis et politiciens s'explique sans doute par la présence dans les cabinets des ministres de conseillers eux-mêmes experts et rationalisateurs, ce qui était relativement rare dans les gouvernements antérieurs. Il s'explique aussi et peut-être plus par le fait que beaucoup des ministres sont eux-mêmes d'anciens grands commis des gouvernements antérieurs. Ils ont enfin le pouvoir officiel et ne sont sans doute pas intéressés à l'abandonner à leurs nouveaux commis, qui ne sont pas nécessairement plus rationnels qu'eux.

Si la tradition a cédé le pas et même le pouvoir politique à la rationalité et à la connaissance, ces dernières n'auraient pas pour autant gagné complètement la partie. C'était, en effet, la deuxième hypothèse que je posais en 1966 : il existait une opposition entre deux types de connaissance — la connaissance abstraite des experts scientifiques et la connaissance concrète et vécue des experts du peuple, sinon du peuple lui-même.

Ces deux types de connaissance définissent parfois des moyens différents d'atteindre certains objectifs. Plus profondément, parce qu'elles s'appuient sur deux systèmes de valeurs divergents, leurs tenants ne sont pas nécessairement d'accord sur les objectifs.

Face aux techniciens toujours hantés de technocratie, le peuple veut pouvoir imposer ses objectifs et même ses propres cheminements vers les objectifs choisis.

Dès le début des années 60, plus l'État rationalisait les divers aspects de la vie sociale, plus il y eut des protestations, plus ou moins organisées, de la part de la population et des groupes populaires.

Dans certains cas, on rejetait toute élite. Les cultivateurs, par exemple, ne croyaient plus ni les curés qui les avaient entraînés dans une agriculture de subsistance, ni les agronomes qui voulaient tout réformer. Ce mouvement partiel s'est accentué à la fin des années 60 et même jusqu'à aujourd'hui. Plusieurs groupes populaires ont rejeté leurs animateurs diplômés qui, malgré leur bonne volonté idéologique, demeuraient des « intellectuels abstraits ».

Dans d'autres cas, on s'organisait (conseils régionaux, comités de citoyens, etc.) pour s'opposer aux vues globalisantes des fonctionnaires planificateurs et uniformisateurs. Cette opposition a pris parfois la forme de pressions sur les politiciens ou l'opinion publique. Elle a donné lieu, dans plusieurs cas, à la création d'organismes locaux plus capables que les institutions centralisées de répondre aux problèmes vécus au niveau local. Ces organismes autogérés ou cogérés offraient de plus un pouvoir direct à la population, qui cessait d'être client pour devenir gérant de ses propres affaires. Cette création institutionnelle fut particulièrement forte à la fin des années 60.

Qu'en est-il en 1979? Après la flambée de la contestation du peuple contre les techniciens de la fin des années 60 et du début des années 70, cette revendication a beaucoup diminué. Par ailleurs, elle a changé de nature. On ne remet presque plus en cause la définition des objectifs ou même des moyens. On n'oppose plus la connaissance du vécu à la connaissance abstraite. On réclame de moins en moins la gestion de ses propres organismes.

De plus en plus, ce qu'on réclame, c'est d'être traité plus humainement comme client, c'est d'avoir plus de services ou plus d'argent.

Cette transformation peut sans doute s'expliquer par le fait que les techniciens de la planification ont reconnu le bien-fondé de la revendication du vécu, et l'ont canalisée dans des formes institutionnelles nouvelles mais partielles. Les projets locaux ont été financés par des programmes fédéraux ad hoc. Les organismes locaux ont été institutionnalisés dans les C.L.S.C., dans l'aide juridique, dans le financement des C.R.D., dans les comités d'école, etc.

On n'a pas redéfini de nouvelles règles du jeu entre le citoyen et l'État planificateur et fournisseur de services. Par des formules faussement décentralisées, on laisse croire à une plus grande responsabilité du citoyen, qui demeure enfermé dans un vécu de client dépendant.

Ceux qui commencent à réclamer la cogestion, sinon l'autogestion, ce sont maintenant les professionnels qui oeuvrent dans les organismes locaux et dont la présence a souvent été imposée par les techniciens planificateurs.

Ce fait nous amène à notre troisième hypothèse de 1966. En sus du conflit entre les experts techniciens et le peuple, c'est-à-dire entre le projet global de société et les projets locaux, nous avions prévu un conflit entre cette nouvelle élite et les élites traditionnelles représentées par le clergé et les professions libérales, c'est-à-dire entre le projet d'un Québec moderne et celui d'un Québec fidèle à son passé.

Nous devons reconnaître que ce conflit n'a presque pas eu lieu, à moins de faire une analogie trop facile entre élite traditionnelle et tenants du fédéralisme. Personne ne propose plus ou n'ose plus proposer une vision d'un Québec moins urbain, moins industriel, moins pluraliste, moins axé sur la consommation de biens et de services.

Cela ne veut pas dire que tout conflit entre élites a disparu. Il faut d'abord noter une opposition, vis-à-vis des nouvelles élites techniques, qui vient des détenteurs de pouvoir au niveau local. Cette opposition tend surtout à contrecarrer les projets de réforme qui touchent d'une façon ou d'une autre les institutions locales (municipalité, conseil de comté, commission scolaire). Les élus locaux et les fonctionnaires locaux sont réticents soit à partager leur pouvoir (conseil de quartier) soit à en déléguer une partie à une instance supérieure régionale. Ainsi, une partie importante du projet global des élites planificatrices a dû être mise en veilleuse et (ou) faire l'objet d'une stratégie étapiste.

La nécessité de passer de l'*utopie* à l'*étapie* ne s'est pas fait sentir seulement dans le domaine de la réforme des institutions, mais est apparue pour l'ensemble du projet global.

Par définition, les techniciens planificateurs sont utopistes. Étant très conscients des problèmes des divers secteurs d'activité, ils sont aussi conscients des interdépendances entre ces secteurs. Ils en viennent ainsi à acquérir une sorte de vision globale de la société, vision qui les conduit à chercher une solution globale, un projet global qui réoriente l'ensemble de la société. C'est dans ce sens qu'ils sont utopistes.

La première expression de l'utopie technicienne du Québec a été le programme du Parti Québécois. Sans doute ce programme est-il un compromis entre la vision (sinon la visée) des grands commis, les aspirations moins organisées de la classe moyenne instruite, et certains desirata du peuple. Il n'en reste pas moins que ce programme constitue un ensemble assez cohérent qui définit à la fois un projet de société et un moyen de réaliser ce projet, c'est-à-dire la souveraineté-association.

Si les techniciens planificateurs sont toujours utopistes, ils sont, par ailleurs, souvent forcés d'être étapistes. C'est vrai surtout lorsqu'ils doivent agir dans un cadre politique qui ne partage pas leurs projets. Commis d'un gouvernement ou d'un parti politique qui ont d'autres visées ou n'ont aucune visée précise, ils doivent composer et proposer des réformes partielles plus ou moins cohérentes entre elles, en espérant que le cumul de ces réformes finira par infléchir le cours de l'évolution de la société dans la direction désirée.

Lorsque, comme c'est le cas avec le PQ, le programme du parti coïncide en grande partie avec le projet des techniciens planificateurs, on pourrait s'attendre à ce que les techniciens au pouvoir cessent d'être étapistes pour jouer pleinement leur rôle d'utopistes.

Pendant une brève période, on aurait pu croire qu'il en serait ainsi (pendant qu'on préparait les dossiers). Mais, très tôt, le réalisme, c'est-à-dire l'étapisme, a pris le dessus et l'on a été forcé d'échelonner le projet en réformes partielles sinon timides [1].

Nous avons évoqué plus haut le fait que cette conversion pouvait s'expliquer par la résistance des pouvoirs locaux. Mais cette explication n'est pas suffisante. Parmi les autres explications, il faut mentionner, même rapidement, le rôle qu'a joué le pouvoir économique.

Traditionnellement, les forces économiques ont tenu pour négligeable le gouvernement du Québec, qu'elles croyaient confiné aux seuls domaines social et culturel [2]. Avec l'arrivée du PQ au pouvoir, le projet des techniciens planificateurs devient le projet de l'État québécois. Ce projet est social et culturel ; il est aussi économique. Les techniciens, forcés à l'étapisme par les partis provinciaux traditionnels, peuvent devenir utopistes avec un projet qui touche directement les intérêts du pouvoir économique.

Alors que traditionnellement le pouvoir économique pouvait rester dans l'ombre tout en flirtant avec les partis fédéraux [3] ou para-fédéraux, ce pouvoir, après 1976, doit faire surface et combattre un projet qui est devenu menaçant. En sortant de l'ombre, les forces économiques ont amené de force le combat sur leur propre terrain, celui du présent, d'un présent fragile économiquement.

Ce qui « effrayait » le pouvoir économique, ce n'était pas la *condition* de l'utopie — il se moque de plus en plus des frontières et sait s'adapter aux exigences linguistiques ; c'est plutôt l'utopie qui était menaçante, et c'est l'utopie qu'il a réussi à faire mettre en veilleuse. Le PQ a dû présenter l'image rassurante d'un bon gestionnaire, pas trop socialiste, presque aussi centriste que les partis traditionnels. Ce faisant, le gouvernement péquiste a camouflé son étapisme global sous l'étapisme constitutionnel, en mettant de côté le projet global et en transformant la *condition* en *objectif.*

Cet adoucissement, sinon cette transformation, du projet global des techniciens planificateurs remet en question ma quatrième hypothèse de 1966. À savoir que les dés étaient pipés en faveur des commis technocrates.

À travers le PQ, ces techniciens planificateurs ont accédé au pouvoir ; mais ce pouvoir, ils ne réussissent pas à l'exercer dans sa plénitude et sont donc exposés à le perdre.

L'entrée en jeu plus ou moins explicite du pouvoir économique dans l'arène politique du Québec a forcé les techniciens planificateurs à tempérer leur projet et à partager leur pouvoir avec des forces qui sont le plus souvent externes au Québec. À ce niveau, leur pouvoir est bien fragile et ils sont loin d'avoir gagné la bataille.

Cependant, le pouvoir économique n'est pas le seul opposant à la conception du pouvoir et au pouvoir même des techniciens planificateurs. Les élites traditionnelles locales constituent un dernier retranchement de la résistance des forces traditionnelles. Comme telle, cette résistance ne constitue pas un obstacle majeur au projet global des techniciens planificateurs. Seule force d'opposition, les élites locales ne réussiraient sans doute qu'à provoquer un étapisme partiel et temporaire et les réformes institutionnelles pourraient être en vigueur dans un avenir prochain. Cependant, cet étapisme partiel, s'ajoutant à l'étapisme global, sera problablement plus long. Même si les réformes institutionnelles intéressent peu les forces économiques puisqu'elles relèvent du domaine politico-social, ces forces économiques peuvent chercher des alliances avec les élites locales pour des fins stratégiques.

L'autre opposant possible au pouvoir des techniciens planificateurs était la population, qui, dans les années 60, opposait son vécu et son désir de contrôle aux visées abstraites globalisantes. De ce côté, les techniciens planificateurs semblent avoir gagné la bataille.

La population n'invente presque plus rien. Les quelques inventions populaires sont, de plus, très souvent récupérées par des intellectuels encore plus désincarnés que les techniciens. D'ailleurs, presque toute la critique semble être passée à ces intellectuels de « gauche » incapables de traduire le vécu de la population. Cette critique relève beaucoup plus de l'univers technicien que de l'univers populiste.

Seule la consommation devient l'objet d'aspirations et de revendications. La population veut à la fois consommer plus (syndicalisme) et consommer mieux (associations de consommateurs). Le syndicalisme de la fonction publique et para-publique joue ainsi un rôle très ambigu. En axant ses revendications surtout sur le pouvoir d'achat, ce syndicalisme, qui toutefois se veut idéologique, fait le jeu du pouvoir économique et renforce la nécessité de l'étapisme. Il risque de plus de canaliser sur lui les revendications de la population contre l'appareil bureaucratique établi par les techniciens planificateurs.

En général, cependant, la population semble se résigner à l'emprise de cet appareil bureaucratique, semble ne plus croire qu'elle puisse se libérer de la domination de l'expert. En vingt ans, la population du Québec a appris à être dépendante de l'État et de ses techniciens. Il en résulte une résignation peut-être pire que celle qu'on a connue sous Duplessis. Ce n'est plus un homme qui nous écrase, c'est maintenant une machine qui, tout en devenant plus « humaine », devient plus omniprésente.

Rapidement ou lentement, les techniciens planificateurs, au pouvoir ou pas, vont nous donner un bon gouvernement, habile à combler nos besoins de consommation. En retour, ils nous demandent de renoncer à une société exaltante que nous pourrions créer et gérer nous-mêmes. Serait-ce un jeu de dupes?

Gérald Fortin

Institut national de la recherche
scientifique-Urbanisation
Université du Québec

Notes

[1] Il devrait être clair que nous ne parlons pas ici de l'étapisme par rapport à la *condition* de la réalisation du projet, soit la souveraineté-association. L'étapisme dont il s'agit est celui qui affecte le projet lui-même, dont une grande partie pouvait être réalisée sans condition.

D'autre part, les ministres qui n'ont pas été grands commis semblent avoir mieux résisté à cette tendance.

[2] Voir à ce sujet Dominique Cliff et Sheila McLeod Arnopoulos, *Le Fait anglais au Québec*, Libre expression, 1979. Ce que les auteurs affirment des Québécois anglais peut être appliqué aux entreprises canadiennes et multinationales.

[3] *Ibid.*

Le citoyen, les groupes d'intervention et les appareils

Introduction

Il est de bon ton, dans un panel organisé par d'autres, de commencer par contester le thème même que l'on demande de traiter, de le triturer plus ou moins confortablement, puis de dire de toute façon ce que l'on a envie d'exposer, même si ce n'est pas directement dans le corridor tracé par les organisateurs du colloque, ces derniers n'ayant plus voix au chapitre quand s'ouvre le panel... Je m'inscrirai au moins partiellement dans cette tradition...

C'est que, voyez-vous, le raccourci de votre titre « Le citoyen et les appareils » ne me convient pas du tout. Je connais *un* citoyen, je connais *des* citoyens, mais tout analyste politique que je sois, je ne sais pas ce que c'est que *le* citoyen. Voilà pour le premier membre de la phrase. De même pour le second membre : je connais *des* appareils, mais je refuse de traiter consciemment en un seul bloc *tous* les appareils de la société québécoise. Quant au *et* conjonctif, renvoie-t-il aux citoyens *dans* les appareils, *sous* les appareils, *face aux* appareils, ou à l'une ou l'autre des combinaisons possibles de ces situations ?

On me répondra sans doute que c'est tout cela à la fois et qu'il appartient justement aux participants de démêler le tout de façon convenable et analytique. Mais voilà, je n'ai pas cette assurance bienheureuse... Et je vais tenter de vous communiquer une partie de mes inquiétudes.

Le citoyen s'entend, de façon rigoureuse, en un seul cas théorique : lorsqu'on le distingue du non-citoyen. Les non-citoyens sont trop peu nombreux au Québec — juges, fonctionnaires d'une puissance étrangère, Indiens des réserves, prisonniers de droit commun, aliénés hospitalisés et autres personnes officiellement déclarées inaptes —, ou trop peu adultes — les moins de 18 ans —, pour que ce soit à ceux-ci et à ceux-là que l'on pense en utilisant, selon le mode électoral, l'expression de citoyen. Ce pourrait être le cas, remarquez, mais je ne pense pas que ce le soit dans l'esprit de ce colloque. Je ne pense pas non plus que l'on ait proposé ce terme en voulant exclure les Non-Canadiens.

Qu'est-ce donc alors que le citoyen, sinon l'ensemble des habitants du Québec. Ce qui ne fait plus sens, puisque le concept ne discrimine plus rien du tout analytiquement.

Je sens bien, intuitivement, que l'on a pensé à « citoyen » par rapport à « membre des appareils »... Mais c'est là justement que je ne marche plus.

Le citoyen et les appareils d'État

Il n'existe pas telle chose que *le* citoyen face aux membres *des* appareils, et c'est selon moi se méprendre grandement que de penser poser le problème de cette façon, surtout quand on est sociologue. Qui plus est, c'est même idéologiquement faire le jeu, consciemment ou non, de l'enculturation libérale. L'on sait en effet depuis longtemps que la culture libérale postule l'égalité des citoyens et donc leur non-différenciation devant les appareils d'État ; mais l'on sait également tout aussi bien que si les appareils d'État s'adressent en régime libéral à tous les citoyens comme masse indifférenciée, ce n'est que dans le versant exécutoire des décisions qui sont prises que joue cette règle, de même que dans la quasi-fiction de l'élection occasionnelle. Que pour tout le reste, c'est-à-dire l'essentiel en politique, une masse indifférenciée de citoyens, ça n'existe pas.

L'on sait tout autant que les citoyens n'interviennent auprès des appareils d'État que par groupes interposés. Je dis bien groupes, groupes constitués, et non pas strates statistiques-inventions de chercheurs, qui ne font pas plus sens que le concept non discriminant de « citoyen ». Les groupes en question sont évidemment plus ou moins formels, plus ou moins institués, mais c'est néanmoins par eux que procède l'essentiel de la démarche influente dans le versant formation des décisions au sein des appareils d'État. En ce sens, même *les élites*, anciennes et nouvelles, ne constituent pas un tout homogène ; elles aussi interviennent à travers des groupes constitués, que ce soit les Parents catholiques, les chambres de commerce, les associations d'administrateurs, ou même les amicales de diplômés universitaires de telle promotion donnée [1].

Or lorsqu'il est question de groupes, on cite habituellement les statistiques nord-américaines suivantes : moins de 40 % des citoyens appartiennent à une ou plusieurs associations ; moins de 30 % des membres des associations sont actifs et très actifs dans ces dernières ; c'est-à-dire au fond que 10 % à 15 % de la population adulte est active sur le plan politique en dehors du simple vote électif [2]. Mais ces statistiques elles-mêmes ne disent à peu près rien du véritable enjeu de l'influence, et il faut les décortiquer pour découvrir le vrai sens de la participation à la prise de décision.

Point n'est besoin de longues séries statistiques pour se rendre compte que la participation à la prise de décision des appareils d'État est directement proportionnelle au degré de soutien que tel groupe donné apporte aux détenteurs d'autorité au sein du système politique. Est directement proportionnelle au degré d'intégration que ce groupe manifeste à l'égard des objectifs fondamentaux que poursuivent ces détenteurs d'autorité. L'inverse étant également vrai, c'est-à-dire que l'influence diminue au même rythme qu'augmente la distance entre tel groupe donné et l'orientation idéologique des détenteurs de pouvoir au sein des appareils d'État.

En ce sens, la participation des groupes au versant formation des décisions au sein des appareils d'État est sans doute un phénomène important des années soixante au Québec. Mais je suis loin d'en tirer la conclusion qui avait encore cours au colloque de 1966, soit que nous nous dirigions alors tout droit vers une toute nouvelle société. S'il y a eu en ce sens révolution au Québec dans l'après-duplessisme et dans l'après-cléricalisme, ce ne peut être que la révolution bourgeoise mise à jour (je parle de 1789).

Ainsi, que reste-t-il vraiment aujourd'hui de durable des expériences avortées de développement régional et des processus terminés d'animation sociale, si ce n'est la part de « re-centralisation, de reconcentration et d'intégration sociale [3] » que les détenteurs d'autorité au sein des appareils d'État ont magnifiquement su ajouter à leur propre processus de prise de décision technocratique du début des années soixante.

Peut-on sérieusement dans ce contexte parler de « contre-pouvoir régional » et encore pis, de « contre-pouvoir des citoyens (encore !) au pouvoir central » ? D'une « nouvelle répartition du pouvoir au bénéfice de la population » (*le* citoyen, *la* population) à propos de l'organisation de la santé ? De contre-pouvoir municipal et scolaire ? Et ainsi de suite...

Il n'y a plus guère que le Parti Québécois (je ne dis pas le gouvernement, mais le parti) et quelques-uns de ses associés intellectuels des universités, pour rêver encore de décentralisation-déconcentration dans un pays comme le nôtre et donner l'impression d'y croire, sous une forme modernisée de « corporatisme social » qui ne touche pas les assises politico-économiques (je dis bien politico-économiques et non politico-culturelles de la souveraineté-association) de la véritable structure de pouvoir. Ils y rêvent, les uns sérieusement, les autres par camouflage, mais c'est plutôt inoffensif sur le plan social, puisque de toute façon le principal enjeu de cette lutte idéologique ce n'est pas la dangereuse mise en place de contre-pouvoirs, mais la fructueuse cueillette nationaliste des résistances de toutes sortes ; et qui dit nationalisme-sécession, ce qui est politiquement du même ordre que le nationalisme-patriotisme des temps de guerre, appelle l'unanimisme social et non la confrontation interne. Peut-il y avoir contre-pouvoir et absence de confrontation tout à la fois... À moins, comme on l'entend souvent, que le tout ne soit renvoyé dans l'après-souveraineté... Mais c'est quand, sérieusement, l'après-souveraineté ?

Appareils et appareils

Une seconde méconnaissance du véritable jeu politique, tout aussi sérieuse que la première à propos du magma-citoyen, concerne ce qui m'apparaît avoir été la seconde grande utopie des dernières décennies, soit le projet de contre-culture.

Contre-culture qui s'est souvent prise pour un contre-pouvoir, alors qu'habituellement elle se mettait simplement en marge des relations sociétales de pouvoir. Ce qui n'empêchait en rien que soient reproduites ces relations de pouvoir, au sein même de la para-société ainsi créée...

Mais même alors, peut-on sérieusement parler de contre-pouvoir dans une société telle que la nôtre, alors que selon moi — je vous le propose en hypothèse à vérifier — ces regroupements marginaux *étaient* aussi hétérogènes que peut l'être un rassemblement ad hoc et rapidement fluctuant de néo-libéraux consommateurs-écologistes-naturistes-participactionnistes-« van der voegelistes »-ombudsmanisés (c'est-à-dire surtout pas regroupés sur la base de la production) et de socialistes utopistes anarchisants-autosuffisants-communautaristes (c'est-à-dire collectivement autogestionnaires).

L'une et l'autre tendance refusent évidemment les appareils, tous les appareils sauf ceux qu'ils contrôlent ou croient contrôler eux-mêmes, mais pour des raisons diamétralement opposées, ou en tout cas structurellement de niveaux très différents l'un de l'autre. L'une par refus de procéder à la collectivisation des appareils sociaux, ce qui selon moi est un retour au libéralisme théorique idéalisé que transportent en économique les Friedman-Lepage et dont le sociologue Pierre Lemieux des pages 5 du *Devoir* est un bel exemple actuel au Québec. L'autre par volonté de faire l'économie d'une telle collectivisation et de passer d'emblée au paradis égalitaire post-étatique. L'une par humanisme modernisé, l'autre par humanitarisme tout aussi idyllique.

Au fond, je ne crois pas qu'il y ait beaucoup à dire de ces modes contre-culturelles au Québec, car il en reste bien peu de chose me semble-t-il, si ce n'est ce relent de libéralisme pur et dur, qui se présente encore parfois comme contre-culture, mais qui ne trompe à peu près plus personne, surtout pas les tenants de la rétro-normalité que comptent en si grand nombre plusieurs groupes de jeunes adultes actuels.

La seule chose durable qui m'inquiète vraiment à ce sujet, c'est que ce néo-libéralisme et ce néo-conformisme social renouent avec les traditions de non-participation, d'autoritarisme et d'anti-étatisme québécois. Que ce retour aux sources les moins démocratiques de nos habitus politiques des décennies 40 et 50, étroitement associé au nécessaire unanimisme du Parti Québécois, jette encore une fois par-dessus bord la *renaissance* idéologique marxisante des centrales syndicales québécoises, potentiellement le seul trait politique « neuf » à visées globales des trois dernières décennies. Que l'on persiste à mettre dans le même sac appareils d'État et appareils des groupes d'intervention. Que l'on considère comme de la même farine bureau de direction de centrale syndicale, conseil de direction de grande entreprise et Conseil du Trésor gouvernemental, par exemple, ce qui donne le plus beau mélange circulaire gauchisme-libéralisme et laisse la place, toute la place, aux véritables détenteurs de l'autorité sociétale.

Démocratisation du pouvoir ?

Et que l'on ait finalement si peu avancé que demeurent intacts au Québec depuis 1960 :

1) le pouvoir économique et politique canado-américain ; dont il arrive qu'il soit surtout de culture anglo-saxonne ;
2) les classes dominantes et régnantes ; dont il arrive qu'elles se servent maintenant plus directement que jamais des nouvelles petites et moyennes bourgeoisies techniques, intellectuelles et d'affaires.

Et que fleurisse une nouvelle forme de cosmovision nationaliste qui, parce que détachée de son pilier clérical, n'en est pas moins cosmovision pour autant.

Si la démocratisation politique est un acquis encore instable de la décennie soixante, la démocratisation culturelle n'a pas avancé beaucoup, même dans les milieux d'éducation instituée, et elle se met maintenant joyeusement à la remorque de la cosmovision nationaliste, me semble-t-il. Quant à la démocratisation économique et industrielle, elle ne fait même pas encore l'objet de débats de fond.

Voilà.

G.-Raymond Laliberté

Faculté des sciences de l'éducation
Université Laval

Notes

[1] Il est intéressant en ce domaine de vérifier une telle généralisation à l'occidentale, en se reportant à un phénomène semblable dans des pays à parti unique ; voir par exemple H.G. Skilling et F. Griffiths (éd.), *Interest Groups in Soviet Politics*, Princeton University Press, 1971.

[2] Le livre de Léon Dion, *Société et politique : la vie des groupes*, Québec, P.U.L.,1971, 1972, fourmille de telles données statistiques.

[3] Ces expressions sont proposées par le Groupe interuniversitaire de prospective québécoise, à propos du même phénomène.

Pouvoir et société au Québec : le problème de l'État et les appareils d'État

Je souhaite, tout d'abord, formuler quelques mises en garde qui vont, dans un sens, bien au delà de mon intention, avouée d'entrée de jeu, de ne pas tout dire à propos d'un tel thème. Je sélectionnerai donc la matière et procéderai à un découpage de l'objet qui tiendra compte d'une conception, que je souhaite défendre, du pouvoir politique. Dans une société donnée, les problèmes de l'ordre du politique sont d'abord et essentiellement fonction de la coordination, de la régulation, de l'organisation sociales globales d'une entité sociale en tant que tout capable de fonctions, de tâches plus ou moins diversifiées, complémentaires et intégrées.

On peut alors développer des problématiques du politique, ou mieux encore du politique de l'État, pour approcher ce système de rapports de forces socio-politiques — rapports de classes ou de fractions de classes sociales par exemple — tournées vers la coordination, la régulation, l'organisation sociales globales. C'est donc par rapport à ce niveau d'une problématique sociale que je parlerai tout d'abord du pouvoir.

J'ajoute que l'on peut évidemment, en ce qui a trait aux problèmes généraux du pouvoir ou de l'organisation politique du social, distinguer d'autres niveaux, réseaux ou processus politiques articulés plus ou moins directement entre eux et avec le niveau plus global déjà identifié. Il y a d'abord le réseau des appareils politiques, soit celui des appareils de gestion de la coordination du social, qui comprend l'appareil central d'État — pouvoir exécutif et législatif, et divers appareils sectoriels d'intervention. Il y a encore les formes plus phénoménales, morphologiques du politique, soit le système des représentations politiques, des partis politiques, de l'opinion politique, des suffrages électoraux, bref, le niveau de la scène ou du marché politique au sens restreint du terme.

Le point de vue adopté va obliger à traiter de problèmes situés, le cas échéant, à l'un ou à l'autre de ces divers niveaux, tout en respectant à la fois leur grande autonomie et les mécanismes de relais et d'articulation entre eux.

Aborder le problème de cette manière n'implique pas que je soutienne que des agents principalement économiques n'aient pas de pouvoir ou encore qu'il n'y ait pas, dans une société, de pouvoirs économiques — les mêmes affirmations pouvant être faites à propos d'agents à vocation plus proprement culturelle, idéologique ou même scientifique. L'objectif est ici plutôt d'illustrer comment ces agents sociaux interviennent aussi au niveau du politique — et le cas échéant au sein d'autres réseaux des processus politiques — en tant qu'agents appartenant également à ces ensembles de rapports et s'y manifestant. En se différenciant, le niveau du politique ne devient pas étanche.

Finalement, le point de vue adopté s'oppose à une approche diffusionniste du pouvoir voulant que divers agents ou groupes d'agents sociaux aient plus ou moins de pouvoir. Le pouvoir n'est pas un continuum où divers groupes d'agents sociaux, en fonction d'une position occupée, amoncelleraient des sommes ou des masses plus ou moins imposantes ou abondantes de pouvoir. Le pouvoir fait plutôt appel à des rapports de forces socio-politiques comportant des positions plus ou moins dominantes ou plus ou moins dominées, et relatifs à des enjeux qui divisent, opposent les agents et groupes d'agents sociaux.

Au sujet des problèmes de pouvoir au Québec, j'énonce quelques postulats qui encadrent mes propos plus qu'ils ne les structurent en parties ou sous-parties.

Au Québec, il n'y a pas à l'oeuvre, au sens strict et fort du terme, de technocratie ou de technostructure très intégrées ou à forte base localiste, ou encore de technocrates autochtones. Ce qui ne veut en rien dire qu'il n'y a pas de classe bourgeoise ou plutôt de fraction autochtone de classe bourgeoise participant à la direction économique des forces d'accumulation.

Dans la conjoncture actuelle du système des rapports de forces socio-politiques se disputant le contrôle de la coordination, de l'organisation sociales globales — donc au niveau du politique, de l'État — le poids des classes moyennes ou de fractions supérieures des classes moyennes est considérable et ne peut être négligé. Il ne s'agit aucunement, pour autant, de leur reconnaître un rôle proprement ou exclusivement hégémonique ou dominant.

Dans la conjoncture récente au Québec s'est développée une certaine forme de société civile à la croissance de laquelle les appareils d'État ont contribué et dont un trait distinctif majeur aura été l'idéologie de la participation.

En termes d'enjeux du pouvoir, la conjoncture actuelle de la société québécoise ne peut être dissociée de la question nationale, laquelle est fondamentalement de l'ordre du politique, tout en étant grandement masquée, déformée, camouflée par une certaine surpolitisation.

Technocratie et technocrates

Au colloque de 1966 de la revue *Recherches sociographiques* — dont il est explicitement fait mention dans la présentation de ce colloque-ci de l'ACSALF — avait été avancée l'idée d'une transformation des élites au sein de la société canadienne-française des années cinquante et du début des années soixante. Une élite moderne de type technocratique aurait alors pris en main les leviers du pouvoir. Et M. J.-C. Falardeau n'y allait pas, en quelque sorte, avec « le dos de la cuiller », lorsqu'il soutenait qu'à cette première élite était alliée une élite économique dirigeante canadienne-française. Si la première fonctionnait à travers l'État, l'autre s'identifiait à l'entreprise et à la rue Saint-Jacques [1].

Cette hypothèse, il me semble, ne peut être retenue, dans la mesure où les positions et les fonctions des technocrates sont à relier à la structuration des sociétés industrielles avancées contrôlant directement leurs destinées, appartenant aux sociétés libérales dominantes. Après les travaux de Galbraith, de Touraine et même de Bell [2] — des différences considérables, bien sûr, caractérisent ces travaux et ils se distinguent notamment par ce qu'il faut y mettre un relief — on n'aurait pas de mal à soutenir que la technocratie, les agents sociaux appelés technocrates, traduisent une forme d'articulation, de rapports entre des agents économiques, politiques, intellectuels occupant les positions dominantes de la gestion du capital mais aussi de la société globale, y compris le niveau du politique, de l'État. La technocratie est donc une forme d'articulation entre fractions de classes économiquement et politiquement dominantes des sociétés libérales avancées et auto-centrées.

On peut aussi trouver dans les théories marxistes contemporaines une autre expression de semblables phénomènes : les sociétés industrielles avancées, les sociétés libérales dominantes auraient vu le capitalisme monopoliste d'État succéder au capitalisme des grands monopoles. Le système de rapports des forces socio-politiques (l'État) de ces sociétés pousse l'appareil central d'État, les appareils politiques, à participer à la concentration du capital et au financement de la grande production monopoliste en vue de pallier la baisse tendancielle du taux de profit, d'élargir les marchés économiques et d'assumer certaines fonctions au niveau de la dévalorisation du capital. On pourrait multiplier les traits du capitalisme monopoliste d'État[3]; j'en mentionne deux, assez distants de notre réalité sociale, mais qui n'en sont pas moins majeurs, principaux : la militarisation de l'économie par l'intermédiaire de l'État et le financement public d'opérations industrielles liées à la défense et à la sécurité nationales, d'une part, et la participation de l'État au développement des forces productives par son abondant financement d'un système complexe, riche, diversifié de recherche-développement, d'autre part.

Entre les analyses qui parlent de technocratie et celles qui parlent de capitalisme monopoliste d'État, il y a une parenté : elles passent par l'État. Les fractions de classes sociales dominantes de ces sociétés regroupent des agents politiques (hauts fonctionnaires de l'État, hommes politiques), économiques, intellectuels, puisque la concentration et la circulation du capital monopoliste poussent à l'articulation des monopoles et de l'État. Si la thèse de la technocratie fut appliquée au Québec, celle du capitalisme monopoliste d'État l'a été aussi : la Révolution tranquille et ses suites seraient typiques d'un État provincial appartenant à la conjoncture d'un capitalisme monopoliste d'État[4].

Il est temps de dire pourquoi ces hypothèses ne me paraissent pas aptes à rendre compte des enjeux, des contraintes, du système de rapports des forces socio-politiques contrôlant l'organisation sociale globale de la société québécoise. C'est principalement que les classes économiques dirigeantes de l'industrialisation de la société québécoise sont *étrangères* à cette société, au sens fort (cas des bourgeoisies américaine et britannique) ou faible (cas de la bourgeoisie canadienne-anglaise) du terme. En ce sens, le Québec n'est pas une société libérale dominante générant, contrôlant, gérant son propre développement économique. Il n'est pas dans mon propos de détailler longuement ce phénomène : beaucoup de chercheurs, ces dernières années, lui ont consacré des travaux systématiques et soignés. Je veux simplement souligner qu'on ne peut parler, à propos du Québec, d'une élite économique dirigeante autochtone forte.

Problèmes de dépendance

Dans une telle conjoncture, comment se structure le système de rapports des forces socio-politiques contrôlant l'organisation, la coordination sociales de la société québécoise ? Il y a plusieurs voies possibles, bien sûr, mais l'analyse sociologique comparative de sociétés ainsi dépendantes amènerait à reconnaître au moins deux grands ensembles de conditions socio-politiques. Un premier ensemble met en oeuvre des bourgeoisies étrangères industrialisatrices contrôlant d'importantes unités de production dans la société locale, alliées à des classes ou fractions de classes dominantes autochtones, plutôt traditionnelles. Elles ne sont pas dès lors vraiment intéressées à une industrialisation plus accentuée ou à une modernisation de la société. Elles sont plutôt tournées vers des pouvoirs, des privilèges socio-politiques et idéologiques. Si cet ensemble de conditions socio-politiques a été déterminant pour une conjoncture antérieure de la société québécoise, ce n'est plus le cas maintenant.

Il y a donc un deuxième ensemble de conditions socio-politiques qui mène à identifier l'action de bourgeoisies économiques étrangères industrialisatrices, contrôlant toujours des unités importantes de production de la société locale, mais face auxquelles prennent position, se développent des groupes d'agents autochtones plus tournés vers l'industrialisation, le développement du marché intérieur, la modernisation de la société locale. Ces forces sociales cherchent alors à renverser les classes sociales dominantes traditionnelles, à négocier ou à imposer aux bourgeoisies étrangères leur participation à l'industrialisation. Ce dernier ensemble de conditions pourrait encore être raffiné, subdivisé, dichotomisé selon que les agents sociaux autochtones optent pour des stratégies ou contrôlent des positions leur permettant de lier la modernisation sociale recherchée à une intervention autochtone plus ou moins intensive et accentuée dans l'industrialisation et l'accumulation du capital.

Pour le moment, retenons l'essentiel : ces pratiques ou stratégies de classes dans les sociétés dépendantes sont d'abord et avant tout le fait de classes moyennes — appelées encore petite bourgeoisie, et notamment de fractions supérieures de ces classes sociales et des groupes techniques de ces classes, certains sociologues appelant ainsi les ingénieurs, les scientifiques des sciences sociales en tant qu'intellectuels modernes et, le cas échéant, les cadres supérieurs de l'armée [5].

Ces classes et fractions de classes exercent une pression telle sur le système des rapports des forces socio-politiques de ces sociétés qu'elles arrivent à influencer ou même à tenir l'appareil central d'État et ses divers appareils pour leur imposer, et les tourner vers, des politiques interventionnistes. Ces dernières visent à moderniser une société trop traditionnelle ; à contrôler la marginalité sociale de couches de population exclues ou lentes à être mobilisées par un développement économique dépendant et tardif; à réglementer, négocier le cas échéant, les conditions d'intervention du capital étranger dans la tentative d'une quelconque préservation de l'intégrité nationale. De telles politiques interventionnistes visent encore à développer un secteur économique public intermédiaire entre les secteurs et de la bourgeoisie étrangère et de la faible bourgeoisie autochtone, pour stimuler — par l'intermédiaire de l'État — les capacités d'accumulation de capital de groupes sociaux autochtones, fortifiant, regroupant, élargissant ainsi la bourgeoisie nationale. Enfin, les politiques interventionnistes cherchent à développer la fonction et l'administration publiques, les secteurs publics d'emploi dans les appareils d'État, notamment pour les travailleurs intellectuels appartenant en général aux classes moyennes.

De là viennent les politiques qui mettent sur pied des systèmes publics d'enseignement, de santé, d'assistance sociale; des régies d'État tournées vers l'exploitation du territoire, des ressources naturelles, vers des secteurs de production industrielle ; ou encore des programmes de gestion sociale des conflits sociaux, des conflits du travail. Bien qu'on soit là au coeur même de la conjoncture québécoise, vous aurez sans doute reconnu les lignes de force des analyses des sociétés dépendantes de Cardoso, Furtado, Martins, Ratinoff, Johnson, Touraine, Silvert[6].

Je marque donc le coup en disant ceci : la Révolution tranquille et ses suites, y compris la montée sur la scène politique locale des classes moyennes et du Parti Québécois, ne nous mettent pas en présence d'une élite de technocrates ou d'un appareil central d'État gérant le développement des monopoles du capitalisme monopoliste d'État. Mais elles manifestent un système de rapports de forces socio-politiques où les pressions politiques puis économiques des bourgeoisies étrangères, de la classe ouvrière et de ses fractions s'articulent aux luttes des classes moyennes, de leurs fractions supérieures, de leurs groupes techniques, dont les visées de promotion de leurs positions et intérêts posent objectivement le problème de l'expansion, de l'élargissement d'une bourgeoisie nationale.

Et la « société civile » qu'on nous a faite dans ce processus social global et à travers les politiques interventionnistes de l'État ne porte pas que la marque — après tout, dans cette conjoncture, pas très originale — de la planification, de la rationalité, de l'« expertise », mais aussi celle de la participation. En effet, les politiques de modernisation amenées par ces classes moyennes entendaient, à propos d'enjeux plus ou moins restreints comme les équipements scolaires, urbains, économiques régionaux, renouveler les interlocuteurs de l'appareil central d'État. C'est la lutte contre les fractions de classes dominantes traditionnelles, contre leurs diverses positions de pouvoir dans l'ensemble du tissu social, qui alors se poursuivait par une participation-mobilisation d'agents sociaux certes plus près des classes moyennes, de leurs diverses fractions, et leur servant ainsi de groupe social d'appui.

Et même certaines couches des classes sociales défavorisées, des forces sociales contestataires, ont été objectivement associées, qu'elles l'aient voulu ou non, à la démarginalisation des exclus, des non-mobilisés, à l'intégration des agents sociaux à une société en voie de modernisation, de rattrapage. Elles ont été, plus ou moins conflictuellement, entraînées, mobilisées par un ensemble de politiques réformistes. Au point où il est difficile de voir si ces couches sociales étaient conscientes, dans leur pratique même de lutte sociale, de la mise en place de nouveaux pouvoirs de décision et d'organisation sociale que sous-tendaient les politiques interventionnistes des classes moyennes. Bref, s'il y eut diminution des écarts, rapprochement entre les groupes d'intérêt, les corps intermédiaires, la masse, le peuple et l'État, l'appareil central d'État, semblable tissage de liens sociaux plus étroits ne détruisit en rien, bien au contraire, les polarisations de classes déjà cristallisées entre positions dominantes et dominées du système de rapports de forces socio-politiques.

Surpolitisation des enjeux de la question nationale

Un pas de plus doit être fait pour mieux saisir encore les contraintes, les enjeux du système de rapports des forces socio-politiques qui cherchent à contrôler la coordination de la société québécoise.

Comme dans toute société dépendante, le système de rapports des forces socio-politiques de la société québécoise est ouvert sur l'extérieur. Les bourgeoisies étrangères y interviennent et les classes sociales autochtones — classes ouvrière, moyennes, bourgeoise — mènent des luttes qui ne peuvent échapper à cette contrainte. Le fonctionnement de l'appareil central d'État et de ses divers appareils est, lui aussi, ouvert sur l'extérieur.

Et, malgré des phénomènes d'occultation, même la représentation politique, la scène politique ne peuvent échapper à semblable contrainte. On pourrait alors élaborer longuement sur le morcellement qui s'ensuit, sur l'apparition des conflits sociaux ou l'éclatement de la base sociale des forces de contestation que cette situation entraîne : classe ouvrière autochtone luttant contre des forces économiques monopolistes étrangères ou contre des pouvoirs économiques locaux plus faibles, etc.

Mais dans le cas de la société québécoise, l'éclatement est encore plus accentué et exacerbé. S'il existe un système de rapports des forces socio-politiques qui — de manière prévalente, prédominante — vise le contrôle de la coordination, de l'organisation sociales de la société québécoise, les forces socio-politiques ne lui sont pas réductibles. Avec des ressources différenciées et compte tenu de leurs puissances respectives et de leurs alliances nouvelles, les forces socio-politiques interviennent aussi au niveau du système de rapports des forces socio-politiques cherchant à contrôler la coordination de la société canadienne.

Au point où, on le sait, la forme structurelle de l'État — un appareil central canadien, des appareils centraux limités, régionaux — a été et demeure fonction de rapports de force, de luttes entre classes sociales et fractions de classes sociales regroupées régionalement et culturellement. L'état d'équilibre, plus ou moins stable, dans les relations entre les systèmes de rapports de forces socio-politiques canadien et québécois est fonction de la conjoncture des luttes entre classes sociales, fractions de classes sociales appartenant à l'un et (ou) à l'autre système. Ces contraintes marquent aussi, bien sûr, le fonctionnement des appareils centraux d'État et les formes plus phénoménales du politique au niveau de la scène, de la représentation politique.

Aussi, quand la conjoncture d'ensemble de la société québécoise est de l'ordre de la stimulation du marché intérieur, de la modernisation de la société, d'une industrialisation accentuée à laquelle participeraient des groupes autochtones, notamment par l'entremise de l'État et d'un secteur économique public intermédiaire — bref dans une conjoncture où le poids politique des classes moyennes, de leurs fractions supérieures, de leurs groupes techniques est considérable, ces enjeux ne concernent pas que les rapports entre classes sociales. Ou plutôt, au moyen de ces rapports entre classes et fractions de classes sociales et à travers eux, ils concernent l'état d'équilibre entre les systèmes de rapports des forces socio-politiques canadien et québécois en tant que systèmes du politique.

L'oppression nationale d'un groupe ethnique varie certes d'une classe sociale à l'autre et peut toujours être repérée à divers niveaux du social, comme les procès de production économique, les rapports à la culture, la coordination globale d'une société. La question nationale, elle, est la pratique de lutte autour d'un enjeu de l'oppression nationale qu'une classe, par ses luttes alors prévalentes, rend relativement hégémonique, prédominante, en s'appropriant conjoncturellement les intérêts de la nation.

La question nationale, dans la conjoncture actuelle, n'est pas de manière exclusive et au sens strict du terme une question de libération économique et encore moins culturelle. Elle s'adresse, au premier chef, à l'ordre du politique, de la construction de l'État, de la nation dans l'État, en tant que système de rapports de forces socio-politiques que les classes moyennes et leurs fractions supérieures cherchent à contrôler et à polariser autour de leurs intérêts, qui comprennent le maintien et l'élargissement d'une bourgeoisie canadienne-française autochtone capable de plus de dynamisme, de vigueur dans l'appropriation et l'accumulation du capital.

Bien que cet enjeu de la construction de la nation dans l'État soit prévalent dans la conjoncture actuelle, il est travesti, masqué par le fonctionnement même du système de la représentation politique, de la scène politique et peut-être même par celui des appareils d'État. Sont devenus thèmes électoraux les questions de l'unité canadienne, des droits constitutionnels, des gouvernements forts... À cela s'ajoutent les stratégies référendaires chapeautées, organisées par le système de la représentation politique, les partis politiques. Tout se passe comme si ces stratégies visaient à ce que, dans la nation, les agents sociaux soient sérialisés, individualisés, que les citoyens politiques soient toujours « un » et indivisibles devant des options s'adressant de manière uniforme, homogène, stéréotypée à chacun d'entre eux individuellement. Il y a là surpolitisation au niveau de la scène politique, surpolitisation qui tend à masquer que le problème est notamment de l'ordre de la domination sociale, d'un système de rapports de forces socio-politiques, de l'État. Surpolitisation qui tend à camoufler aux classes sociales des démunis, des exclus, et notamment à la classe ouvrière, que la question nationale, dans sa conjoncture actuelle, est un enjeu de luttes de classes relatif à l'oppression nationale, principalement à celle qui est matérialisée dans les positions et les intérêts de classe des classes moyennes et de leurs fractions supérieures.

Louis Maheu

Département de sociologie
Université de Montréal

Notes

[1] J.-C. Falardeau, « Des élites traditionnelles aux élites nouvelles », dans *Recherches sociographiques*, vol. 7, n° 1-2, 1966.

[2] J.K. Galbraith, *The New Industrial State*, Boston, Houghton Mifflin Co., 1967 ; A. Touraine, *La Société post-industrielle*, Paris, Denoël, 1969 ; D. Bell, *The Coming of Post-industrial Society*, New-York, Basic Books, 1973. Il existe, bien sûr, et notamment en science politique, d'autres manières d'approcher « les technocrates », que l'on tient souvent pour une élite moderne de gestionnaires de l'État, un peu comme le fait J.-C. Falardeau. Les propos avancés ici cherchent à se démarquer de toute approche qui traite les élites comme des agrégats d'agents sociaux isolés détachés de tout ensemble plus global de rapports entre classes et fractions de classes sociales.

[3] Voir à ce sujet Paul Boccara, *Études sur le capitalisme monopoliste d'État*, Paris, Éditions sociales, 1973, et l'ouvrage collectif *Traité marxiste d'économie politique : le capitalisme monopoliste d'État*, Paris, Éditions sociales, 1971, 2 tomes.

[4] D. Éthier, J.-M. Piotte, J. Reynolds, *Les Travailleurs contre l'État bourgeois*, Montréal, L'Aurore, 1975.

[5] F.H. Cardoso, *Sociologie du développement en Amérique latine*, Paris, Anthropos, 1969.

[6] F.H. Cardoso, *op. cit.* ; *idem*, *Politique et développement dans les sociétés dépendantes*, Paris, Anthropos, 1971 ; C. Furtado, *Development and Stagnation in Latin America: A Structural Approach*, New Haven, Yale University Press, 1965 ; L. Martins (éd.), *Amérique latine : crise et dépendance*, Paris, Anthropos, 1972 ; A. Touraine, *Les Sociétés dépendantes*, Gembloux, Duculot, 1976 ; J.J. Johnson, *Political Change in Latin America: the Emergence of the Middle Sectors* et *Continuity and Change in Latin America*, Stanford, Ca., Stanford University Press, 1958 et 1964 respectivement ; K.H. Silvert, *The Conflict Society: Reaction and Revolution in Latin America*, New Orleans, La., 1961 ; L. Ratinoff, « The New Urban Groups: The Middle Classes », dans S.M. Lipsit et A. Solari (éd.), *Elites in Latin America*, New-York, Oxford University Press, 1967.

Première partie

L'organisation politique du pouvoir

Une question pour amorcer l'étude des projets de décentralisation : le pouvoir des dirigeants centraux, en quête de simples actionnaires de l'entreprise-État, sera-t-il contesté par des citoyens sociétaires ?

Au cours des dernières années, la sollicitude provinciale à l'égard du local s'est moins manifestée par des tentatives de réorganisation que par des promesses de décentralisation. L'accent n'est plus mis sur la restructuration du niveau local, mais sur une plus grande délégation de pouvoirs à ce niveau. Pourquoi ? Comment rendre compte des projets de décentralisation dans leurs formes particulières ? L'analyse de la transformation du pouvoir au Québec peut éventuellement recevoir quelques informations supplémentaires si on réussit à expliquer les projets de décentralisation, pleinement développés, avortons ou avortés. Plusieurs questions se posent.

— Pourquoi la décentralisation a-t-elle pu être présentée, à certains moments, en 1977-1978, comme une relative urgence, même si elle mijotait depuis quelque temps déjà ?

— Pourquoi cette décentralisation a-t-elle tendance à se faire sectoriellement et non globalement ? La proposition d'un seul gouvernement local multifonctionnel a été ébauchée, timidement avancée et remise en couveuse (refroidie) ?

— Pourquoi les discours sur la décentralisation, présentée comme une philosophie générale de la vie en société [1], concernent-ils essentiellement le secteur public des services et n'abordent-ils pas l'organisation des activités privées de services ou de production de biens ? Pourtant, l'État contribue aussi à l'organisation de ces activités.

Si, pour répondre à ces questions, on rejette la mécanique pendulaire (après la centralisation, la décentralisation), on reste pris au dépourvu pour commencer une analyse socio-politique. En effet, les projets de décentralisation font surtout l'objet d'une approche administrative, pleine de critères ambivalents (efficacité, économie d'échelle, adaptation fonctionnelle...). Par ailleurs, les préoccupations socio-politiques ont envahi l'analyse interne du système politico-administratif local. Mais les analyses socio-politiques de l'ensemble de l'appareil d'État dans son articulation interne, de la répartition des pouvoirs entre les divers niveaux de gouvernement, restent encore peu développées. L'explication des projets de décentralisation s'en trouve compliquée. Esquissons très sommairement certaines pistes possibles, en commençant par celle qui est souvent réputée conduire aux racines mêmes des problèmes et des changements : l'évolution économique.

Situation économique et remise en cause du développement centralisé du secteur public

La situation économique difficile entraîne actuellement chez les dirigeants politiques une volonté de comprimer les dépenses publiques, et même si possible de réorganiser ces dépenses en canalisant une plus grande part des ressources vers l'aide au secteur productif, et en accentuant la charge financière du palier local. Pour certains marxistes, spécialistes de l'État, cette réorganisation est dictée par le fonctionnement même du capitalisme monopoliste. Que pourrait apporter cette approche à l'explication des projets de décentralisation ?

À toute première vue, elle suggère des pistes intéressantes de réflexion qu'on ne peut examiner en détail ici. Les préoccupations de décentralisation paraissent (sous réserve d'investigation plus approfondie) s'être accrues en même temps que se manifestait une volonté de ralentir la croissance des dépenses sociales, vers 1973-1974, en particulier en éducation et dans les affaires sociales. Mais la volonté de comprimer les dépenses, en tant que telle, n'amène pas forcément la décentralisation ; elle pourrait tout aussi bien déboucher sur son contraire, sur un renforcement du contrôle centralisé des opérations locales. Par ailleurs, la réforme fiscale municipale réorganise les finances gouvernementales, mais elle n'accroît pas dans l'ensemble la charge financière laissée au niveau local, et elle introduit même explicitement un mécanisme de péréquation.

Donc, ce qu'entraîne la situation économique, c'est au plus une remise en cause de la croissance du secteur public et de la centralisation, dans la mesure où cette croissance s'est effectuée dans une phase de centralisation. Mais la situation économique ne détermine aucune forme particulière pour les projets de décentralisation. Avant d'examiner ceux-ci, il importe de regarder de plus près cette centralisation qu'ils sont censés défaire ou améliorer.

La situation pré-décentralisation : un pouvoir central de direction, en quête de gestion ?

Depuis les années 60, la centralisation s'est accrue en même temps que les responsabilités étatiques. Un ensemble de facteurs socio-économiques tend à accroître l'intervention de l'État. Les formes que prend cette intervention, la division des tâches et les rapports de pouvoir entre niveaux de gouvernement sont pour leur part façonnés par divers facteurs institutionnels. Sans approfondir ici les raisons et les formes de cette centralisation [2], estimons toutefois son ampleur. Si les pouvoirs de Québec se sont indéniablement étendus par rapport au niveau local, on ne peut toutefois pas dire que l'ensemble du système politico-administratif soit très centralisé. Le pouvoir central a été contenu dans certaines limites et il a toujours eu une relative mauvaise conscience. La centralisation a concerné avant tout la détermination de la masse financière de bon nombre de services locaux, mais a connu moins de succès dans le contrôle des services concrets, de leur nature et de leurs modalités de prestation. À cet égard, la centralisation s'est affirmée surtout avec la mise en oeuvre de nouveaux programmes, l'offre de nouveaux services (en particulier dans divers secteurs, qui sont en principe de juridiction municipale). Mais dans l'ensemble, les unités locales ont conservé une assez grande marge de manoeuvre dans la définition des services traditionnels (services municipaux de base, questions pédagogiques en éducation, liste des soins dans les hôpitaux), même si les fonctionnaires centraux (provinciaux) ont parfois eu tendance à suivre leurs penchants normalisateurs, au nom de l'efficacité dans l'utilisation des fonds octroyés. En éducation et dans les affaires sociales, la centralisation financière a entraîné une négociation centrale des principaux éléments de la masse budgétaire (table centrale pour les négociations collectives). Dans les affaires municipales, cette centralisation a pris d'autres formes (croissance des transferts, inconditionnels ou conditionnels, contrôle plus serré des emprunts municipaux).

Par ailleurs, la centralisation, même contenue dans certaines limites, a gardé une relative mauvaise conscience, comme en témoignent plusieurs stratagèmes de modification institutionnelle. Dans les divers domaines, des projets de réorganisation du palier local ont continué à être proposés et parfois ont été mis en application, pour renforcer l'autonomie d'unités locales, plus grosses (pour faciliter le contrôle d'un plus petit nombre d'unités, elles aussi déjà un peu centralisées?...). À l'intérieur même de l'administration centrale, des organismes régionaux (bureaux sectoriels et CAR) ont été institués pour amorcer une prise en charge régionale (pour améliorer les décisions centrales par une sensibilité plus fine aux dimensions régionales?). Enfin, aux trois niveaux (provincial, régional, local), divers mécanismes consultatifs ont été expérimentés pour que les points de vue de tous les milieux puissent être pris en considération par l'administration (pour que l'emprise étatique soit plus facilement acceptée et légitimée?).

Toutes ces tentatives institutionnelles, fort ambivalentes, n'ont pas réussi à minimiser les effets négatifs de la centralisation, même limitée. Le passage obligatoire à Québec des dossiers importants de décisions financières occasionne une lourdeur administrative et l'uniformité des règles peut entraîner inadaptation et inefficacité. Le recours à Québec pour toute réponse à des nouveaux besoins qui sont traduits dans des revendications accroît l'importance des administrations centrales, mais aussi leur coût. La centralisation contribue aussi à entretenir chez les citoyens et les responsables locaux diverses attitudes d'apathie et de quémandage, bien qu'elle n'en soit pas l'unique facteur (et peut-être pas le principal), contrairement à ce que tendent à suggérer certaines présentations officielles de la décentralisation.

Dans un contexte de remise en cause (par la situation économique et par des conséquences dysfonctionnelles) du développement centralisé du secteur public, comment réagissent les dirigeants centraux et pourquoi en arrivent-ils à proposer certaines formes de décentralisation?

Ces propositions restent un peu surprenantes à première vue; car il n'y a pas de demande politique très forte de décentralisation de la part du niveau local. Pour apporter les nuances nécessaires à cette affirmation, il convient de distinguer deux ensembles de groupes locaux, qu'on peut qualifier provisoirement de local centré et de local périphérique. Le local centré regroupe tous les secteurs du système politico-administratif local, officiellement reconnu par le niveau central. Dans ce local centré, les attitudes des responsables à l'égard de la décentralisation restent ambiguës, quel que soit le domaine (municipal, scolaire ou social). Certes, les revendications d'autonomie abondent ; mais les responsables trouvent aussi que la forme de centralisation observée est confortable. Elle minimise leur responsabilité, tout en accentuant leur rôle en tant que relais indispensable entre le local et le central. Dans le local centré, il est possible toutefois que les citoyens qui se sont fait embarquer dans des opérations de consultation tiennent davantage à la décentralisation. Dans le local périphérique, surtout en milieu populaire et dans les régions non métropolitaines, les revendications d'autonomie sont nombreuses aussi. Elles ne se cristallisent cependant pas dans un appui explicite à une décentralisation institutionnelle ; elles exigent plutôt la reconnaissance du droit (et donc l'aide normalement accordée à la satisfaction d'un droit) à l'auto-expérimentation. Compte tenu de la faible intensité des demandes explicites, la décentralisation ne paraît pas s'imposer.

Toutefois les dirigeants centraux se croient obligés d'agir[3] pour résoudre les deux problèmes auxquels ils sont confrontés : contrôle des engagements financiers de l'État, comme on l'a déjà noté, mais aussi contrôle du volume et de la forme des demandes sociales en nouveaux services. En effet, sur le plan quantitatif, même une fois que sont satisfaits, par les grandes réformes sectorielles centralisatrices, les besoins sociaux de base, des demandes continuent à se manifester pour améliorer les services existants ou pour en créer de nouveaux. Et sur le plan qualitatif, on exige habituellement une réponse aux nouveaux besoins qui se fasse sous la même forme qu'antérieurement, c'est-à-dire par une intervention de l'État, par la création d'un service particulier doté de ressources financières et d'un personnel spécialisé. Le développement de la professionnalisation dans le secteur public en serait accru. Alors, l'enjeu essentiel de la décentralisation, pour les dirigeants centraux, est peut-être le suivant : il concerne le contrôle simultané des pratiques professionnelles et de l'orientation des services. Contrôle des pratiques professionnelles surtout pour des raisons financières ; contrôle de l'orientation des services pour que les demandes persistantes de services supplémentaires, d'expérimentation et d'autonomie ne débouchent pas sur une redéfinition trop profonde du contenu et du rôle des services publics dans la société actuelle. Bien entendu, il s'agit d'une hypothèse, et dans les présentations officielles des réformes, cet enjeu politique n'est pas explicité. Mais il est à remarquer que les entreprises de réforme institutionnelle sont souvent menées dans un contexte de recherche-expansion de nouvelles pratiques professionnelles ou d'expérimentations locales contestatrices, et qu'elles s'imposent dans la mesure où ces mouvements professionnels et locaux sont suffisamment développés (ce qui peut éclairer et les nombreux échecs en matière de réformes municipales et la « réussite » de l'actuel projet d'aménagement).

Voyons maintenant comment les dirigeants centraux peuvent s'y prendre pour contrôler la situation et continuer à bénéficier des privilèges politiques d'une position dominante, en donnant une forme particulière aux projets de décentralisation.

Réorganisation institutionnelle et modification dans la répartition du pouvoir

S'interroger sur les formes particulières des projets de décentralisation n'a évidemment de sens que si l'on reconnaît que les formes institutionnelles ne sont pas neutres dans les rapports de pouvoir ; issues elles-mêmes d'une certaine configuration des forces politiques, elles délimitent un champ possible pour le jeu subséquent de ces forces [4]. Les institutions empêchent de faire n'importe quoi ; mais elles ne déterminent pas concrètement ce qui est fait. D'ailleurs, l'histoire des projets de décentralisation, de leurs échecs ou de leurs tâtonnements, suggère bien l'importance des institutions pour les acteurs en présence. Qui sont ces acteurs et comment divers projets de décentralisation pourraient-ils faire varier leurs relations ? Il importe de voir en quoi les intérêts des diverses catégories d'acteurs peuvent se rejoindre, se contredire ou du moins se limiter mutuellement, pour mieux cerner comment les caractéristiques institutionnelles peuvent favoriser certains regroupements ou cristalliser certaines oppositions. Dans l'ensemble, et c'est une constatation importante, il apparaît que dans le système politico-administratif axé sur les services, les diverses catégories d'acteurs ne sont pas en situation d'antagonisme irréductible ; mais la recherche d'une plus grande satisfaction peut limiter certains aspects (et pas forcément tous) de la satisfaction d'une ou plusieurs autres catégories.

Les dirigeants centraux dont il a été fait mention à plusieurs reprises précédemment, ce ne sont ni uniquement les élus au pouvoir ni uniquement les « technocrates », mais plutôt les élus et l'ensemble des technocrates qui les conseillent (hauts fonctionnaires et professionnels conseils). Les technocrates sont souvent considérés comme un groupe à part, d'ailleurs le plus puissant, comme les vrais détenteurs du pouvoir. Il est en fait peut-être exagéré de leur accorder autant d'importance. L'histoire des projets de réorganisation locale ou de décentralisation montre que les élus n'ont pas « acheté » tous les projets des technocrates. Les dirigeants centraux ont pour fonction d'assurer une cohérence minimale pour la survie d'un ensemble social en tant qu'entité politique unifiée, et peuvent s'arroger le monopole de la définition des conditions indispensables à la survie collective. Ils sont affrontés au double problème du contrôle de l'évolution du secteur public. Pour satisfaire les citoyens, comme contribuables et comme usagers, les dirigeants centraux doivent autoriser de bons services, mais au moindre coût ; pour ce faire, ils peuvent heurter les producteurs de services (et leurs syndicats) et avoir besoin d'aide, de nombreux arbitres (les dirigeants locaux). Mais par ailleurs, les dirigeants, centraux et locaux, ont un intérêt politique, électoral et sociétal, à développer les services sous une forme spécialisée [5] et ils donnent alors satisfaction aux producteurs de services. Au niveau central, les bureaucrates (la partie de la technobureaucratie utilisée pour la gestion des programmes) prospèrent à même l'extension des interventions étatiques et de la centralisation. Habituellement force d'appui aux dirigeants, ils peuvent s'en dissocier avec plus ou moins de véhémence si leur rôle ou leurs conditions de travail sont menacés par un projet de décentralisation ou même de déconcentration. Au niveau local, le groupe des dirigeants, composé de la même façon qu'au niveau central, est confronté aux mêmes problèmes, mais n'est pas toujours prêt à suivre les orientations des dirigeants centraux. Le pouvoir des dirigeants locaux provient en partie du contrôle des ressources extérieures au milieu, et pour en assurer un apport suffisant, ils peuvent s'opposer aux dirigeants centraux (avec la complicité éventuelle de la bureaucratie centrale, dont la croissance peut être favorisée par la défense de ses clientèles). Par ailleurs, pratiques bureaucratiques et défense des intérêts des producteurs de services se renforcent. Les producteurs directs de services gagnent au développement des services spécialisés, à la codification la plus minutieuse possible de leurs actes ou du moins à la délimitation précise de leur zone d'autonomie professionnelle (dans les deux cas, la remise en cause des services est rendue difficile). Au bout de la chaîne, les usagers, conditionnés par un certain mode de consommation, apprécient généralement ces évolutions, sauf lorsqu'ils réagissent en tant que contribuables ou lorsqu'ils décident eux-mêmes de se donner directement les services dont ils ont besoin, sous la forme qu'ils veulent. Dans ce dernier cas, ils n'obtiennent pas forcément l'appui des « travailleurs » (dûment patentés, c'est-à-dire syndiqués), et ils attirent la suspicion des dirigeants locaux (qui voient le champ de leur contrôle et de leurs bienfaits s'éroder), et celle des dirigeants centraux (obligés de constater que de simples associations de base atteignent certains des objectifs qu'eux-mêmes se fixent, mais par des moyens sur lesquels ils ont peu de contrôle).

Comment les diverses formes de décentralisation peuvent-elles influencer des modifications dans les relations de pouvoir entre ces diverses catégories d'acteurs (chacune n'étant toutefois pas aussi consensuelle dans ses orientations que le laissent croire les remarques schématiques précédentes)? On peut examiner successivement trois principales formes possibles de décentralisation, du point de vue des dirigeants centraux ; elles seront exposées de manière très schématique, sinon caricaturale, par rapport à la réalité.

La délégation sectorielle de pouvoirs de gestion

C'est la formule de changement minimum qui semble actuellement privilégiée. La décentralisation est envisagée domaine par domaine, avec d'éventuelles variations de l'un à l'autre. Les dirigeants centraux continuent à se réserver la détermination des grands agrégats budgétaires (y compris donc la négociation collective centrale), mais proposent aux instances locales un troc : une intervention centrale plus forte dans la définition et l'orientation des programmes d'activités contre une plus grande marge de manoeuvre locale dans la gestion courante des ressources. Cette opération, dont on pourrait dire qu'elle s'inscrit dans le prolongement des politiques antérieures de consultation, s'accompagne de propositions pour accroître l'implication des usagers ou des citoyens dans la gestion. L'intention est explicite en éducation par exemple. Mais dans les affaires municipales, en dehors même d'une décentralisation, d'une délégation précise de pouvoirs, les suggestions pour revaloriser la démocratie municipale paraissent inspirées de la même philosophie : le secteur public mû par de fortes tendances centralisatrices perd la confiance du public ; l'objectif essentiel est de retrouver cette confiance ; la meilleure solution consiste à convaincre les citoyens que le secteur public leur appartient et pour ce faire, leur droit de regard (pas forcément de décision) est formellement renforcé. Bref, il faudrait que les citoyens en arrivent à se considérer comme des actionnaires des entreprises de services publics, mais si possible, sans ambition, comme de petits actionnaires ordinaires, votants, mais ni dirigeants ni gestionnaires. Une telle stratégie ne lèse guère les intérêts des dirigeants locaux ni ceux des producteurs de services (une fois qu'ils se la sont apprivoisée) ; elle est éventuellement plus menaçante pour les bureaucrates centraux, mais ce n'est même pas sûr ; s'ils ont moins de travail de gestion, il y aura par contre de nombreux postes de conseil et d'assistance aux unités locales. Dans ce nouveau cadre, les dirigeants centraux peuvent éventuellement donner libre cours à leurs tendances normalisatrices, tout en étant magnanimes face à la diversité locale de mise en oeuvre des normes. Les conflits dans les relations centrales-locales sont aussi aisément surmontables dans ce cadre ; car ils peuvent être présentés comme une opposition entre intérêt général et intérêt local particulier (d'autant plus particulier qu'il concerne une clientèle sectorielle seulement).

La supervision d'unités locales multifonctionnelles

Cette forme de décentralisation suggérée brièvement, puis retirée de la circulation des idées, s'inspire fondamentalement de la même philosophie que la précédente. Par rapport à la délégation sectorielle de pouvoirs de gestion, elle accroîtrait toutefois le pouvoir des dirigeants locaux et risquerait d'aggraver les conflits dans les relations locales-centrales, surtout lorsqu'ils impliqueraient des unités locales populeuses.

L'harmonisation de centres locaux d'autodéveloppement

Cette forme de décentralisation reposerait sur un pari à l'égard du dynamisme des milieux locaux. Elle prendrait pour acquis que la satisfaction d'un besoin social peut se faire au niveau local, de manière non étatique tout en restant collective, et de manière diversifiée. Les expériences « parallèles » de groupes, dans la mesure où elles poursuivent un même objectif général de service, y seraient encouragées. C'est d'ailleurs dans tous les domaines (y compris l'économique) qu'on demanderait aux citoyens « d'oser », et qu'on leur en donnerait la possibilité et les moyens. Cette décentralisation modifierait substantiellement les relations de pouvoir entre les diverses catégories d'acteurs. Les normes de l'administration centrale, pour rester minimales, seraient négociées explicitement entre le niveau central et une fédération des unités locales. Pour assurer l'égalité des citoyens, le niveau central ne pourrait plus se contenter d'une égalité d'opportunités (telle qu'elle serait opérationnalisée par la proportionnalité des ressources et des besoins), mais devrait s'efforcer de combler dans tous les domaines les écarts initiaux par une forte discrimination positive à l'égard des plus démunis. La vie politique locale se politiserait vraiment, animée de tensions entre les initiatives de groupes et la responsabilité fiscale et financière des élus. Les producteurs de services risqueraient de voir leurs orientations et leurs actes remis en cause, puisque leurs « clients » ne seraient plus simples sujets mais au moins co-décideurs collectivement. Comme dans les deux formes précédentes, cette décentralisation recherche un accroissement de la participation. Mais dans ce cas-ci, les citoyens ne se sont plus de simples actionnaires, ils sont plutôt des sociétaires ; ils décident, ils agissent autant qu'ils bénéficient, en groupes multipliés. Bien sûr, fondamentalement, cette forme de décentralisation suppose que le resserrement du quadrillage étatique de la vie sociale n'est pas inéluctable. Pour le relâcher, elle ne mise pas sur un néo-libéralisme individuel faisant fi de toutes les interdépendances de la société actuelle, mais sur des actions collectives locales, reliées certes aux interventions étatiques, mais autonomes dans leur développement.

Un mot de conclusion, sans aborder toutes les dimensions du problème

La décentralisation ne modifiera sans doute guère les relations de pouvoir. Elle réussira peut être à instituer un large « actionnariat » des entreprises de services publics; mais elle ne permettra vraisemblablement pas aux groupes locaux à visées sociétaires de se développer librement, même si leurs aspirations sont susceptibles d'être encore avivées, comme elles l'ont déjà été par certaines interventions étatiques antérieures.

Dans les prises de position sur les réformes institutionnelles locales se manifeste fondamentalement une lutte entre projets de société. Et ceux qui portent les projets de changement les plus profonds (en l'occurrence certains groupes de citoyens sociétaires) ne sont pas forcément ceux qui affichent volontiers des visées révolutionnaires (certains syndicalistes ou autres). Ceux qui se nomment révolutionnaires ont tendance à dédaigner ou à mal évaluer le secteur public ; certains s'intéressent principalement, sinon exclusivement, au contrôle ou même à la disparition du secteur privé ; d'autres assimilent l'État à n'importe quelle autre organisation ou à un patron ordinaire ; d'autres se contentent de rêvasser à une disparition de l'État... Or actuellement, compte tenu entre autres de l'importance du secteur public dans l'ensemble de l'économie, on peut penser qu'un processus de transformation sociale radicale pourrait s'amorcer dans l'organisation même du secteur public et se généraliser au secteur privé. Les citoyens sociétaires semblent miser sur un tel processus. Ils ont sans doute raison, si l'on regarde la façon dont les dirigeants centraux s'embourbent, coincés entre, d'une part, leurs « travailleurs » et, d'autre part, leurs petits « actionnaires » (les citoyens que les projets de décentralisation voudraient un peu plus consulter — ou ausculter...).

Gérard Divay

Institut national de la recherche
scientifique-Urbanisation
Université du Québec

Notes

[1] Secrétariat à l'aménagement et à la décentralisation, *Décentralisation. Perspective communautaire nouvelle (vue d'ensemble)*, Québec, 1978.

[2] Certains aspects de cette question ont commencé à être abordés dans G. Divay, « Une fois oubliée l'autonomie locale, il reste à développer la capacité d'initiative locale », à paraître (I.C.A.P., 1980).

[3] On n'aborde pas ici les caractéristiques particulières du gouvernement péquiste qui ont pu l'inciter à promouvoir la décentralisation, conséquence logique d'une aspiration souverainiste et nécessité advenant un accroissement substantiel des pouvoirs de Québec.

[4] Ce double aspect des institutions est davantage investigué dans G. Divay, *Réforme institutionnelle locale et fourniture des biens collectifs locaux. Une approche socio-politique*, Université Laval, Faculté des sciences sociales, 1978, thèse de doctorat.

[5] On n'aborde pas dans ce court exposé, les raisons plus structurelles (marché de l'emploi) de cette tendance.

La place du citoyen et le contrôle bureaucratique ou les pensées « malades » d'une sociologue

Mon discours n'a pas la prétention d'être une analyse fouillée de la problématique que je vais expliciter, mais bien le résultat d'une réflexion critique sur un processus dans lequel je me trouve incluse. Ma pratique étant la plupart du temps de l'ordre de l'expertise technique, il me reste peu de temps pour faire un travail sociologique analytique, ce qui peut expliquer le caractère peu académique de mon propos.

J'ai choisi de poser le problème de la place du citoyen à partir d'un ensemble de pratiques qui relèvent de niveaux idéologico-politiques définissant le citoyen comme catégorie abstraite, catégorie juridique d'une part, catégorie statistique d'autre part ; ces deux niveaux reposent à mon avis sur des postulats contradictoires.

Au sens juridique, le citoyen a des droits, il a accès à toute la gamme des services existants. Dans ce sens, il a un pouvoir théorique. Pour faire valoir ses droits, il est représenté aux conseils d'administration des établissements de santé et de services sociaux ; quand ses droits sont lésés, il existe des mécanismes pour lui permettre de se défendre : commissions des plaintes dans le C.R.S.S.S., porte-parole des patients dans les C.H., commissions des affaires sociales en dernier recours. Le citoyen a donc du pouvoir parce qu'il a des droits.

Contradictoirement, le citoyen fait aussi partie d'une autre catégorie abstraite, c'est-à-dire que statistiquement, il n'est qu'un simple sujet dans une grande population ; dans ce cas, les moyennes, les ratios, les taux per capita et les normes de tout acabit vont servir de base « scientifique » et « rationnelle » aux propositions d'aménagement ou de réaménagement des services. Le citoyen n'a donc plus de pouvoir, on va lui organiser des services.

Je ne m'attarderai pas sur la problématique du droit, elle sort de mon champ de compétence. Toutefois, son rôle de masquage social est très important, comme dit Sfez. « Le droit, c'est la morale pratique de notre société (...) le droit, morale pratique dont on a déjà reconnu la prégnance, est la principale justification du système institutionnel existant. (...) Les théories les moins idéologiques, les plus techniques, les plus neutres sont adressées à l'ensemble du système, n'ont de sens que par rapport à lui [1]. »

En fait, les citoyens ont droit à la santé, comme ils ont le droit de devenir premier ministre, même si la définition de la santé reste totalement en dehors de leur contrôle, même si la santé signifie se faire ouvrir le ventre pour tout et pour rien, même si la santé signifie se faire irradier par des machines super-sophistiquées, même si la santé signifie errer d'un cabinet de généraliste à des cabinets de spécialistes, de salles d'urgence en cliniques externes, de psychologues en psychiatres, même si la santé c'est uniquement une artificielle survie grâce aux machines infernales qui nous empêchent de mourir en paix. Enfin, on a le droit de consommer tout cela, le droit de choisir lequel des grands sorciers du pouvoir médical décidera de notre sort, même si la décision se prend en 5 ou 6 minutes, entre deux portes.

À côté de cela, il existe une bureaucratie qui joue un peu le rôle d'empêcheuse de consommer des soins médicaux, des bureaucrates dont le rationnel planificateur échappe tout autant à ce même citoyen. Les médecins coûtent cher mais nous apportent des bienfaits, les technocrates aussi coûtent cher, mais ils nous empêchent de jouir en paix de ces « bienfaits » de la science et de l'art médical.

Loin de moi l'idée de défendre les technocrates ; mon propos vise essentiellement à faire ressortir l'absurdité et la fermeture des deux systèmes qui, s'ils peuvent apparaître antagoniques, sont aussi nuisibles en ce qui concerne la santé des gens et je m'explique.

Si l'on se réfère aux pratiques technocratiques, on constate que la construction des normes en termes de soins de santé s'effectue à partir des comportements statistiquement les plus fréquents. Or, ces comportements sont surtout le résultat d'un système de domination qui reste en grande partie hors du contrôle des citoyens que l'on comptabilise. Et si par malheur on ne peut dominer certains phénomènes comme la dénatalité, par exemple, les professionnels organisent des pressions. On construit de nouvelles normes en ajustant les problématiques ; en effet, le nombre d'enfants de 0 à 14 ans diminue. Qu'à cela ne tienne, on va élaborer des rationnels médicaux, techniques, voire humanitaires (on ne mélange pas les adultes et les adolescents) pour allonger la catégorie de la clientèle pédiatrique de 0 à 18 ans. Ces pratiques, en plus d'échapper au contrôle du monde ordinaire, ont l'avantage, pour le bienfait des dominants, de maintenir le statu quo qu'ils contrôlent et sur lequel s'assied leur pouvoir.

En effet, « si les statistiques permettent de faire le portrait d'un comportement normal », dans une situation historiquement déterminée, on sait aussi que toute innovation, tout changement dans la société vient des « marges de déviances : ce sont les comportements "extra-normes" qui sont moteurs ; dans le champ de l'innovation, l'efficacité n'est pas conséquence d'une action normale et rationnelle dans les deux sens du mot normal : moyenne et licite[2] ».

Des « correctifs », comme disent nos politiciens, ont été pensés pour tenter de redonner au citoyen sa souveraineté dans le champ de l'action collective. Les C.R.S.S.S. sont apparus comme des instruments intéressants ; du moins c'est ainsi que les définissait le rapport Castonguay-Nepveu. La loi 65 a gardé cet esprit-là.

La décentralisation du pouvoir bureaucratique aurait pour objectif de pallier les inconvénients inhérents à la bureaucratie centralisatrice et éloignée des problématiques régionales.

En tant qu'organismes définis d'abord comme consultatifs, les C.R.S.S.S. devaient aussi constituer la « conscience extérieure » de l'administration et devenir en quelque sorte les définisseurs des besoins régionaux, par le biais d'alliances avec les établissements, les différents groupes socio-économiques, les usagers.

Les principaux mécanismes officiels mis à la disposition des citoyens pour exercer leur pouvoir sont, d'une part, la présence d'usagers dans les conseils d'administration et, d'autre part, la création d'une commission des plaintes au C.R.S.S.S.

Les usagers dans les conseils d'administration

Un usager, selon la loi, est quelqu'un qui a déjà eu recours aux services de l'établissement que chapeaute le conseil d'administration auquel il se présente.

Dans le cas des centres hospitalisers, par exemple, cela signifie qu'il faut au moins avoir été malade et être « client » ; ainsi, quelqu'un qui est en santé n'a pas le droit de s'occuper de ce qui se passera si un jour il est malade.

Et puis, que signifient les discours des professionnels sur la prévention? Serviraient-ils uniquement à justifier l'emploi intempestif de la castonguette?

De plus, on connaît la sollicitude des directeurs généraux des centres hospitaliers vis-à-vis des usagers membres du conseil d'administration lorsqu'ils ont recours aux services de l'établissement. On n'hésite pas à se comporter comme n'importe quelle entreprise commerciale, on soigne les clients de choix, ce qui facilite au moment de la prise de décision le vote en faveur de projets plus utiles à l'institution qu'aux usagers.

De toute manière, ce n'est pas n'importe qui qui peut siéger à un conseil d'administration; du moins c'est ce que prétendait le directeur général du C.H.U.S. dans une lettre ouverte[3] : « Les personnes qui y siègent (aux C.A.) doivent avoir la connaissance du milieu et la compétence nécessaire, afin d'éviter que des décisions fâcheuses s'y prennent ». On peut se demander : fâcheuses pour qui? Et il poursuit ainsi : « Si l'industrie attache tellement d'importance à la qualité de ses administrateurs, c'est qu'elle administre des fonds privés qui ne peuvent pas risquer d'être dilapidés par des mauvaises décisions. Pourquoi en serait-il autrement dans l'entreprise publique, dont la vocation humanitaire et sociale est beaucoup plus élevée dans l'échelle des valeurs, et dont la complexité des articulations est beaucoup plus grande? ».

La loi le permet, n'importe qui peut siéger au conseil d'administration d'un établissement de santé. Mais est-ce bien vrai? Il faut être compétent pour le faire, et il faut attirer les personnes qui ont cette compétence afin de maintenir à un degré élevé la qualité administrative des établissements.

En ce qui concerne les élections, on constate une diminution importante de la participation, surtout dans les grands centres. Quand il est question de fermeture ou de réaménagements majeurs, la participation est plus importante, mais dans l'ensemble, le nombre de voteurs est minime. Ainsi, à Sherbrooke, au C.H.U.S., en 1978, 79 personnes ont voté, à Saint-Vincent-de-Paul 30, à l'Hôtel-Dieu 52. Pour ce qui est du principal C.L.S.C., « SOC », on n'a pas eu quorum : 45 personnes seulement ont voté.

En ce qui regarde l'ensemble des usagers élus en 1978 dans la région 05, 18 candidats seulement ont été élus par vote, 36 ont été élus par acclamation et 16 ont été nommés par le C.R.S.S.S.

Je pense qu'il ne faut pas interpréter ce phénomène de non-participation par le désintéressement de la population. Il faut prendre conscience de l'investissement du lieu de nouvelles luttes pour le pouvoir local et considérer dans cette perspective la défection du citoyen ordinaire au profit du candidat de la direction générale ou d'un groupe socio-économique influent. Le système redevient impénétrable, contrôlé par des élites renouvelées, avec l'appui des anciennes élites d'ailleurs.

La Commission des plaintes

La Commission est composée dans la région d'un médecin, du directeur des services professionnels du C.S.S. (représentant du personnel clinique), d'un avocat, d'un représentant du conseil d'administration du C.R.S.S.S. (directeur d'un centre d'accueil), d'un usager, de la directrice des communications du C.R.S.S.S. et de son conseiller (qui n'ont pas droit de vote).

En ce qui concerne les pratiques en cas de plaintes, la tendance consiste à éviter toute approche conflictuelle et à renvoyer la personne lésée à l'établissement. Certains établissements récupèrent eux-mêmes les sources de conflits en engageant un « porte-parole » des patients, ce qui évite la sortie et la publicisation de pratiques incorrectes (pour ne pas dire plus). Cela revient à renvoyer le chien auprès de son maître armé d'un bâton. Cela a aussi pour effet d'éviter de collectiviser le problème en le traitant de personne à personne ou du moins de personne à expert, et de désarmer le plaignant, généralement peu informé des normes et de l'éthique des pratiques auxquelles il tente de s'attaquer.

Le nombre de plaintes est relativement peu important (121 l'an dernier dans la région 05), ce qui laisse évidemment croire que la qualité des services ne peut être qu'excellente.

Il faut ajouter enfin la lenteur des règlements et le nombre assez important de démarches à faire, qui suffisent à décourager le commun des mortels.

Enfin, et c'est comme la cerise sur le gâteau dans un contexte de régionalisation-décentralisation, au moment où le pouvoir se rapproche, on ne prendra pas le risque au C.R.S.S.S. de rompre la bonne entente avec les partenaires sociaux que sont les établissements pour satisfaire un usager. On va régler le problème ensemble, laver son linge sale en famille.

Le temps est aux alliances stratégiques et tout peut servir : les plaintes des usagers, les expertises des technocrates et les définisseurs de besoins (des autres), quand il s'agit d'en tirer du capital politique et symbolique bien utile pour s'adjoindre au pouvoir économique.

Et ce serait s'aveugler que d'ignorer les relations de puissance entre les acteurs publics autres que les politiciens traditionnels ; c'est dans le champ de ces relations de puissance que s'opère la structuration du contrôle en vue de conformer les choix publics à un ensemble de choix dominants qui sont loin d'être d'intérêt public.

V. Lemieux note déjà en 1974 que « là où les ressources sont nombreuses et variées, les conseils régionaux évitent de trancher et de se prononcer en faveur de tel hôpital au détriment de tel autre. Cette attitude du C.R.S.S.S. face aux hôpitaux et aux médecins est dictée par le souci de maintenir avec ses interlocuteurs de bonnes relations[4] ».

Conclusion

Que peut faire en fait le citoyen pour tenter de se réapproprier le contrôle de sa santé ?

Comment éviter de participer à la farce de la représentation et de la participation, comment éviter de se faire prendre pour l'ignorant par les experts et les élites ? Comment éviter de subir des services organisés en fonction de besoins définis par les pourvoyeurs, comment éviter enfin qu'en ce qui regarde la santé, l'offre dépasse la demande ?

Comment éviter que la fragmentation des décisions occulte le jeu des intérêts particuliers et détourne l'agression contre le technocrate, dont « la pratique théorisée l'assure qu'il est vraiment l'acteur principal, ce qui lui permet de répondre à sa définition et d'occuper une place (un poste) dans le circuit. Si jamais l'illusion était dissipée, voudrait-il occuper ce poste ?

Chez le gouverné, cette illusion joue aussi en faveur du système, car tant que le gouverné s'en prend à celui qu'il croit responsable, il ne remet pas en cause l'ensemble du circuit. Avoir affaire aux hommes plutôt qu'au système le rassure, lui permet d'espérer, d'invectiver et de ne rien changer[5]. »

Pour illustrer cette analyse, on peut citer les nombreuses invectives parues dans les journaux de notre région contre les fonctionnaires du C.R.S.S.S. suite aux difficultés de localisation des malades psychiatriques à long terme ; or il s'agit bien plus d'un rapport de force entre les établissements, qui tentent de se débarrasser des clientèles indésirables en les refilant à d'autres.

Les experts et les conseillers en position subalterne sont moins soumis à l'autorité d'État lointaine et rigide qu'aux jeux personnalisés des influences des intérêts locaux.

L'alliance avec des citoyens et leurs intérêts est bien impossible puisque celui qui s'y risque est immédiatement identifié par les dominants et risque tout simplement son poste.

De toute manière, la division du travail dans la bureaucratie ne favorise pas ce genre d'alliance car en fait les experts et les conseillers conseillent, mais restent éloignés des lieux de prise de décision et il est fréquent que les décisions prises aillent dans le sens opposé aux recommandations des experts et conseillers. On sépare habilement la dimension technique de la dimension administrative et de la dimension politique.

Sous couvert de neutralité scientifique, on éloigne la compétence technique des lieux du pouvoir.

Les citoyens, n'étant ni experts ni détenteurs du pouvoir politico-économique, se trouvent ainsi complètement évacués du processus.

Quant aux sociologues impliqués dans les problèmes de santé qui questionnent les institutions, les professionnels et les modes d'organisation, leur problème a été bien identifié par le docteur Jacques Genest, qui répond à l'article du collectif « Socialisme et Santé » paru dans *La Presse*, et je cite :

> On trouve dans un certain segment de notre société, surtout chez des sociologues, une haine pathologique et quasi incontrôlable de la profession médicale. Attitude négative qui n'a comme objet que de vouloir discréditer la profession médicale, par ailleurs si hautement considérée par le public[6].

Voilà donc notre mal : « haine pathologique envers les médecins ». Il va falloir nous faire soigner.

Francine Burnonville-Nélisse

C.S.S.R., Sherbrooke

Notes

[1] Lucien Sfez, *Critique de la décision*, Paris, Presses de la fondation des sciences politiques, 1976, p. 54 et 60.

[2] *Ibid.*, p. 160.

[3] Bulletin *C'est pour vous*, vol. 1, n° 3, mai 1978, C.R.S.S.S.-05.

[4] Vincent Lemieux, François Renaud et Brigitte Von Schoenberg, *Les C.R.S.S.S. Une étude politique*, Université Laval, Département de science politique, juin 1974.

[5] L. Sfez, *op. cit.*

[6] Jacques Genest, « Les soins médicaux au Québec », *La Presse*, 5 avril 1979.

Les régulations réciproques des pouvoirs politiques, administratifs et professionnels dans les organisations de services publics : l'exemple du système d'enseignement québécois *

Introduction

Depuis une quinzaine d'années au Québec, une forme particulière d'organisation a été au centre des développements et réformes les plus manifestes politiquement, les plus « lourds » en mobilisation de ressources matérielles et les plus massivement conflictuels en matière de relations de travail : il s'agit des organisations de services de type professionnel, notamment des systèmes de services sociaux, de santé et d'enseignement. Pour comprendre la nature et les enjeux stratégiques de ces développements, réformes et conflits, il importe de les analyser selon un angle d'approche permettant de mettre en évidence les propriétés particulières de ce type d'organisation. D'autre part, si on veut prendre en compte le caractère sociétal de ces enjeux et comprendre les relations entre ces dynamismes « internes » de réformes-développements-conflits organisationnels et les lents processus de décentralisation et de démocratisation qui « travaillent » notre société dans des directions nouvelles, il est nécessaire d'analyser la structuration et les transformations des rapports de pouvoir et des conditions de la légitimité respective des acteurs politiques, administratifs et professionnels impliqués, de l'extérieur et de l'intérieur, dans l'évolution de ces organisations.

* Ce texte reprend et développe une communication d'abord présentée en 1977 dans un atelier du colloque de l'ACSALF sur l'éducation au Québec.

Des critiques sociaux comme I. Illich et E. Reimer ont une vision de ces types d'organisations bureaucratiques de services qui ne démêle pas suffisamment, dans ces organisations, les tendances bureaucratisantes elles-mêmes et les tendances professionnelles corporatistes (en médecine et en éducation, notamment) qui sont dénoncées. On suppose implicitement une sorte de « sainte alliance » des bureaucrates et des professionnels corporatistes contre les intérêts premiers et légitimes des usagers, particulièrement ceux qui savent le moins bien se défendre contre l'envahissement de ces services, qui tendent de plus en plus à « professionnaliser » et à « bureaucratiser » jusqu'aux derniers problèmes de la vie quotidienne. Ce qu'on sous-estime, dans une telle vision, c'est l'ensemble des incompatibilités et des conflits qui caractérisent la structure et l'évolution de ces organisations. Les grèves particulièrement nombreuses et sévères dans ces secteurs de services ne sont pas de simples « conflits employeurs-employés » entendus au sens classique, et on ne les comprendra pas tant que n'auront pas été mis en évidence les enjeux les plus importants de ces conflits ; or ces derniers mettent en cause bien plus que des questions d'échelles de rémunération et des « conditions de travail » entendues au sens habituel.

Les organisations de type professionnel et les « deux branches » : pouvoir professionnel et pouvoir administratif

Dans son analyse comparative des types « d'organisations complexes », Amitai Etzioni (1961) distingue un type particulier qui nous intéresse pour les fins de nos propos, et qu'il appelle les *organisations professionnelles*[1].

Les organisations de type professionnel sont caractérisées selon deux critères : la nature de leurs buts et les échelons hiérarchiques où les professionnels sont employés (*ibid.*, page 51) :

a) leur but majeur est de produire des services professionnels (v.g. thérapie, enseignement, recherche, etc.) ;
b) deux sous-types sont distingués suivant que les professionnels occupent les échelons *moyens* ou les échelons *inférieurs* de l'organisation. C'est le premier de ces deux sous-types qui nous intéresse ici : celui qui caractérise les organisations de services de santé, de services sociaux et de services d'enseignement, notamment.

Le contrôle de l'activité majeure (ou mission principale) d'une organisation doit être pratiqué selon des critères adaptés à la nature de cette activité (performance) et de ses résultats (impact), si l'organisation a une pratique de contrôle qui est « rationnelle » par rapport à la nature de ses objectifs. Il s'ensuit que les détenteurs de l'autorité et des pouvoirs de contrôle de l'activité majeure dans l'organisation doivent posséder des qualifications leur donnant une maîtrise de la culture technique s'appliquant à ce domaine d'activité. Dans une organisation professionnelle, par conséquent, si l'objectif majeur de l'organisation est de produire des services professionnels, les détenteurs de l'autorité de contrôle chargés de garantir le maintien de la qualité des services seront en principe des professionnels. C'est ainsi que ces organisations sont habituellement caractérisées par *un double embranchement d'autorité* : la branche des services « *professionnels* » et la branche des services « *administratifs* ». Les services munis d'équipements et de dispositifs d'instrumentations dits « techniques » sont souvent contrôlés simultanément par les deux branches majeures de l'organisation : selon le cas, sous forme d'autorité « opérationnelle » (ou « line »), ou sous forme d'autorité « fonctionnelle » (ou « staff »), selon la nature du rapport entre la juridiction propre de chacune et la nature des objets et activités à contrôler (qu'on pense aux équipements de laboratoire ou de radiologie dans un hôpital, par exemple).

Le principe de différenciation « administratif/professionnel » apparaît partout dans les organisations des services sociaux, de santé et d'enseignement ; les titres mêmes des emplois de cadre y indiquent l'existence d'une catégorie spécifique de « professionnels-cadres » par opposition à la catégorie des « cadres administratifs ». Il faut donc distinguer, dans la gestion (ou « management »), *une gestion de type professionnel* et *une gestion de type administratif*, correspondant à ces deux branches majeures des organisations de type professionnel. Mais le mot « administration » doit être clarifié à son tour, car il comporte au moins trois sens différents (comme substantif), outre celui de « l'action d'administrer » :

a) d'abord le sens de bureaucratie des services publics, *de l'appareil du pouvoir administratif de l'État ;*
b) ensuite, le sens *d'unité de direction* dans l'organigramme d'une organisation : la couche supérieure des échelons d'encadrement dans l'organisation ;
c) enfin, *l'ensemble des unités de services logistiques ou de soutien* aux unités principales (chargées des activités majeures) de l'organisation : les services du personnel, du budget et du contrôle financier, des méthodes et procédures, de l'équi-

pement, des achats, les systèmes d'information, de gestion (de plus en plus informatisés), etc.

Les confusions les plus importantes qu'on observe dans les discours où apparaît « l'administratif » sont celles où l'on emploie le terme dans son sens restreint (c) de « service administratif », mais entouré du halo de prestige qui lui vient (à cause du terme commun « administratif ») du sens (b) de « structure administrative supérieure », « d'unité de commandement général ». Or la formation professionnelle des administrateurs supérieurs et celle des gestionnaires de services administratifs aux échelons moyens et inférieurs des organisations se fonde sur une littérature commune qui a son origine principale dans l'analyse des expériences de gestion d'entreprises du secteur industriel et commercial. Quels que soient l'échelon ou la nature des ressources ou des activités d'une unité ou sous-unité (ou de l'ensemble même d'une organisation), gérer, c'est « planifier, diriger, organiser, coordonner et contrôler » ces activités. Il est donc d'autant plus facile d'attribuer à la partie instrumentale (en l'occurrence les services administratifs de soutien logistique) les prestiges « administratifs » du sommet (*i.e.* de la fonction de direction générale), que les deux *partagent une même culture technique et un code lexical commun* pour représenter l'organisation, ses buts, ses activités et son environnement. Cette *culture organisationnelle* particulière permet donc aux cadres supérieurs et à ceux des autres échelons (en particulier ceux des services de soutien) d'articuler une vision commune des choses, des valeurs particulières et *une forme (ou un « style ») de rationalité spécifique*, qui leur permettent encore, à la fois symboliquement et pratiquement, d'ordonner le monde (du moins celui qui entre dans leur champ de contrôle) selon cette vision, sous l'angle de cette rationalité.

La culture des groupes professionnels (ou « culture professionnelle ») repose sur des traditions plus anciennes de formation et d'encadrement social. Aujourd'hui, elle repose sur une qualification acquise dans le système d'enseignement, le plus souvent de niveau universitaire, et reçoit souvent, en outre, une garantie sociale supplémentaire par la voie des contrôles exercés par les dirigeants de la profession en vertu du régime des corporations professionnelles. Cela est important, car cela signifie que les corps professionnels organisés selon ce régime (et exerçant des pouvoirs de contrôle délégués par l'État pour garantir, en principe, la protection du public) disposent ainsi de *deux assises sociales* pour l'exercice de leur pouvoir : une branche professionnelle (assortie d'un domaine d'autorité spécifique) *à l'intérieur même* des organisations de services, et l'appareil corporatif *à l'extérieur*. De plus, et cela est un développement historique plus récent, l'ambiguïté du rôle des corporations professionnelles (c'est-à-dire défense des intérêts des membres/défense des intérêts du public) a été au moins partiellement levée par le développement d'une organisation syndicale spécifique vouée à la défense des intérêts de ses membres. Pour ces corps professionnels, l'appareil syndical offre donc désormais *une troisième assise* (externe aux organisations de services) à l'exercice de leurs pouvoirs spécifiques. Pour les groupes professionnels plus récents ne disposant pas d'une structure d'encadrement corporative, cependant, l'appareil syndical est *la seule assise (externe)* à l'exercice de leurs pouvoirs dans les organisations de services professionnels. Par ailleurs, des développements plus récents encore manifestent une intention, de la part de l'État, de réduire encore plus nettement les résidus d'ambiguïté du rôle des corporations professionnelles, en créant un second palier de contrôle sur les corporations elles-mêmes : c'est l'Office des professions. Dans la mesure où de tels contrôles tendent à concentrer plus exclusivement le rôle des corporations sur la protection des intérêts du public, on doit supposer que les syndicats vont devenir, pour ces groupes professionnels, une assise externe plus importante que celle des corporations pour l'exercice de leurs pouvoirs dans les grandes organisations bureaucratiques de services.

Secteur privé et secteur public : différences dans les sources et les conséquences du contrôle externe sur les agents responsables des organisations professionnelles

La différence majeure entre les secteurs public et privé dans le domaine des services directs à la population réside évidemment dans la distribution des *sources d'initiative* et dans les *modes de régulation sociétale* dans l'un et l'autre secteur (et à leurs sources de provenance), et donc dans des rapports distincts à la fois aux initiatives régulatrices de l'État et aux choix des clients-usagers dans l'un et l'autre cas, de même que (indirectement, nous le verrons plus loin) *à leurs employés* respectifs, en particulier la catégorie des « professionnels ». *En un mot : le secteur privé est moins complè-*

tement, et moins directement, régulé par l'État que le secteur public des organisations de services à la population.

Que se produit-il lorsqu'un contrôle est exercé de l'extérieur sur une organisation de type professionnel par une structure hiérarchiquement supérieure, et quels en sont les effets, en particulier sur la distribution des rapports de pouvoir (autorité/responsabilités) entre la branche professionnelle et la branche administrative de cette organisation ?

Imposer à une organisation de ce type un contrôle descendant, c'est l'appeler à décrire obligatoirement, par des systèmes d'information plus ou moins élaborés et des rapports plus ou moins détaillés, les caractéristiques de ses variables jugées essentielles et celles de ses usagers (caractéristiques comme le type et la nature des services rendus, l'état des ressources financières, physiques, techniques et humaines de l'organisation, les caractéristiques des « clientèles » servies, les bilans annuels de changements dans l'état des ressources, dans la performance des actions prévues, dans la production des résultats visés par les services, etc.). Dans le secteur public, l'organisation est ainsi appelée à « rendre des comptes », en raison des ressources publiques confiées à elle dans un mandat prescrit par le pouvoir central de l'État, au nom de la société ou des intérêts collectifs de la population. L'initiative de la création de ces réseaux d'organisations étant reconnue comme une responsabilité de l'État, les contrôles descendants sont donc plus complets et plus directs que ceux qui sont imposés au secteur privé, dont l'initiative relève de groupes particuliers. Or ces contrôles induisent la croissance quasi automatique, dans les organisations qui y sont soumises, des services de soutien logistique et des ressources correspondantes, de même que des responsabilités plus élaborées dont ils sont assortis. Cela se traduit par un accroissement de l'importance de la branche administrative dans l'organisation, relativement à celle de la branche professionnelle : par un accroissement, donc, du nombre et du niveau des contraintes et des décisions (et de la diversité de leurs répercussions dans l'ensemble des activités de l'organisation) relevant de la branche administrative. Comme ces contrôles correspondent à une responsabilité des structures de direction générale dans l'organisation, il tend à se développer une continuité de vocabulaire et une solidarité de vues et d'intentions plus fortes entre le centre administratif de direction et la branche des services administratifs qu'entre la direction et la branche professionnelle. Ce qui est l'objet du travail principal (et professionnellement spécialisé dans leur propre domaine) des acteurs de la branche administrative se traduit donc, pour les acteurs de la branche professionnelle, par un accroissement et une diversification du contexte des « contraintes administratives » avec lesquelles ils doivent compter dans leurs propres stratégies, décisions et activités. Le rapport des marges d'initiatives sur le contexte (instrumental), et donc des marges d'exercice du pouvoir, tend donc à se déplacer de manière prépondérante de la branche professionnelle vers la branche administrative.

D'où l'hypothèse suivante : *plus le contrôle exercé par l'État sur les organisations de type professionnel est étendu, détaillé et direct, plus la distribution du rapport de pouvoir tendra à faire prédominer la branche administrative sur la branche professionnelle à l'intérieur de ces organisations.*

Un premier corollaire de cette hypothèse est fondé sur le fait que la responsabilité d'initiative (et donc de contrôle) de l'État est moins importante et plus indirecte à l'égard du secteur privé qu'à l'égard du secteur public : *puisque l'État contrôle de façon moins étendue, moins directe et moins détaillée le secteur privé que le secteur public, le rapport du pouvoir professionnel relativement au pouvoir administratif sera plus favorable à la branche professionnelle dans le secteur privé que dans le secteur public.*

Si on suppose, par postulat, qu'une proportion appréciable d'acteurs occupant un rôle quelconque dans une organisation désire exercer un *contrôle (ou un pouvoir) proportionnel*, en étendue et en spécificité, à l'étendue et à la spécificité des *responsabilités* qu'ils assument (pour les tâches relevant de leur rôle), bref obtenir une proportionnalité pouvoirs-responsabilités, alors il s'ensuit des règles de stratégie qui s'appliqueront à ces acteurs. Une conséquence, par exemple, d'une réduction des pouvoirs d'un tel acteur relativement aux pouvoirs nécessaires pour qu'il s'acquitte de ses responsabilités de façon régulièrement autonome (en respectant les limites de son rôle-mandat) sera la suivante : cet acteur mettra en oeuvre une stratégie visant à accroître ses pouvoirs (ou à diminuer ses responsabilités) jusqu'à ce qu'il y ait un rapport de proportionnalité entre ses pouvoirs et ses responsabilités, en étendue et en spécificité. Si on suppose que l'acteur refuse de réduire ses responsabilités, alors sa stratégie compensatrice ne visera qu'à accroître son pouvoir jusqu'à ce que celui-ci devienne proportionnel à ses responsabilités.

Le second corollaire devient alors le suivant : en supposant que les professionnels dans les organisations de type professionnel ne désirent pas moins de responsabilités dans leurs rôles formels qu'ils n'en ont à un moment déterminé, *toute perturbation tendant à réduire leurs pouvoirs en deçà du niveau requis pour qu'ils s'acquittent de leurs responsabilités de façon régulièrement autonome les amènera à mettre en oeuvre des stratégies compensatoires (défensives ou offensives) tendant à rétablir un niveau de pouvoir jugé plus proportionnel à leurs* responsabilités, définies en étendue et en spécificité : grèves, campagnes d'appel à l'opinion publique, etc.

Ce corollaire implique à son tour des tendances différentes entre catégories de groupes professionnels quant aux appareils-ressources sur lesquels ils s'appuieront pour instrumenter leurs stratégies de défense des pouvoirs professionnels : nous voulons parler de l'appareil *corporatif* ou de l'appareil *syndical.* Lorsque le pouvoir professionnel paraît menacé d'être réduit, les professionnels s'appuieront, *dans un premier temps, sur la structure interne* de leur branche d'organisation, pour déployer leurs stratégies de défense de pouvoirs.

Si, ayant épuisé les ressources de ce lieu interne, leur première stratégie n'a cependant pas réussi à modifier la distribution des rapports de pouvoir à leur avantage (c'est-à-dire à la situer à un niveau proportionnel à leurs responsabilités dans l'organisation), alors les professionnels appuieront leurs stratégies de défense de ces pouvoirs sur les ressources offertes par des *appareils extérieurs* à l'organisation ; c'est le *deuxième temps*, et il prendra deux orientations possibles suivant le type de groupe professionnel :

a) les groupes professionnels *non régulés par une corporation professionnelle* appuieront alors leur stratégie de défense sur les ressources de *l'appareil syndical* ;
b) les groupes *régulés par une corporation professionnelle* appuieront alors leur stratégie de défense, d'abord, sur les ressources de *l'appareil corporatif* (prestige, autorité morale, réseau de relations, etc.) ; et, si cela ne suffit pas pour produire les changements compensatoires espérés, ils s'appuieront ensuite seulement sur les ressources de *l'appareil syndical.*

Une des conséquences d'une telle différenciation des stratégies sera, par exemple, qu'un mouvement de *grève* dans un milieu organisationnel composé de groupes *professionnels multiples* (comme une université ou un hôpital) commencera d'abord dans les unités constituées de professionnels *non régulés par une corporation* et ne mobilisera qu'après un temps de *retard* les professionnels *encadrés par une corporation.*

Si l'hypothèse principale énoncée plus haut et ses deux premiers corollaires sont vrais, alors *il doit y avoir moins de grèves et d'autres stratégies de défense professionnelle dans les organisations de type professionnel du secteur privé que dans celles du secteur public*, même si on suppose une insatisfaction égale chez les professionnels des deux secteurs relativement aux échelles de rémunération et aux autres dispositions correspondant au sens classique de « conditions de travail ».

Évolution des systèmes de contrôle et bureaucratisation des organisations professionnelles dans le secteur public : esquisse d'une hypothèse pour le cas du système d'enseignement québécois

Le système d'enseignement présente un terrain d'application très éclairant pour éprouver la validité de l'hypothèse énoncée plus haut, parce que ses quatre niveaux d'études (du primaire à l'enseignement supérieur) correspondent également à quatre degrés d'autonomie, en ordre croissant, des établissements (locaux ou régionaux, selon le cas) d'enseignement par rapport à l'instance centrale qu'est le ministère de l'Éducation, donc à quatre degrés de contrôle par l'État, en ordre décroissant.

Dans cette section, nous n'introduirons pas encore certains éléments majeurs du problème que sont, par exemple, les rapports de ce système avec le pouvoir gouvernemental et avec celui des usagers et citoyens. Nous chercherons ici uniquement à donner une première assise empirique (très incomplètement étayée, bien sûr) à la relation hypothétique posée entre le degré de contrôle de l'État sur des organisations de type professionnel et la bureaucratisation de ces organisations (ou prépondérance croissante de la branche administrative sur la branche professionnelle) et à la naissance conséquente de mouvements de stratégies défensives dans la branche professionnelle pour établir ou rétablir, contre cette tendance bureaucratique, des rapports de pouvoir ou de contrôle plus favorables à la branche professionnelle en regard de la nature et du champ de ses responsabilités spécifiques. Avant de situer davantage les appareils de services par rapport au pouvoir gouvernemental et à celui des usagers-citoyens, il importe en effet de bien démontrer d'abord pourquoi et en quoi cet appareil de services n'est *pas* une réalité monolithique, ni parfaitement intégrée ni dépourvue de conflits internes, mais est « travaillé » dans des directions en partie divergentes, selon des rationalités et des pratiques propres aux divers groupes d'acteurs qui y sont impliqués.

Le tableau suivant résume les principales implications de notre hypothèse principale lorsqu'on l'applique à la structure interne du système d'enseignement ; on le gardera comme référence visuelle aux fins de la présentation qui suit.

Relations approximatives entre le degré de contrôle de l'État sur les organismes décentralisés d'enseignement et le pouvoir relatif de la branche administrative et de la branche professionnelle dans ces organismes, selon le niveau d'enseignement et selon le statut public ou privé des organismes

Niveau d'enseignement et secteur / Degré de contrôle sociétal direct et rapport de pouvoir relatif des "administrateurs"/ "professionnels"		Degré de contrôle sociétal exercé par l'État sur chaque catégorie d'organisation				Pouvoir relatif de la branche administrative et de la branche professionnelle dans chaque catégorie d'organisation				
		Degré général de contrôle exercé	Contrôle direct sur des objets administratifs (statistiques, financement, personnels, clientèles, etc.)	Contrôle sur des objets pédagogiques		Dans la branche professionnelle		Dans la branche administrative		
				Programmes de formation	Mesure et évaluation des apprentissages	Degré général de contrôle professionnel	Structures spécifiques d'exercice du pouvoir professionnel	Degré général de contrôle administratif (importance)	Structures spécifiques des services administratifs (soutien)	Structures administratives supérieures (direction)
Enseignement supérieur	Public	Relativement faible (Δ↗)	Faible à moyen mais (Δ↗)	Nul (sauf la formation des maîtres)	Nul	Relativement fort mais (Δ↘)	**Départements et instituts** (familles/modules, U.Q.); conseil des études (paritaire) + recherche	Fort à moyen mais (Δ↗)	Secrétariat général, registraire, personnel, financement/achats, **équipement**, etc.	Assemblée des gouverneurs; rectorat; décanat (+ conseil des études et de la recherche)
		≈	≈	≈	≈	≈		≈		
	Privé	**Relativement faible** (Δ↗)	**Faible à moyen mais** (Δ↗)	**Nul (sauf la formation des maîtres)**	**Nul**	Relativement fort mais (Δ↘)	**Départements et instituts; conseil des études (paritaire) + recherche**	Fort à moyen mais (Δ↗)	Secrétariat général, registraire, personnel, financement/achats, **équipement**, etc.	Assemblée...; rectorat; décanat (+ conseil des études et de la recherche)
Enseignement collégial	Public	Moyen (+)	Moyen	Moyen (+)	Nul	Moyen à faible	Département; commission pédagogique	Moyen (+)	Secrétariat général, contrôle financier, personnel, financement, équipement, etc.	Conseil d'administration (corporation); direction générale; D.S.P.
		≥	≈	≥	≈	≤		≥		
	Privé	Moyen (–)	Moyen	Moyen (–)	Nul	Moyen à faible	**Départements; commission pédagogique**	Moyen (–)	**Secrétariat général, contrôle financier, personnel, financement/achats, équipement, etc.**	Conseil d'administration (corporation); direction générale; D.S.P.
Enseignement obligatoire (B) : niveau secondaire	Public	Fort (+)	Fort	Fort (+)	Faible à moyen	Faible (Δ↗?)	**C.P.P. (mais pas partout); conseil d'école (consultatif); embryons de département**	Très fort	Secrétariat général C.S., financement, transport scolaire, personnel, équipement, etc.	Commissaires (conseil scolaire); cadres des services de la C.S.; principal; directeur des études
		>	>	≥	≈	<		>		
	Privé	Fort (–)	Moyen à fort	Fort (–)	Faible à moyen	Faible à moyen	(?)	Moyen à fort	Secrétariat général, financement, personnel, équipement, etc. (structure minimum)	Conseil d'administration; principal; directeur des études
Enseignement obligatoire (A) : niveau primaire	Public	Fort (+)	Fort	Fort (+)	Faible à moyen	Très faible	C.P.P. (mais pas partout); conseil d'école (consultatif)	Très fort	Secrétariat général C.S., financement, transport scolaire, personnel, équipement, etc.	Conseil des commissaires; cadres de la C.S.; principal
		>	>	≥	≈	<		>		
	Privé	Fort (–)	Moyen à faible (?)	Fort (–)	Faible à moyen	Faible à moyen	(?)	Moyen à faible	Secrétariat général, financement, personnel, équipement, etc. (structure minimum)	Conseil d'administration; principal

Degré et objets de contrôle par l'État sur les divers niveaux d'enseignement

Aux niveaux primaire et secondaire

Les deux premiers niveaux (primaire et secondaire) constituent le « secteur de l'enseignement obligatoire », c'est-à-dire que ce sont des niveaux considérés comme ayant une telle importance stratégique à l'échelle sociétale (dans la majorité des pays) que leur fréquentation par les générations montantes doit être contrôlée par l'État avec les garanties les plus fortes, c'est-à-dire par une loi de fréquentation scolaire obligatoire. Les contrôles descendants s'appliquent ici à la fois à des objets de type administratif (financement, budgets, systèmes d'information, de gestion, négociation centrale des conventions collectives, politique administrative et salariale, etc.) et à des objets de type professionnel (programmes officiels). Du primaire au secondaire, la part des choix possibles de cours à option s'accroît par rapport aux cours obligatoires. La différence entre les secteurs public et privé est majeure à ces niveaux : la branche administrative comporte un appareil organisationnel en soi fort important (les commissions scolaires) dans le secteur public, alors qu'elle est incorporée au palier de l'école elle-même dans le secteur privé, de sorte que la branche professionnelle a beaucoup plus d'importance relative dans le secteur privé que dans le secteur public. Dans la mentalité du milieu scolaire, la branche professionnelle au palier commission scolaire (direction des services d'enseignement et services connexes) est assimilée à « l'administration » ou à la « partie patronale », et même les principaux ou directeurs d'écoles sont identifiés comme des « cadres » ou « gestionnaires administratifs » plutôt que comme des professionnels-cadres, tout en étant constamment tiraillés entre leur « rôle administratif » et leur « rôle d'animation ». Et pourtant un principal (mot qui vient de « principal *teacher* ») doit être légalement qualifié comme enseignant et avoir un nombre minimum d'années d'expérience active dans l'enseignement pour avoir le droit de se présenter comme candidat à un poste de direction d'école. Même la structure professionnelle de participation consultative des enseignants (le conseil d'école) n'a pas été créée par législation ou par réglementation dans le corps des lois de l'Instruction publique, mais a été obtenue par les enseignants à travers des négociations conflictuelles : le statut légal du conseil d'école est d'être une disposition de la convention collective des enseignants. Il y a eu également d'autres structures, comme le comité paritaire du perfectionnement et le conseil (consultatif) pédagogique au palier commission scolaire, mais cette dernière structure a été désertée par les enseignants à bien des endroits depuis plusieurs années, par défaut de confiance de pouvoir y trouver le lieu où ils auraient pu infléchir en leur faveur les rapports de pouvoir. Au primaire donc, le pouvoir professionnel des enseignants a un statut consultatif dans le conseil d'école et repose, pour le reste, sur leur appareil syndical. Au secondaire, par contre, il existe un embryon de structure quasi départementale, avec la création des « chefs de groupe ». Toutefois, la nomination des chefs de groupe (ou de « département ») n'est pas faite par cooptation parmi les enseignants du groupe-discipline, mais par les instances « administratives ». Malgré ces ambiguïtés, on constate en tout cas que les enseignants du secondaire disposent d'une structure d'exercice du pouvoir professionnel relativement plus importante que celle des enseignants du primaire.

Le corps des inspecteurs de l'Instruction publique a été aboli en 1964 ; depuis ce moment, qui coïncidait avec la création du ministère de l'Éducation, le contrôle descendant sur le travail pédagogique, sur la qualité de ses pratiques et de ses résultats, a été considérablement réduit et affaibli par rapport à la période antérieure (D.I.P.). Or ces rôles régulateurs professionnels une fois disparus, ils n'ont jamais été vraiment remplacés, même pas par les réseaux de services-conseils des A.D.P. (agents de développement pédagogique) du ministère, ni par les C.P. (conseillers pédagogiques) des commissions scolaires, ni encore par la recherche du ministère sur les pratiques pédagogiques locales. Le foisonnement et la diversification des méthodes pédagogiques et du matériel didactique n'a donc pas pu bénéficier d'un guidage au moins partiel, de sorte que la liberté de manoeuvre gagnée à la base a été en partie contrebalancée par des problèmes d'incohérence, des contraintes aux transferts d'élèves entre écoles, etc.

La réduction du « contrôle pédagogique descendant » traduite par la disparition de l'inspectorat s'est traduite aussi sous la forme de programmes officiels moins détaillés qu'au temps du D.I.P. : c'était l'idée des « programmes cadres » (composés d'énoncés d'objectifs très généraux), lesquels devaient être précisés régionalement par les commissions scolaires sous la forme de « programmes institutionnels » et, au palier des enseignants dans chaque école, sous la forme de « plans de cours ». On a donc assisté au développement d'un réseau scolaire *plus contrôlé qu'auparavant au plan administratif, mais moins contrôlé qu'auparavant au plan pédagogique ou professionnel.* On semble assister présentement à un double mouvement d'autorégulation correctrice (ou de « redressement ») à cet égard : c'est-à-dire qu'on tend vers une certaine réduction des contrôles administratifs, en même temps que vers une accentuation légèrement plus forte des contrôles pédagogiques (sous la forme de programmes officiels énonçant des objectifs généraux *et* terminaux plus détaillés, ainsi que de mesures visant à développer des pratiques plus rigoureuses et suivies d'évaluation des apprentissages). Si ce double mouvement de rééquilibrage des contrôles administratifs et professionnels devait se confirmer comme une tendance majeure au cours des prochaines années, alors on devrait assister à un renversement de la tendance décrite dans notre hypothèse, c'est-à-dire qu'on verrait alors un accroissement relatif du pouvoir professionnel par rapport au pouvoir administratif (sans d'ailleurs que cela n'entraîne pour autant une quelconque « perte » de pouvoirs par la branche administrative ou pour les couches dirigeantes des organismes d'enseignement).

On constate finalement, en résumé, que l'enseignement primaire et secondaire est beaucoup plus fortement régulé dans le secteur public que dans le secteur privé ; que ces contrôles sont plus fortement centrés sur les variables « administratives » que sur les variables « professionnelles » (ou pédagogiques) ; que la branche administrative des organismes d'enseignement est beaucoup plus développée et détient des pouvoirs relativement plus forts que la branche professionnelle dans le secteur public, alors que le pouvoir professionnel est relativement plus fort dans le secteur privé ; enfin, que les mouvements de défense professionnelle sont beaucoup plus fréquents et intenses dans le secteur public (grèves, etc.) que dans le secteur privé. Il y a même des syndicats locaux d'enseignants qui, bien que se définissant par ailleurs selon une orientation « progressiste », ont renoncé à se définir comme des professionnels et qui, au lieu de revendiquer les pouvoirs nécessaires correspondant à leurs responsabilités envers les usagers de leurs services, se sont résignés à un mode de revendication et de négociation aligné de façon stricte sur un modèle de type industriel : réaffectation de postes selon la seule règle d'ancienneté, définition des relations de travail en termes stricts de relations conflictuelles entre des « boss » et des « honnêtes travailleurs de l'éducation », etc. C'est sans doute là une façon de proclamer une volonté de solidarité avec la classe des travailleurs industriels, mais cela semble également être une stratégie de réponse désabusée à la dynamique prédominante de distribution des pouvoirs administratifs et professionnels dans l'enseignement primaire et secondaire. Cela décrit une sorte d'état limite auquel pourrait risquer d'aboutir la dynamique actuelle du système scolaire si on en poursuivait la logique jusqu'à ses dernières conséquences : un système d'auto-reproduction cyclique de conflits bloqués et sans issue et où les finalités mêmes du système ne font même plus partie des enjeux de la lutte.

Au niveau collégial

Dans le réseau des cegep, la situation est déjà assez différente de celle qu'on vient de décrire. Le ministère définit des programmes officiels, mais dans un régime qui n'est plus celui d'un enseignement obligatoire ; d'autre part, il n'y a pas de contrôle direct sur les apprentissages au moyen d'un système d'examens officiels. Les pouvoirs du personnel enseignant s'appuient sur une structure de départements, de même que sur une commission pédagogique, et ces structures formelles ont été prévues explicitement dans la Loi 21 créant les cegep (ou dans ses règlements). En principe donc, une telle structure accorde à la branche professionnelle des pouvoirs relativement plus grands que ceux qu'on trouve dans les organismes d'enseignement primaire et secondaire. Mais, bien que cette structure départementale, modelée sur celle des universités, implique un statut d'autonomie (à la fois institutionnel, par rapport au ministère, et professionnel, par rapport à la branche administrative) plus important qu'aux premiers niveaux du système d'enseignement, il semble bien qu'en pratique, la structure départementale soit ici plus faible que dans le modèle universitaire et dès les premières années qui ont suivi la création des cegep, les professeurs ont dû appuyer leur pouvoir sur les ressources de pression et de négociation de leur appareil syndical[2]. Nous n'avons pas suffisamment d'information pour déterminer si le pouvoir relatif de la branche professionnelle est *effectivement* plus faible dans les collèges publics que dans les collèges privés ; les indications à cet égard données dans notre tableau reflètent donc ici davantage une « gageure hypothétique » qu'une assertion appuyée sur au moins quelques données empiriques. Notons, en tout cas, que le mouvement syndical paraît beaucoup plus actif et important dans les collèges du secteur public que dans ceux du secteur privé, et que les grèves semblent y avoir été plus fréquentes ; ce qui semble, à tout le moins, ne pas infirmer notre hypothèse. On doit supposer toutefois que ces différences sont moins marquées qu'au primaire et au secondaire.

Au niveau de l'enseignement supérieur

L'enseignement universitaire a été, par tradition (qu'on pense à l'idéologie de la liberté académique), le modèle concret le plus approximativement exemplaire de l'autonomie de la branche professionnelle dans les organisations de type professionnel. C'est le niveau d'enseignement où les organismes ont le plus grand degré d'autonomie institutionnelle par rapport au ministère ; celui-ci ne peut lui imposer aucun programme d'études officiel[3], et encore moins songer à contrôler les apprentissages des étudiants! (Par contre, certaines corporations professionnelles exercent un certain contrôle sur les programmes des facultés de leur discipline correspondante, et imposent aux diplômés de celles-ci des examens formels d'entrée dans la profession.) Les structures d'exercice des pouvoirs de la branche professionnelle sont celles des départements, instituts et centres de recherche, et les responsabilités professionnelles incluent non seulement une mission d'*enseignement*, mais également une mission institutionnelle de *recherche*.

Un des paradoxes du pouvoir-autonomie universitaire est que, d'une part, la société laisse aux universités la plus grande marge d'initiative et d'autonomie de tous les niveaux d'enseignement et que, d'autre part, la société en attend les contributions les plus valorisées (y compris, par exemple, celle de former les maîtres pour les autres niveaux d'enseignements), celles qui sont jugées les plus importantes et les plus indispensables au développement collectif. Or on peut dire que, depuis la création du ministère en 1964, la prise de conscience de la responsabilité collective des universités, à la fois par leur « mission » d'enseignement et par leur « mission » de recherche, s'est graduellement amplifiée. D'autre part, la compression inévitable de la part des deniers publics affectable à l'éducation a rendu nécessaire le développement de procédés de fixation des priorités collectives et de rationalisation des choix budgétaires. Ce facteur, conjugué avec la responsabilité de formation des professionnels et cadres demandés par le marché de l'emploi et avec les exigences d'une politique de recherche scientifique liée aux stratégies de développement socio-économique, a graduellement réuni les conditions, au cours des dernières années, d'un accroissement relatif des contrôles de l'État sur les universités. Ainsi, il semble que l'introduction d'un système de planification et de budgétisation par programme, avec les exigences de systèmes de statistiques en conséquence plus élaborés, ait eu pour effet d'accroître sensiblement l'importance de la branche administrative au sein des universités. Les deux grèves récentes et particulièrement dures, à l'Université Laval et à l'UQAM, semblent avoir été des réponses à une croissance rapide des pouvoirs de la branche administrative et à la croissance (en conséquence) des contraintes nouvelles tendant à limiter et à réduire le pouvoir relatif des professeurs dans les départements, instituts et centres de recherche. Il convient en tout cas d'observer que ces analyses concordent avec les analyses sommaires appliquées aux autres niveaux du même système d'enseignement, et que les quatre degrés de contrôle par l'État qu'on y constate semblent bien correspondre à quatre degrés de pouvoir relatif de la branche professionnelle des organismes d'enseignement aux niveaux respectifs. Ces degrés de pouvoir (ou de contrôle professionnel) paraissent bien être en rapport inverse de celui de la branche administrative dans chaque cas. La seule remarque importante à ajouter ici est qu'il ne paraît pas y avoir de différence très marquée, au niveau de l'enseignement supérieur, entre l'université publique (l'Université du Québec) et les universités privées. Cela s'explique probablement par le fait que l'État, en créant l'Université du Québec, avait respecté la tradition de l'autonomie institutionnelle des universités en général. Il est néanmoins remarquable que l'université créée par l'État ait bénéficié au départ d'un régime de participation et d'initiative professionnelle pour les professeurs (de même que pour les étudiants) plus libéral encore que le régime correspondant dans les autres universités privées existantes. C'est peut-être pour cela que le brusque accroissement des prérogatives et contrôles exercés par la branche administrative, en créant ainsi un effet de contraste (et de déception) plus grand à l'UQAM qu'ailleurs, a provoqué là un mouvement de défense professionnel (syndical) plus rapide qu'ailleurs, et des stratégies plus immédiatement énergiques.

Bien que notre analyse ait été en principe limitée à la dynamique *interne* de distribution du pouvoir dans les organisations du système d'enseignement, on voit déjà l'impossibilité de ne pas la situer maintenant plus explicitement par rapport à *l'environnement* vertical et horizontal de ce système : l'appareil politique au sens strict (le « politique par le haut ») et les usagers et citoyens, organisés ou non, pour le service desquels le système d'enseignement doit, en principe, exister et travailler (le « politique par le bas »).

Le « politique par le haut » et le « politique par le bas » : les politiques de décentralisation et de démocratisation et l'émergence des usagers-citoyens-contribuables comme nouveaux acteurs politiques

L'analyse « interne » présentée plus haut faisait état, en réalité, des *effets* internes de contrôles *externes* descendants exercés par l'instance centrale sur les établissements, mais qui ont les mêmes conséquences à l'intérieur de l'appareil central lui-même, entre la branche administrative et la branche professionnelle de chaque secteur d'enseignement (divisions par niveau). L'instance centrale ultimement contrôlante dont il est question est donc hiérarchiquement supérieure à l'appareil de l'administration publique elle-même, qui en principe ne fait qu'opérationnaliser les volontés de contrôle de cette instance, les interpréter et les relayer vers le bas : c'est évidemment le pouvoir gouvernemental qui est cette instance ultime.

À l'autre bout de la structure à paliers multiples du système, il y a l'ensemble des populations locales des usagers : enfants, jeunes, adultes-parents-citoyens-contribuables. Et les usagers indirects : employeurs, associations, groupes de pression, etc. Par tradition, les usagers ont été mobilisés par les services sociaux, de santé et d'enseignement selon des rapports de sujétion à l'autorité des dirigeants et des professionnels : on était littéralement « *soumis* » à des traitements, à des règlements, à des thérapies, à des enseignements ; on était « assisté », « patient », ou « élève ». Par la suite est venue la notion du contribuable-« client », qui, ayant payé sa juste part, exige qu'en échange on lui fournisse un service de qualité : c'est une position qui tend à émerger dans les catégories moyennes et supérieures de l'échelle des occupations et des revenus. La notion « *d'usager* » est plus générale et inclut aussi les catégories qui n'ont pas les moyens de payer les services en tant que « clients », mais qui sont considérées désormais comme ayant des droits fondamentaux à de tels services jugés essentiels (et de plus en plus financés et contrôlés par l'État).

C'est l'émergence de cette conception d'un *droit* de tout individu (au-delà même de son statut éventuel de citoyen — ce qui pose notamment la question des droits de l'enfant et des droits et devoirs complémentaires de ses parents ou tuteurs légaux) à certains services de qualité professionnelle minimum qui a servi à légitimer la *responsabilité* de l'État relativement à ces services, et donc son *autorité* (ou pouvoir légitime) et son pouvoir d'administration et de contrôle central. L'expansion des conditions d'accès à ces services a provoqué simultanément des accroissements parallèles des ressources financières et des équipements, des effectifs des corps professionnels concernés et de la bureaucratisation administrative des organisations de services, avec les conséquences internes analysées plus haut. Or une politique légitimée par sa référence à un droit universel des usagers se définit nécessairement comme une politique de *démocratisation.* Dans un premier temps, « démocratiser » le système a signifié la création des conditions nécessaires pour rendre *généralement accessibles* les services eux-mêmes à tous les usagers potentiels définis comme y ayant droit : cela s'est accompagné d'une phase de relative *centralisation* du partage des pouvoirs entre le palier central et les unités régionales ou locales du système. Dans un second temps, « démocratiser » le système a commencé à prendre un deuxième sens, complémentaire du premier d'ailleurs ; cela signifiait au minimum permettre aux usagers de donner aux responsables des organismes de services des « feed-backs » sur la qualité des services reçus et de leur communiquer leurs demandes et recommandations par la voie de « mécanismes » de participation de type consultatif. Cette seconde étape a été accompagnée ou suivie d'une phase de déconcentration administrative et d'une politique de *décentralisation* du partage des pouvoirs entre les paliers central et local du système, dans le secteur de l'enseignement obligatoire.

Or décentraliser, dans un tel système, c'est accorder aux établissements locaux de services (ou d'abord à leurs centres administratifs régionaux, selon le cas) des pouvoirs décisionnels davantage proportionnés à leurs responsabilités de services — voire des responsabilités elles-mêmes encore accrues, avec les prérogatives décisionnelles correspondantes. C'est donc aussi *modifier la structure et les processus de contrôles descendants* (et même, indirectement, de contrôles remontants) dans le système hiérarchisé du réseau d'organisations de services. Notamment, cela entraîne une tendance à réduire les contrôles « a priori » et à accroître la part des contrôles « a posteriori ». Il est encore trop tôt pour constater les retombées concrètes de cela, mais dans la mesure où une telle décentralisation sera réelle, on devrait pouvoir observer, après un certain temps, un effet de réduction (relative, non pas en termes absolus) de la prépondérance de la branche administrative et un effet inverse et complémentaire d'accroissement du champ de pouvoir et de responsabilité propre de la branche professionnelle dans les unités régionales et locales du système. Et ce, d'autant plus que les intentions toutes récentes du ministère semblent s'orienter vers des programmes pédagogiques caractérisés par des objectifs généraux et terminaux plus précis et vers des exigences d'évaluation des apprentissages plus rigoureuses ; ce qui devrait avoir pour effet d'accroître le poids décisionnel (et ses effets d'entraînement) de la branche professionnelle aux paliers locaux du système.

C'est ici qu'on constate qu'une *politique de décentralisation est aussi un moyen nécessaire et une condition essentielle pour réaliser les objectifs d'une politique de démocratisation*, même si on réduit cette dernière à n'offrir aux usagers que des pouvoirs strictement consultatifs. En effet, une consultation par un organisme auprès de ses usagers n'est pas pertinente si cet organisme ne détient pas les prérogatives formelles de pouvoirs décisionnels correspondant à son champ de responsabilités, c'est-à-dire correspondant aux objets mêmes des consultations possibles. Si un principal d'école doit en référer à sa commission scolaire pour une part importante des décisions sur les objets compris dans son champ de responsabilités, ce principal n'est pas en position de « consulter » qui que ce soit : il est en réalité une sorte de « messager de consultation » sans initiative légitime propre. Et les *usagers iront plus haut* pour livrer leurs messages et tenter de négocier leurs demandes; ou encore *se retireront totalement* de ce qu'ils verront comme une mascarade. Retenons simplement qu'*une politique de décentralisation est une condition nécessaire, bien que non suffisante, d'une politique de démocratisation des moyens de contrôle sur le système par les usagers*, dont l'insertion active dans les circuits de communication et de décision aux paliers locaux constitue ce que nous avons appelé le « politique par le bas ».

Du coup, la notion même de *responsabilité* se transforme dans le sens d'une différenciation : en plus d'être un ensemble de rôles, d'activités et de résultats dont on doit répondre *verticalement*, devant ses supérieurs dans la structure hiérarchique du système, la responsabilité devient aussi l'obligation *horizontale* de répondre de ses activités et résultats devant ces acteurs politiques nouveaux, encore peu organisés mais dont la présence est imposée légalement, que sont les usagers, les parents. Et les étudiants, aux niveaux d'étude plus avancés. C'est ce que les Américains, en matière semblable, appellent l'« accountability », c'est-à-dire l'obligation de rendre compte, devant un électorat, une clientèle ou une population d'usagers, de la manière dont on s'est acquitté d'un mandat institutionnellement contraignant.

Le problème de la légitimité des contrôles et des rationalités concurrentes dans un système conflictuel devenu plus complexe

La présentation un peu artificielle que nous avons suivie jusqu'à ce point visait à rendre compte de la complexité interne de chacun des « plans » de réalité exposés successivement pour éviter de tout mêler au point de départ. Le moment est venu de présenter un tableau d'ensemble permettant d'en marquer quelques-unes des principales connexions interactives et leurs conséquences (elles-mêmes interactives) plus ou moins incompatibles ou « contradictoires » du point de vue des stratégies (ou « rationalités ») des divers acteurs en présence.

Comme il est impossible d'exprimer l'ensemble de ces relations d'une manière simultanée dans un texte séquentiel, nous partirons d'une représentation graphique de ce système de relations entre processus internes et externes ; le texte servira à en commenter les enchaînements et bouclages essentiels, en termes de réduction (-) ou d'amplification (+), c'est-à-dire de « feedbacks » négatifs ou positifs, entre les actions stratégiques de chaque catégorie d'acteurs et les effets provoqués, directement et indirectement, par ces actions [4]. Comme on le verra, ce mode d'analyse illustrée permet de mettre visuellement en évidence les effets de diverses stratégies, qui produisent à leur tour des contre-effets allant en sens opposé aux effets visés par les acteurs concernés ; et ce, pour l'ensemble des acteurs impliqués au centre et à la périphérie du même système.

Cette présentation d'analyse s'inspire largement d'auteurs dont les travaux sont liés à la théorie générale des systèmes, comme Magoroh Maruyama [5], et en particulier Yves Barel [6], dont les efforts pour développer des concepts et des modèles non mécanistes et non réducteurs, c'est-à-dire capables de rendre compte des incompatibilités (ou contradictions) inhérentes à la dynamique et à l'organisation des phénomènes vivants et des phénomènes humains en particulier, trouveront ici, nous semble-t-il, des confirmations supplémentaires de leur fécondité. De même, une lecture même partielle du dernier livre de M. Crozier et E. Friedberg [7] suffit à convaincre que leur « analyse stratégique des systèmes d'action concrets » comme méthode sociologique offre un outillage conceptuel complémentaire qui est compatible avec une théorie systémique non mécaniste, et dont l'application un peu minutieuse à notre objet présent d'analyse livrerait sans doute des implications et des observations beaucoup plus riches que celles de l'analyse assez partielle et simplifiée (en dépit du nombre « impressionnant » de flèches !) présentée ici.

Revenons au schéma. En termes formels, on peut dire qu'une stratégie « contradictoire » est générée lorsqu'une stratégie simple induit des effets *indirects* qui vont en sens contraire des effets désirés (même si elle produit un effet *direct* désiré) :

Réseau des boucles de régulation réciproque des stratégies de pouvoir des acteurs politiques, administratifs et professionnels dans le système d'enseignement québécois

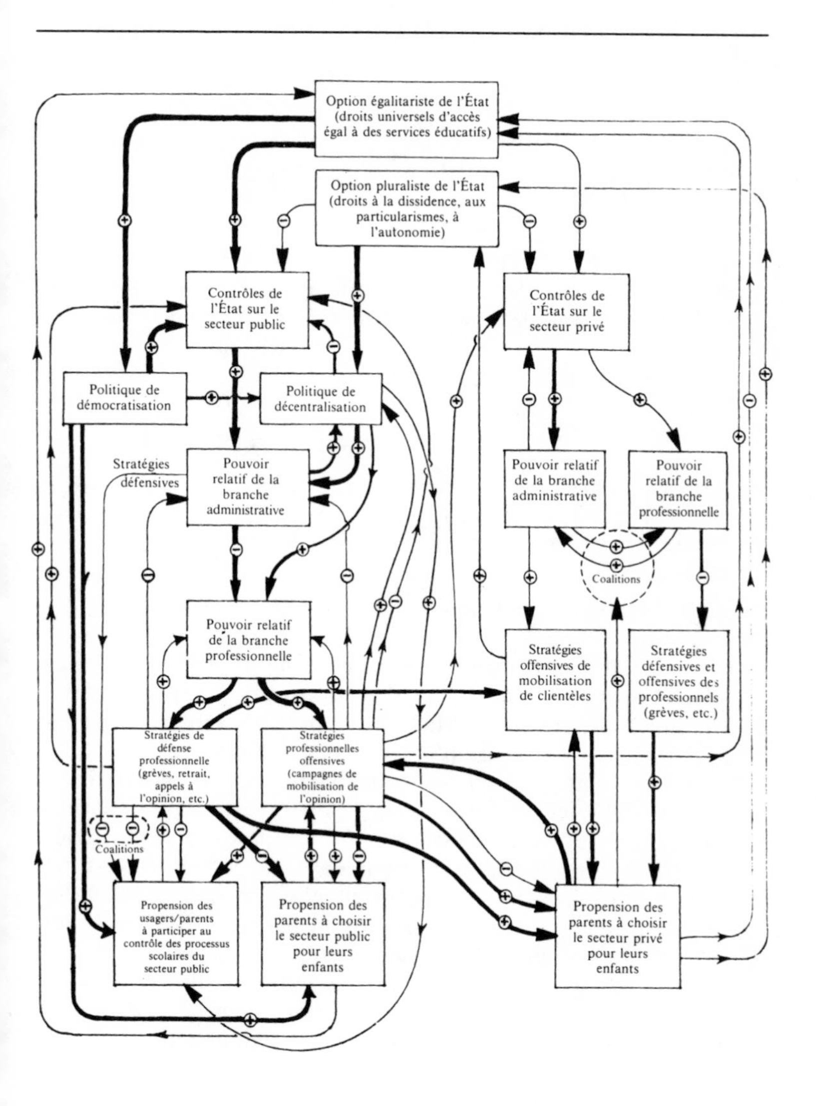

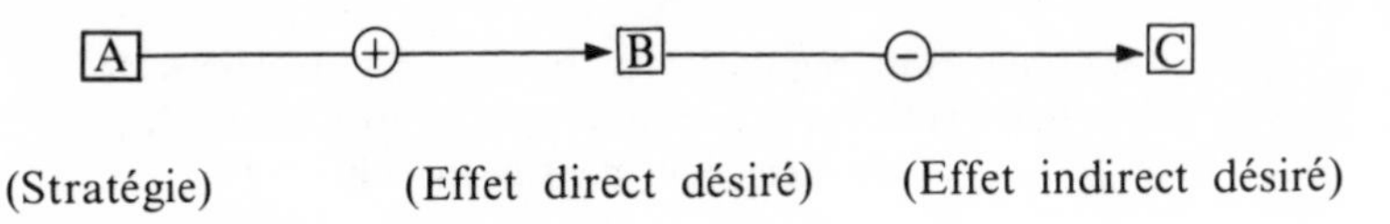

L'effet indirect non désiré produit donc en retour un contre-effet tendant à réduire l'intérêt de la stratégie initiale :

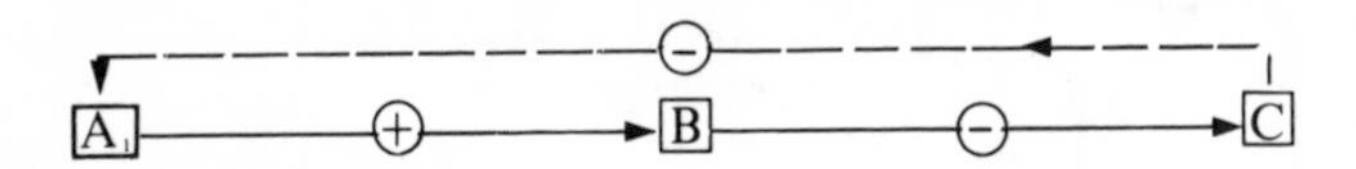

La seule façon d'éviter de renoncer à (c'est-à-dire de réduire) la stratégie simple initiale consiste alors à adopter une stratégie complémentaire dont le but est de contrôler plus directement les effets indirects indésirés de la stratégie première pour ramener ces effets dans une direction plus acceptable :

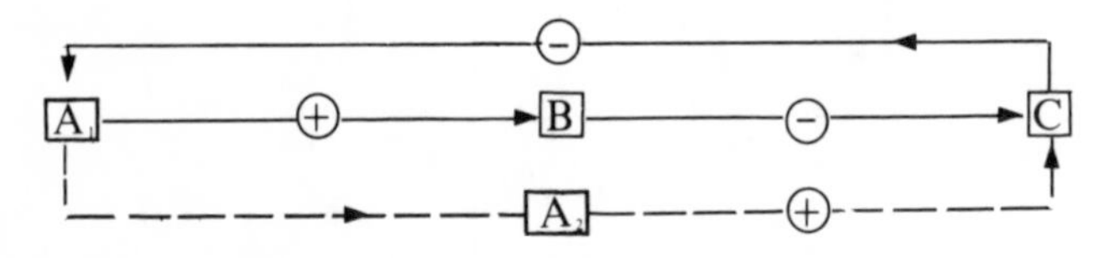

Cette nouvelle stratégie plus complexe constitue au moins un cas particulier de ce que Yves Barel a nommé la « double stratégie », dont le caractère « contradictoire » consiste évidemment en ce qu'elle tend à produire *à la fois* une réduction *et* une amplification des effets indirects désirés « C ». Mais l'amplification compensatrice est directe, alors que la réduction initiale était indirecte [8].

Quand on veut analyser les stratégies respectives modifiant la distribution de pouvoirs entre divers groupes d'acteurs en présence dans un champ commun, il est évident que l'effet « négatif » pour l'un d'entre eux peut fort bien être précisément l'effet « positif » d'un autre, et qu'une telle situation peut éventuellement donner lieu à des « doubles stratégies », plus ou moins symétriques les unes par rapport aux autres, chez *chacun* des acteurs en présence [9].

Prenons comme point de départ les options caractérisant les grands principes qui semblent gouverner implicitement les décisions de l'État sur les politiques majeures en éducation : l'option

« égalitariste » et l'option « pluraliste ». La première commande une politique de démocratisation ; la seconde, une politique de décentralisation. Pour des raisons de principe et pour des raisons techniques, l'option égalitariste exigeait l'application d'un appareil assez important de contrôles descendants, destinés à garantir et à vérifier les conditions et le degré de réalisation de l'égalité d'accès à des services scolaires de qualité équivalente partout. D'autre part et dans un deuxième temps, l'option pluraliste de l'État a commencé (en particulier suite à des pressions des milieux scolaires ayant subi les inconvénients de « l'uniformisation excessive » résultant de l'application des contrôles centraux sur le système) à rendre urgentes la conception et l'application d'une politique de décentralisation, d'une part pour réduire les inconvénients d'un certain mode et style de contrôle généré par la réforme scolaire des années 60 et, d'autre part, comme moyen nécessaire pour réaliser certains impératifs de la politique de démocratisation elle-même, à laquelle la décentralisation est subordonnée (notamment pour rendre possible, praticable et pertinente la participation des usagers-parents-citoyens au palier des unités locales du système). On voit déjà que l'option égalitariste donne lieu à une politique de démocratisation qui à la fois institue et *renforce* des *contrôles* descendants mais qui, en nécessitant aussi une politique de décentralisation (qui tend par ailleurs à réduire les contrôles), tend en même temps à modifier et à *réduire* ces contrôles.

L'option pluraliste, dans ce contexte, tend donc à réduire l'instrumentation de contrôle exigée par l'option égalitariste, en particulier dans son application au secteur privé (qui est dispensé de l'appareil de responsabilité publique, au palier local ou régional, qu'est l'organisation des commissions scolaires). Par contre, l'institution même des commissions scolaires est un résultat déjà ancien de l'option « pluraliste » traditionnelle, qui y affirmait d'une certaine façon l'importance d'une autorité publique *locale* élue en éducation, en la dotant notamment du pouvoir civil de lever des impôts à des fins de dépenses scolaires. Mais la taille même que ces appareils administratifs ont atteinte (par l'effet de regroupements successifs) dans le secteur public a fait en sorte que les contrôles centraux descendants de l'État s'y sont démultipliés beaucoup plus lourdement que dans le secteur privé, où les écoles se gouvernent encore avec un appareil administratif considérablement plus réduit.

Les conséquences différentes de ce régime de contrôle, selon le secteur public ou privé, ont été décrites plus haut : le schéma montre ainsi que le renforcement des contrôles accroît le pouvoir relatif de la branche administrative et réduit, indirectement, le pouvoir relatif de la branche professionnelle (du personnel pédagogique en particulier) et ce, à tous les paliers du système. Au palier local, cela donne lieu à des *stratégies professionnelles défensives* (grèves, absentéisme, retrait des organismes consultatifs offerts, etc.) *et offensives* (campagnes de mobilisation de l'opinion publique, coalitions avec les parents en période de grève, etc.) beaucoup plus fréquentes dans le secteur public que dans le secteur privé [10].

Les effets indirects de cette dynamique complexe sur les actions des usagers sont également nombreux. D'une part, la plus forte fréquence des grèves (et la réputation de « perturbation continuelle » et d'incertitude, fort répandue dans l'opinion des usagers) dans le secteur public a eu pour effets de réduire la propension des parents à envoyer leurs enfants à l'école publique et d'accroître leur tendance à les confier à l'école privée. Or cet effet de transfert démographique du secteur public vers le privé *s'ajoutait* à la baisse de la natalité constatée au Québec depuis 1966. Déjà, les syndicats d'enseignants luttaient pour négocier des modifications du rapport maître-élèves qui soient à leur avantage, à la suite de ce fléchissement de la natalité. Mais, si on ne pouvait imaginer de stratégie syndicale « nataliste », on pouvait, en revanche, mener des stratégies offensives de lutte contre ces effets de transfert vers le secteur privé (qui étaient pour une part *des effets négatifs indirects du succès même* des stratégies de grève). D'où des campagnes de mobilisation de l'opinion publique par la CEQ contre le secteur privé et en faveur du secteur public, à la fois pour réduire l'importance de cette nouvelle menace à la sécurité d'emploi des enseignants, pour accroître la décentralisation et réduire les contrôles dans le secteur public, et pour renforcer idéologiquement les principes égalitaristes qui risquaient d'être affaiblis au palier de l'État par l'accroissement des choix des parents pour le secteur privé. Cette nouvelle double stratégie des enseignants visait ainsi à maintenir la stratégie principale de défense professionnelle, tout en cherchant à réduire les effets négatifs indirects de cette stratégie ; mais aussi à renforcer, plus haut dans le système, les principes de choix et les actions organiques plus positivement compatibles avec leurs intérêts professionnels et avec leur vision de la société. La complexité même de cette double (ou triple) stratégie montre bien qu'il ne s'agit pas d'une « simple question de grèves ».

Du côté de l'État, les pertes du secteur public provoquent par ailleurs un sursaut défensif qui renforce le principe égalitariste.

D'autre part, et au-delà des rapports conflictuels entre les acteurs administratifs et les enseignants, on a constaté assez souvent depuis 1972 des *coalitions* entre ces deux groupes, visant à exclure ou à réduire les stratégies et les actions de participation des parents, dont la présence légitime comme acteurs nouveaux dans le jeu des pouvoirs locaux a été introduite par le biais de la Loi 27 (et 71, pour Montréal), dans la ligne d'une politique de démocratisation. Par ailleurs, les administrateurs et les enseignants agissent souvent aussi, de manière indépendante les uns des autres, selon des stratégies défensives provoquées par les poussées « participationnistes » des parents; et, dans le cas des administrateurs des commissions scolaires, selon des stratégies offensives visant à canaliser la participation des parents selon des procédures conçues pour ne pas retarder les décisions envisagées ou entraver leurs processus réguliers de gestion, et surtout pour éviter la pénétration de « tiers » dans la zone des « droits de gérance »[11]. Par ailleurs, la politique de démocratisation continue à légitimer la participation institutionnelle des parents, et la politique de décentralisation (encore à ses premières étapes) devrait en principe améliorer les conditions nécessaires à une telle participation, en donnant plus de prérogatives de pouvoir aux directeurs d'écoles et aux enseignants dans leurs sphères propres de responsabilités. Mais cette évolution ne sera ni automatique (c'est là une condition nécessaire mais non suffisante), ni pour demain. Les stratégies doubles se poursuivront chez les enseignants, par exemple, au moins aussi longtemps qu'ils n'auront pas dans l'école même une base d'exercice du pouvoir professionnel plus à la mesure de leurs responsabilités réelles : ils chercheront encore, d'une part, à *réduire* la participation des parents dans le « domaine pédagogique », tout en cherchant, en temps de grève, à *accroître* cette participation sous forme de soutien public et de coalitions des parents en leur faveur. *Pour l'heure, leur seul pouvoir professionnel un peu fort repose sur l'appareil syndical, il n'est pas encore dans l'organisation propre de l'école.* C'est pour une large part l'invariance de ces conditions structurelles qui contribue à reproduire les mêmes cycles de conflits entre acteurs, de même que leurs stratégies compensatrices de mises en échec réciproques, et qui fait que les effets ou les risques non résorbés des conflits précédents reviennent comme contenus nouveaux dans les conflits du cycle suivant.

Si ce modèle simplifié est le moindrement valide dans ses grandes lignes, des changements-déblocages au plan des variables « lourdes » ne pourront venir que de deux directions majeures :

a) d'une part, d'un accroissement des prérogatives formelles des usagers dans l'appareil de participation du système, en particulier dans les unités locales (politique de démocratisation);
b) d'autre part, d'une décentralisation accrue du partage des pouvoirs et responsabilités, et tout spécialement jusqu'au palier de l'école; ce changement étant une condition nécessaire (mais non suffisante) du premier.

Ce qu'une telle dynamique conflictuelle et complexe force à mettre en cause, finalement, c'est la *légitimité* des contrôles et des stratégies des divers acteurs, de même que la nature contradictoire de leurs rationalités respectives dans le contexte de leurs conflits réciproques. Dire qu'un certain régime de contrôles descendants génère toute une série de réactions conflictuelles en cascade qui reproduisent systématiquement des conditions de perturbation continuelle et de difficultés intolérables, c'est *nommer un problème* ou un ensemble de problèmes. « La » solution n'est pas de brûler l'État et de supprimer radicalement les contrôles. Le problème des contrôles, c'est en partie le problème de leur *légitimité* : quel principe de choix collectif, quel objectif, norme ou but jugé essentiel au nom de la collectivité est censé être garanti par tel contrôle ? C'est aussi le problème *technique* de leur pertinence ou de leur caractère approprié : la forme de tel contrôle, ses critères opératoires, ses modalités de procédure, etc., sont-ils les instruments les mieux adaptés et les plus valides pour vérifier le degré et le mode de réalisation d'une norme essentielle, d'un objectif ou d'un but ? Et puis viennent d'autres questions : étant admis que *des* contrôles sont nécessaires et légitimes pour garantir que les choix collectifs (ou faits au nom de la collectivité) soient respectés dans leur application, *qui* doit en définir le contenu normatif et les procédures, et qui doit en être chargé ? Et qui contrôlera les contrôles eux-mêmes ? Les hommes politiques, en haut (l'Assemblée nationale, le ministre), au milieu (les commissaires des écoles), c'est-à-dire les représentants élus au suffrage populaire. Et le « politique par le bas » : les usagers, parents, citoyens, les commettants des premiers ; car c'est en leur nom et à leur intention que le système scolaire est en principe gouverné, géré et organisé et que l'enseignement est donné.

Il est inévitable que, dans un tel jeu de pouvoirs, les rationalités divergentes et contradictoires des divers acteurs soient amenées par la force des choses à être négociées mutuellement pour déterminer leurs conditions de légitimité respectives : les rationalités (et donc les intérêts) corporatistes, syndicalistes, gestionnelles-administratives, politiques-gouvernementales, « consommatrices », ou de « citoyens-usagers », etc., ne peuvent plus, sous peine d'abstraction stérile, se définir en dehors de leurs rapports réciproques, ni surtout en dehors de la nécessité de les hiérarchiser selon leurs actions ou leurs contributions respectives dans un ordre d'intentions collectives négociées. C'est finalement *le jeu même de la « négociation sociale »* qui est en cause, avec ses caractères de plus ou moins grand risque d'inéquité pour les diverses catégories d'acteurs. Et les « progrès » de ce jeu lui-même se lisent historiquement dans les modifications successives apportées aux interprétations politiques, administratives, professionnelles et populaires des principes d'égalitarisme et de pluralisme, de même que dans les changements pratiques et structurels que ces interprétations permettent de légitimer. Et les changements mêmes apportés aux interprétations politiques et administratives de ces principes par les couches gouvernantes sont d'abord tributaires des luttes de certains acteurs sociaux pour les rendre légitimes, de même que des risques courus par d'autres acteurs ou collectivités locales qui entreprennent des pratiques nouvelles en « gageant » sur leur caractère de légitimité sociale éventuelle.

Il n'existe pas, en somme, une sorte de rationalité générale unique où pourraient se « réconcilier » ultimement toutes ces rationalités divergentes. Une structure plus décentralisée du système permettrait probablement qu'elles trouvent des aires de cohabitation moins destructrices, en ouvrant la pluralité des marges d'interprétation locale permise. Mais c'est là aussi une ligne du risque collectif : aux USA, par exemple, la forte tradition d'autonomie scolaire locale a *aussi* signifié la porte ouverte, en bien des endroits, à la « libre expression » du racisme institutionnel. C'est pourquoi des règles minimales de négociation sociale locale doivent être imposées par l'État, ce qui veut dire notamment imposer aux plus forts la présence légitime des plus faibles. Si l'État ne le fait pas, d'autres appareils continueront à le faire, par défaut, et on se plaindra encore des conséquences inévitables.

Vincent Ross

Ministère de l'Éducation du Québec

Notes

[1] A. Etzioni, *A Comparative Analysis of Complex Organizations. On Power, Involvement, and their Correlates*, New-York, The Free Press, 1961.

[2] Comme nous ne connaissons que très peu le réseau des cegep, nous tenons à remercier ici les personnes qui nous ont communiqué ces observations au cours d'un atelier à Trois-Rivières sur « l'éducation et le pouvoir », au Congrès de l'ACFAS (mai 1977). Nous remercions en particulier Mme Raymonde Savard, pour ses remarques éclairantes à ce propos.

[3] Hormis certains cas spéciaux comme les programmes de formation et de perfectionnement des maîtres du primaire et du secondaire, où le contenu des programmes doit satisfaire certaines exigences du ministère.

[4] La notation employée dans le diagramme désigne des effets d'amplification (+) ou de réduction (–) : [A]——⊕——→[B] signifie « A tend à amplifier

B » ; et [A]—⊖→[B] signifie « A tend à diminuer B » ; et [A]—⊕→[B]—⊖→[C] signifie : « A tend indirectement, par son amplification de B, à diminuer C ». Et « C » peut, à son tour, diminuer « A » lui-même...

[5] Magoroh Maruyama, « The Second Cybernetics: Deviation-Amplifying Mutual Causal Processes », *American Scientist*, 51 (1963), pages 164-179. Reproduit dans : Walter Buckley (éd.), *Modern Systems Research for the Behavioral Scientist. A Sourcebook*, Chicago, Aldine Publishing Company, 1968, p. 304-313.

[6] Yves Barel, *Contradiction, régulation, feedback*, Grenoble, IPEPS (IREP), C.N.R.S., Université des sciences sociales de Grenoble, 1973.

[7] M. Crozier et E. Friedberg, *L'Acteur et le système. Les contraintes de l'action collective*, Paris, Éditions du Seuil, coll. « Sociologie politique », 1967.

[8] De plus, on peut définir « C » comme effet indirect *indésiré* et modifier les signes +/– en conséquence ; mais le problème reste formellement le même : il y aura deux actions tendant à s'annuler.

[9] Dans la mesure, du moins, où chacune des catégories d'acteurs est dotée d'une forme d'organisation propre.

[10] Nous *présumons* ici qu'il « doit » y avoir plus souvent des coalitions administrateurs-enseignants que des *conflits* ouverts, dans les écoles privées ; mais ce serait une hypothèse à aller vérifier. En particulier, les « administrateurs » y sont peut-être davantage des « professionnels-cadres » que des « cadres administratifs », par comparaison avec ceux du secteur public.

[11] Ces dernières stratégies ne sont pas indiquées dans le diagramme afin d'éviter de l'alourdir davantage.

Révolution du pouvoir dans le mouvement des caisses populaires : technocrates et notables dans le même lit, sous la couverture de la morale coopérative, pendant que les intellectuels ferment les yeux

Prenant mon titre comme point de départ, je tiens tout d'abord à préciser les termes « pouvoir » et « révolution ». Bien que réduit à sa plus simple formulation, j'entends par pouvoir la capacité de disposer des autres ou de leurs biens, sans avoir de comptes à rendre à ces mêmes personnes. Ceci entre en contradiction avec le principe d'autorité, qui implique l'octroi de moyens à l'intérieur de structures ou de traditions où le détenteur des moyens se trouve redevable aux personnes impliquées. Dans le cas présent, les biens en cause sont ceux des membres des caisses populaires : leurs épargnes et une institution dont ils sont les propriétaires au sens le plus strict du terme. Quant au terme « révolution », il est employé dans le titre parce qu'il évoque un renversement de la finalité. Ce renversement bouscule une institution québécoise de plus de cinquante ans, la caisse populaire. On pourra me dire que je ne parle que de récupération par l'environnement dominant; cependant, ceci constitue pour le moins une révolution dans le sens qu'une institution existante a été détournée de sa finalité première. Il n'est pas nécessaire que le renversement soit manifeste, il suffit qu'il existe.

La finalité du mouvement des caisses populaires peut se résumer ainsi :

1) Une institution avec des bases communautaires (territoire ou liens économiques communs).
2) Une institution contrôlée par ses membres (institution démocratique administrée par des gens élus).
3) Une institution où les membres sont égaux (un vote par membre et des taux de crédit et de rémunération qui sont les mêmes pour tous).

4) Une institution fonctionnant dans l'intérêt de ses membres (réduire le coût de l'argent tout en faisant fructifier les économies des membres).

Je ne suis pas ici aujourd'hui pour affirmer que cette finalité a été renversée. Je ne vous dirai pas que, dans le mouvement, ce ne sont pas les membres qui contrôlent les caisses ; qu'il n'y a pas de bases communautaires ; que les membres ne sont pas traités sur une base d'égalité ; ou encore que les caisses ne fonctionnent pas dans l'intérêt des membres. D'autres l'ont affirmé, surtout des idéologues de la CSN et des sociologues dits « critiques ». Leurs propos n'ont pas eu beaucoup de conséquences, si ce n'est de mieux immuniser le mouvement contre une vaine critique et de marginaliser davantage les tenants d'une telle rhétorique.

Plutôt que de vous tenir ici un tel discours, je me contenterai de vous parler de ce qui se passait dans les années 1970 dans cinq caisses d'une certaine catégorie (ayant des actifs variant de $ 5 à $ 15 millions et comptant de 2 à 10 mille membres) situées dans des villes d'au moins cinq mille âmes (hors de la région de Montréal). Ces villes, pour anticiper, sont semblables à la Douceville que décrit Colette Moreux dans un article intitulé : « Spécificité culturelle du leadership en milieu rural canadien-français [1] ».

Ce que je vais vous décrire pourrait être classé comme une monographie d'un phénomène qui est peut-être isolé et qui ne mérite pas d'être généralisé. Je suis partiellement d'accord, car qu'est-ce qui justifie alors un tel dévoilement de détails qui ne correspondent peut-être qu'à des situations extrêmes ? Je réponds à cette affirmation de la façon suivante. Tout d'abord, dans le cas présent, la description se réfère à des pratiques qui sont visibles à travers une documentation écrite, il ne s'agit donc pas de simples interprétations ou de rumeurs. Deuxièmement, malgré la nature publique de la plupart des documents sur lesquels repose la présente description, il n'existe pas à ma connaissance une seule appréciation du phénomène dans la littérature scientifique. À partir des deux propositions précédentes, il serait, strictement parlant, et jusqu'à preuve du contraire, justifié d'avancer l'hypothèse que le phénomène n'est pas isolé. En menant à terme ma description du phénomène, j'aurais fait ma part comme scientifique ; c'est à la communauté intellectuelle québécoise de réfuter ou de confirmer l'hypothèse voulant que le phénomène ne soit pas isolé.

Toutefois, face à ce problème et en tant que Québécois, nous ne sommes que scientifiques... heureusement. Nous sommes citoyens d'une société qui s'invente et qui se protège. Nous partageons des aspirations, des rationalisations, une histoire et un ensemble de significations particulières. Nous sommes insérés dans des institutions ou des structures qui ont des intérêts particuliers : en tant que sociologues, nous nous retrouvons sociologues du mouvement ou même membres du conseil d'administration d'une caisse en particulier. Ce dernier exemple me touche précisément : je suis président de la caisse d'une petite localité, je tiens à ce milieu et à cette caisse. Je suis conscient de la réaction de certains qui craignent qu'un exposé comme le mien fasse beaucoup de tort au mouvement ; ou plutôt, comme on l'a déjà formulé, qu'« il faut penser au bien du mouvement ». Pour être cohérent et conséquent avec moi-même, je suis obligé de rétorquer : ce sont ceux qui refusent d'en parler, ceux qui tentent d'empêcher la connaissance approfondie et l'examen du phénomène qui causent le plus grand mal au mouvement parce qu'ils sont complices d'une révolution qui a comme conséquence la liquidation des caisses d'épargne et de crédit telles que nous les avons connues, telles qu'on les a fondées. *Ce sont eux les révolutionnaires.* Je ne cherche, pour ma part, qu'à préserver une institution qui représente, à mon avis, un des plus grands acquis de la société québécoise.

Alors, je fonce : voici donc le plan de mon exposé, en quatre temps : la base communautaire, le contrôle par les membres, l'égalité des membres et le fonctionnement dans l'intérêt des membres. Ceci sera suivi d'un essai d'interprétation des mécanismes qui permettent une telle situation, puis viendront une spéculation sur les implications possibles advenant le cas où le phénomène se généraliserait et, enfin, prévisions et interrogations sur l'avenir proche du mouvement. L'éventualité ou la non-éventualité de leur réalisation confirmerait ou infirmerait mon analyse. Comme je dois respecter ici certaines limites de temps, voici brièvement mon exposé.

Base communautaire

Légalement, nul ne peut être membre d'une caisse populaire s'il ne demeure (ou n'a demeuré), ou encore s'il n'a (ou n'a eu) son lieu de travail dans le territoire indiqué dans la déclaration de fondation d'une caisse. Actuellement, pour les caisses étudiées, en règle générale, la *majorité des membres détenteurs d'hypothèques habitent hors du territoire de la caisse* ; le cas contraire constitue l'exception. Ainsi, dans une caisse, 65 % des membres résident à l'extérieur des limites mentionnées. Quand, sur cinq mille membres, une importante partie demeure hors du territoire de la paroisse de fondation, il devient difficile de parler de communauté. Effectivement, dans ces caisses, on inscrit automatiquement de nouveaux membres et dans certains cas, on explique la part sociale exigée par la loi comme un droit d'entrée, même si les droits d'entrée (10 cents par part) sont maintenant abandonnés.

La relation peu communautaire entre le membre et « sa caisse » est symbolisée par le fait que son nom ne figure pas dans son carnet et que les caissières ne le connaissent pas (comment connaître 5 000 personnes ?). Enfin, les employés ignorent même parfois des particularités aussi importantes que la date de l'assemblée annuelle de la caisse.

Institution contrôlée par les membres

Pour que l'on puisse dire que les membres d'une caisse la contrôlent, il faut qu'ils puissent agir en conséquence, c'est-à-dire coopérer. Une occasion leur est fournie par la loi lors de l'assemblée générale ; cependant, à l'exception d'une caisse qui offrait d'importants prix de présence et un goûter, le taux d'assistance aux assemblées générales est faible, variant entre 1 % et 3 % des membres. Afin de sensibiliser plus de gens, un ou plusieurs sociétaires pourraient toujours essayer de rejoindre d'autres membres. Cependant, *il n'est pas permis maintenant aux membres d'une de ces caisses d'avoir accès à la liste des membres.* Elles ont d'ailleurs été refusées dans trois cas précis. En théorie, dans un cas extrême, par exemple lorsqu'il existe une présomption raisonnable de pratique qui mettrait en danger les avoirs des membres, on pourrait avoir accès aux livres. En pratique, la Cour suprême du Québec a décidé récemment que la jurisprudence qui va dans ce sens pour les compagnies à actions ne s'applique pas ici à cause d'une loi d'exception, la loi des caisses d'épargne et de crédit. *Ces caisses sont donc moins redevables à leurs propriétaires légaux que des compagnies envers leurs actionnaires.*

Effectivement, il est devenu presque impossible de renverser un conseil d'administration déjà en place dans une caisse de la catégorie de celles dont je parle. Les administrations actuelles, composées de plus en plus d'hommes d'affaires, de notaires, de comptables et d'avocats, peuvent mobiliser suffisamment de clients pour contrecarrer tout courant qui leur serait défavorable à l'intérieur d'une assemblée générale. À ma connaissance et à part les caisses en question ici, seulement d'autres groupes de professionnels ou des groupes capables de compter sur l'appui d'importantes institutions, comme les syndicats, ont réussi à gagner des élections lors des assemblées générales.

Il reste aussi la question du degré de contrôle des élus face à l'Union régionale des caisses populaires. Actuellement, il existe beaucoup plus de communications entre l'Union d'une part, le gérant et les autres employés de la caisse d'autre part, qu'entre l'Union et les administrateurs élus. Le président d'une caisse ne contrôle absolument pas les communications entre ses employés et l'Union régionale. Ainsi, les employés finissent par penser que leurs vrais patrons sont les cadres de l'Union régionale, d'où viennent d'ailleurs, depuis un certain temps, plusieurs gérants. De plus, si cela lui semble bon, l'Union régionale peut imposer la mise en tutelle d'une caisse, ou mieux encore, elle peut passer un contrat avec le conseil d'administration, qui lui confère alors tous les pouvoirs. Mais tout demeure invisible. Ainsi, dans une région, il y avait l'année dernière deux caisses qui ne pouvaient même pas réunir leur conseil d'administration sans avoir la permission de l'Union régionale et ceci se passait à l'insu de leurs membres.

Égalité des membres

Pendant les années soixante-dix, il était pratique courante dans les cinq caisses étudiées de concéder à des administrateurs des taux d'emprunt privilégiés, *sans que les sociétaires soient au courant*. Dans un cas, de tels privilèges accordés à des administrateurs ou à des membres de leur famille ont eu comme conséquence pour la caisse un manque à gagner de $ 25 000 en deux ans. Dans d'autres cas, lors de la hausse annuelle des taux d'intérêt sur des hypothèques qui avaient des termes d'un an, une certaine catégorie de membres ne voyait pas monter ses taux comme les autres. Également, certains administrateurs bénéficiaient à la même époque de secondes et même de troisièmes hypothèques à 7 % et à 8 % ; ils achetaient alors des immeubles que les sociétaires, lorsqu'ils les achetaient en empruntant de leur caisse, devaient racheter en payant 13 % d'intérêt pour leur propre argent. De plus, dans une des caisses en question ici, des administrateurs empruntaient de la caisse à 10 % d'intérêt et déposaient cet argent dans une société de placement (qui avait d'ailleurs la même adresse que cette caisse et pour secrétaire un des administrateurs de la caisse) par le mécanisme des dépôts à terme, à 10 % d'intérêt... 2 % de plus que le taux du marché à l'époque[2]. Enfin, il y a le privilège des hypothèques à plus de 100 % de la valeur marchande d'un immeuble ; ceci facilite grandement la spéculation, surtout lorsque la compagnie impliquée compte parmi ses membres l'avocat de la caisse et un membre de la commission de crédit.

Dans l'intérêt des membres

Cet hiver, le Conseil économique du Canada a affirmé que les banques à charte faisaient des profits excessifs. Dans les caisses, il y a une structure de taux de prêts aussi élevée, sinon plus, que celle des banques. Les caisses sont donc aussi rentables que les banques ; elles génèrent près de 8 à 9 dollars de surplus par 1 000 dollars d'actif. Une partie de ce surplus est remise aux membres sous forme de ristournes ou de dividendes, environ dans les mêmes proportions de 2 à 4 dollars par mille dollars d'actif. La différence est retenue pour fins de croissance, amélioration ou achat d'immeubles, plutôt que d'être remise aux sociétaires afin de réduire le coût de l'argent. *Le but des caisses, actuellement, c'est la croissance;* elles sont évaluées en fonction de leur croissance. Cela devient même la justification de toutes les dépenses en salaires, en équipement ou en prolifération d'experts. Ainsi, par exemple, une des caisses avait le taux de croissance le plus haut de la région. Elle ne payait aucune ristourne mais elle s'apprêtait à débourser un salaire de près de $ 20 000 pour une publicitaire qui serait chargée de vendre les nouveaux produits du mouvement et elle était sur le point de faire construire un nouvel édifice.

Les caisses croissent. Si une caisse a un actif de $ 10 millions, « y'a rien là ! ». Cette situation crée des postes intéressants : administrer 10 à 20 employés et recevoir un salaire de $ 30 000. Les notables deviennent très intéressés à rôder autour d'un tel réservoir de capital ; surtout s'ils peuvent emprunter à des taux inférieurs à ceux du marché courant, fournir leurs services à la caisse (notaire, avocat, imprimerie...), acheter des bâtiments saisis, en général être au courant de ce qui se passe dans le milieu financier local ; et même, ou surtout, être payé pour tout ceci. De telles concentrations de capital servent les intérês des notables et de la bureaucratie, mais servent-elles aux membres des caisses ? Le critère permettant de répondre à cette question se rapporte au coût de l'argent. Dans les caisses en question ici, on remet, *quand on le fait*, des ristournes de 1 % à 3 % de l'intérêt payé. Il existe cependant de petites caisses au Québec qui remettent jusqu'à 20 % de l'intérêt payé ; il est difficile de les trouver car les organes du mouvement sont très silencieux à leur sujet. Enfin, les nouveaux gérants, souvent formés par l'Union régionale, se dépêchent de détourner les trop-perçus vers l'achat d'immeubles ou de matériel d'informatique ou encore vers les salaires.

Les mécanismes

Ce renversement de la finalité, cette révolution, est dû à quoi ? Deux explications viennent tout d'abord à l'esprit : l'emprise des technocrates, qui se produit par le court-circuitage de la structure d'autorité du mouvement, et par la promotion de l'idéologie de la croissance. Ainsi, par exemple, un directeur général d'une Union régionale, ancien employé de la Fédération des caisses populaires, place ses hommes comme gérants dans les caisses locales. Ceux-ci sont par la suite, en leur qualité d'administrateurs, élus au conseil d'administration de l'Union régionale ; comme ils se retrouvent face à leur ancien patron, ils l'élisent à leur tour comme représentant à la Fédération. Le cercle est bouclé : un technocrate a réussi. Cette emprise et cette croissance, loin de déranger les notables, font leur affaire en leur assurant *ce qu'ils ne possédaient pas dans le passé, le contrôle d'un gros réservoir de capital*. Ainsi, dans un de nos cas, il était impossible de faire des affaires en ville sans être auparavant entré en bonnes relations avec le groupe de la caisse.

Il y a deux autres explications, secondaires mais complémentaires, face à ce renversement de la finalité. Il s'agit du phénomène des générations et de la couverture morale. En fait, il existe une génération de pionniers qui est dépassée et qui se retrouve au service de nouveaux arrivés, de promus, qui occupent ces postes grâce à l'abdication des sophistiqués, des intellectuels, qui sont les seuls à pouvoir faire face à la combinaison technocrates-notables. En effet, il faut une certaine sophistication, une certaine connaissance, lorsqu'il faut affronter des avocats ou des fonctionnaires, pour faire respecter la loi. Pour ce qui est de la couverture morale, on nous dit que des choses comme celles ici décrites ne sont pas vraies, qu'elles ne peuvent pas se produire, que ce ne sont que des accidents et que, de toute façon, il ne faut pas en parler puisqu'il faut penser au bien du mouvement. Cette couverture morale accorde aux technocrates un véritable monopole pour tout ce qui touche le mouvement des caisses populaires au niveau national. Ainsi, certaines pratiques ont été dénoncées dans deux des caisses étudiées ; cela a fait les manchettes des journaux régionaux, mais pas un mot de ceci dans les media nationaux.

Les implications

À part les conséquences au niveau du fonctionnement des caisses — nos quatre finalités — il y a des implications plus globales qui s'ensuivent de la situation ici décrite. Premièrement, il y a *la consolidation du pouvoir des notables* au niveau local, élément d'explication de ce qui s'est passé à Douceville (article de C. Moreux déjà mentionné). Deuxièmement, cette situation facilite la création et le développement d'une bourgeoisie de capital de circulation, au détriment de la bourgeoisie industrielle ; au moyen de la spéculation, en commençant par des brasseries, on en arrive à acheter des hôtels, des stations de ski et même des compagnies aériennes... *mais on ne produit rien.* Troisièmement, sans la discipline de contrôle que seulement des propriétaires auraient intérêt à imposer, les caisses deviendraient inefficaces ; et quand la couverture morale n'aura plus de prise sur une génération désabusée, les caisses ne seront plus concurrentielles et elles risquent de prendre une moyenne débarque, étant basées principalement sur la croissance. Et quatrièmement, si ce n'est pas déjà le cas dans la majorité des caisses, *la caisse populaire en tant que coopérative d'épargne et de crédit* cesserait d'exister.

Prévisions et interrogations

Pour concrétiser mon affirmation, j'ose dire démonstration, que le mouvement se technocratise avec la complicité des notables, j'avance quatre prévisions des changements spécifiques qui se feront d'ici peu. Un, élimination de l'élément engagement lié au capital social ; deux, élimination de l'exigence légale (pas respectée) de la territorialité ; trois, paiement *légal* des administrateurs ; et quatre, informatisation, indépendamment de la grandeur ou du milieu, de toutes les caisses.

Les questions que j'avancerais sont les suivantes : où a-t-on fait la preuve de l'économie d'échelle dans nos coopératives d'épargne et de crédit ; pourquoi, lors des révisions de la loi qui régit une institution aussi fondamentale à la société québécoise, n'y a-t-il jamais de commission parlementaire (le tout se règle d'avance entre technocrates) ; pourquoi les intellectuels n'ont-ils pas fait état des choses dont il est question ici ; et finalement, ne sommes-nous pas en face d'une instance de « modernisation » à outrance ?

Gary Caldwell

Caisse populaire Sainte-Edwidge-de-Clifton

Notes

[1] Colette Moreux, « Spécificité culturelle du leadership en milieu rural canadien-français », *Sociologie et sociétés*, vol. 3, n° 2, 1971.

[2] Cet argent était donc à leur disposition — sans frais — pour les fins de transactions éventuelles. Tout cela était possible parce que la caisse versait à cette société de placement un taux d'intérêt de 2 % supérieur au taux en vigueur sur le marché.

Le pouvoir comme facteur lié à la croissance du mouvement coopératif : quelques propositions d'analyse

La question du pouvoir dans les coopératives conduit généralement les praticiens aussi bien que les analystes à s'interroger sur la répartition de ce pouvoir à l'intérieur des organisations coopératives, sur la plus ou moins grande « participation » des membres, sur les mécanismes de décision aux différentes instances et sur les rapports entre ces instances.

Cette préoccupation est tout à fait compréhensible si on sait que le coopératisme se veut la forme la plus démocratique de l'activité économique : l'entrée de la coopérative est ouverte à tous, elle appartient à ses membres usagers ou à ses membres producteurs, qui ont un droit universel et égal de participation aux décisions sur les orientations de leur coopérative et au choix des administrateurs. La détention du capital social ne donne qu'un pouvoir restreint attaché au titre de membre et ne commande qu'un revenu strictement limité. Nous supposons bien sûr que ces principes sont respectés.

Pourtant, malgré — ou à cause de? — ces caractéristiques démocratiques, les coopératives demeurent loin derrière l'entreprise privée en termes d'activité économique dans les pays capitalistes. D'autre part, nous pourrions sans doute dire que le coopératisme, dans ses premières élaborations doctrinales, a le même âge que le socialisme, remontant à la première moitié du XIXe siècle. Comme pratique, il est antérieur de près de trois quarts de siècle au socialisme. Pourtant, alors que le socialisme inspire les régimes politiques et économiques de plus d'un tiers de l'humanité, le coopératisme, bien qu'il touche une partie plus ou moins importante, croissante sans doute, de l'activité économique dans un très grand nombre de pays, et cela en coexistence avec des régimes économiques et politiques fort divers, n'est perçu ni défendu dans aucun pays comme système économique dominant.

Notre problématique tire son origine d'une interrogation simple qui pourrait s'énoncer comme suit : pourquoi adhère-t-on ou n'adhère-t-on pas aux coopératives? Ou, pour la formuler d'une manière moins liée à l'individu : comment peut-on expliquer l'espace variable mais relativement faible occupé par les coopératives dans l'économie? Si la question est simple, on saisira tout de suite que la réponse ne l'est pas et qu'en fait elle nous amène à une analyse globale du phénomène coopératif.

Nous n'avons évidemment nullement la prétention de répondre à cette question dans ce texte, à supposer que nous puissions le faire dans un cadre plus vaste. Nous voulons simplement proposer une avenue de réflexion et de recherche, en particulier sur le pouvoir dans les coopératives, non pas tellement ou seulement pour savoir si celles-ci sont plus ou moins démocratiques, plus ou moins fidèles aux principes du coopératisme, mais plutôt comme un élément qui peut contribuer à rendre compte de la plus ou moins grande ou plus ou moins rapide croissance du mouvement coopératif.

Une grille possible pour analyser la place des coopératives dans l'économie

La démarche que nous proposons consiste à analyser les rapports des acteurs sociaux avec les coopératives à partir de quatre types de gratification qu'ils peuvent trouver ou non par leurs liens avec elles.

La gratification économique : nous entendons ici un apport sous forme de biens ou services, ceci incluant évidemment la qualité de ces biens et services, et les apports proprement monétaires, sous forme d'épargne réalisée, d'emplois obtenus ou mieux rémunérés, de vente de produits, etc. Bien sûr, la monnaie pourrait aussi être considérée comme un bien. Le caractère souvent symbolique ou même ostentatoire de la consommation devrait aussi être pris en compte et son inclusion dans la gratification économique se rapporte notamment aux conditions d'acquisition des biens ou services dans les coopératives. La doctrine coopérative tend à oublier cette dimension de la consommation.

La gratification culturelle : elle consiste, pour les acteurs sociaux, à établir une plus ou moins grande adéquation, une plus ou moins

grande conformité entre leurs actions et leur univers culturel, valeurs, idéologies ou simples modèles culturels.
La gratification sociale : elle renvoie aux rapports entre les acteurs sociaux créés par l'appartenance aux coopératives, comme membre, employé ou administrateur.
La gratification du pouvoir : elle consiste dans le plaisir retiré de l'influence exercée sur les personnes, les organisations et les choses. Il nous faudrait sans doute définir ce que nous entendons par pouvoir ; disons tout de suite que nous n'acceptons pas entièrement une définition formelle mécaniste du type : capacité de A d'influer sur B de telle façon que B agisse autrement qu'il ne l'aurait fait sans l'intervention de A. Pauvre comme outil analytique, une telle définition omet à notre avis une dimension importante du pouvoir, et en particulier sans doute du pouvoir économique, celle de l'action sur les organisations et les choses. Le pouvoir peut permettre de modifier ou d'orienter des actions, de convaincre des individus ou des foules, de forcer des personnes à agir de façon autre qu'elles ne l'auraient fait autrement ; le pouvoir économique permet non seulement d'influer sur les actions mais aussi sur les organisations. L'économie, dans nos sociétés industrielles, est pour beaucoup une activité qui se déroule à l'intérieur d'entreprises, privées, publiques ou coopératives, donc d'organisations. Elle est aussi bien sûr en rapport étroit avec les objets matériels, et le pouvoir économique consiste aussi dans l'influence exercée sur la matière. Il ne s'agit pas de reprendre la vieille distinction saint-simonienne du « gouvernement des hommes » et de « l'administration des choses », car dans les organisations et les choses, il y a presque toujours des hommes impliqués ; mais la gratification du pouvoir économique consiste aussi dans le plaisir de voir sortir de terre une usine, de voir circuler des véhicules transportant des marchandises pour une entreprise au sein de laquelle un individu, seul ou à l'intérieur d'un groupe, a exercé une influence. Et pour cela, la présence d'hommes n'est pas indispensable, non pas techniquement mais en termes de gratification. D'autre part, la propriété n'est pas non plus indispensable.

Nous ne prétendons nullement avoir établi une liste exhaustive des gratifications possibles de l'être humain de façon générale, ni même une liste exhaustive des gratifications possibles dans les rapports avec les coopératives. Celles que nous avons retenues nous semblent toutefois les plus appropriées à l'analyse de ce phénomène. Le nombre de gratifications, ou plus précisément le nombre de types de gratifications, pourrait également être plus élevé ou plus petit, selon le contenu, la définition de ces types de gratification ; la définition que nous avons retenue de la gratification du pouvoir se situe par exemple à une frontière plus ou moins définissable par rapport à la gratification de la créativité, surtout quand il s'agit du pouvoir exercé sur les choses.

D'autre part, ces types de gratification ne sont pas mutuellement exclusifs du point de vue des acteurs sociaux; la recherche d'une épargne par l'appartenance à une coopérative peut fort bien aller de pair avec des valeurs ou une idéologie collectiviste inspirées du coopératisme lui-même ou du socialisme; on peut y rechercher du pouvoir tout en recherchant aussi une économie. Ils ne le sont pas non plus en eux-mêmes; il y a interdépendance ou plus exactement rapport dialectique entre économie et culture, culture et politique, etc. C'est à des fins analytiques qu'il nous paraît indispensable de faire ces distinctions. Il faut souligner aussi que la gratification ne se situe pas nécessairement à un niveau conscient; si nous pouvons supposer que la gratification économique est souvent du niveau conscient, il est beaucoup moins certain que celle du pouvoir le soit de façon aussi nette.

Notre démarche paraîtra de prime abord psychologique, et l'est sans doute dans une grande mesure; supposer que les acteurs sociaux fondent leurs actions sur la recherche de la gratification relève en effet d'une psychologie ou d'une bio-psychologie, d'une perception du système nerveux humain. Cependant, l'obtention d'une gratification ne peut se comprendre en soi, mais bien en situant les acteurs sociaux dans les divers systèmes sociaux et en analysant les rapports des coopératives avec ces systèmes sociaux. Dans le cas qui nous occupe, les gratifications obtenues par les liens avec les coopératives ne peuvent s'appréhender que dans les rapports des coopératives avec les systèmes économique, culturel et, dans une mesure sans doute moins évidente mais tout aussi importante, politique, environnants; la gratification économique obtenue dans les coopératives ne peut être appréhendée que par comparaison avec la gratification obtenue dans l'entreprise privée, qui est la forme prédominante d'organisation économique dans une société capitaliste comme la nôtre, et met donc en jeu le rapport des coopératives avec l'ensemble de l'économie; en ce qui regarde le pouvoir, il doit lui aussi être comparé avec celui qui est « offert » dans l'entreprise privée et, de plus, la plus ou moins grande autonomie des coopératives par rapport au pouvoir politique est aussi un facteur majeur; il n'est que de penser à la situation des coopératives à l'intérieur des régimes communistes ou à leur sort sous certains régimes fascistes pour le saisir. Les valeurs et idéologies véhiculées, les modèles culturels liés à l'économie ont un effet plus ou moins incitatif à la coopération, et les coopératives elles-mêmes véhiculent des valeurs et des modèles, bien que nous hésitions beaucoup à dire une idéologie.

C'est donc bien à l'intérieur de systèmes sociaux donnés qu'il est possible de tenter de saisir la portée de cette recherche de la gratification, de l'obtention de cette gratification dans la coopération, et non uniquement en examinant la gratification elle-même. En fait, les types de gratification sont un point de départ, des projecteurs en quelque sorte, qui nous servent d'éclairage pour aller voir ce qui, dans les rapports entre les coopératives et les systèmes sociaux environnants, contribuerait à rendre compte de l'espace occupé par les coopératives au sein de l'économie, plus particulièrement dans le cas québécois. Pour les fins de cet exposé, nous nous en tiendrons à un seul type de gratification, celle du pouvoir.

Quelques propositions sur la gratification du pouvoir dans les coopératives

Précisons dès le départ que les propositions qui seront formulées ne porteront pas sur l'existence d'une gratification rattachée à la détention d'un pouvoir ; nous faisons de cette gratification apportée par le pouvoir un postulat. Peu de personnes contesteraient que les bénéfices proprement matériels, économiques, constituent une gratification ; si la gratification apportée par le pouvoir paraît moins généralement acceptée ou admise, c'est sans doute qu'elle entre en conflit avec des valeurs. Que ces valeurs viennent interférer avec la recherche du pouvoir, viennent la « tempérer » ou l'annuler dans certains cas est fort possible, mais nous pourrions en dire autant de la gratification économique et du pouvoir politique lui-même ; pourtant, il serait difficile de nier qu'il existe une gratification dans le pouvoir politique, lorsque nous observons les luttes acharnées pour sa détention.

Nos propositions porteront donc sur l'existence d'un pouvoir en un lieu donné dans l'univers coopératif. Il nous faudra garder à l'esprit au moins deux ordres de phénomènes, soit, d'une part, le rapport entre les principes du coopératisme sur la répartition du pouvoir et le fonctionnement concret des coopératives et, d'autre part, le rapport entre la répartition du pouvoir dans les coopératives et celle qui existe dans l'entreprise privée.

La détention du capital social et le pouvoir

Le capital social que les membres mettent dans l'entreprise coopérative ne rapporte qu'un taux faible ou nul d'intérêt — nous supposons bien sûr que ce principe est respecté —, ne génère pas de dividendes comme l'action dans l'entreprise privée, n'est pas sujet à la plus-value par une forte activité économique ou par un accroissement de la valeur marchande de l'entreprise, et les actifs d'une coopérative ne sont pas partageables entre les membres. La ristourne, c'est l'un des principes majeurs de la coopération, n'est pas calculée en fonction du capital social investi mais en fonction de l'utilisation de la coopérative, des échanges du membre avec la coopérative. L'incitation à l'accumulation du capital est donc beaucoup plus faible dans les coopératives que dans l'entreprise privée ; la rémunération du capital étant faible ou nulle, les membres d'une coopérative bien établie et rendant aux membres les services pour lesquels elle a été formée, trouvent peu d'intérêt, de gratification proprement économique, à une croissance de leur entreprise pour étendre les services à d'autres ; cela nécessiterait une utilisation des bénéfices ou le paiement d'intérêts sur l'argent emprunté — au détriment de leurs ristournes possibles, à moins, ce qui est peu probable, que l'afflux de capital social par l'arrivée de nouveaux membres ne suffise à défrayer les investissements. Pour les simples membres, la gratification économique par la croissance de l'entreprise coopérative ne pourrait se comprendre que par une économie d'échelle ou, à moyen terme, par un pouvoir d'achat accru permettant d'obtenir de meilleurs prix.

Mais en plus de la faible rémunération du capital en termes économiques, nous pourrions sans doute parler d'une faible rémunération en pouvoir. La règle coopérative — un membre, un vote, peu importe le nombre de parts sociales détenues —, contraire à celle qui existe dans l'entreprise privée, où le nombre de voix est proportionnel à la quantité d'actions détenues dans l'entreprise, joue aussi un rôle important eu égard à l'accumulation du capital :

> L'accumulation du capital n'est pas mécaniquement fonction de la différence entre rentabilité et coût à la marge, mais de la possibilité et du désir d'acquérir du capital pour l'exercice d'un pouvoir [1].

Alors que l'analyse économique tend à privilégier l'absence de rémunération du capital, l'égalité du pouvoir (ou plus précisément l'absence d'une gratification accrue en termes de pouvoir par suite de l'accroissement du capital social investi par un membre) constitue à notre avis un facteur majeur de la lente accumulation du capital dans les coopératives.

La participation des membres

Selon les principes et le discours coopératifs, le titre de membre, s'il ne donne pas au détenteur d'une partie du capital social de l'entrepise un pouvoir proportionnel à la quantité de capital social détenue, donne toutefois un pouvoir plus grand que le statut de client dans l'entreprise privée. Dans cette dernière, selon la théorie économique orthodoxe, le consommateur vote, par les choix qu'il fait des biens et services, sur ce qui est produit ; il fait aussi une sélection des entreprises commerciales en accordant sa clientèle à l'une ou à l'autre.

Dans la coopérative, il peut faire beaucoup plus ; ce sont les membres, propriétaires de l'entreprise, qui, en assemblée générale, constituent l'instance suprême de décision. Ils peuvent donc collectivement, de façon directe, par un vote et non par un achat ou par leur clientèle, décider de toutes les grandes orientations de leur coopérative — emplacement de l'entreprise, type de biens et services offerts, utilisation des trop-perçus pour l'investissement ou la redistribution sous forme de ristourne, etc. Si la coopérative a aussi des activités de production, les décisions sur les biens à produire relèvent également des membres. Au lieu de changer d'entreprise, le membre peut modifier le fonctionnement de celle qui lui appartient partiellement, à l'intérieur évidemment d'un certain nombre de contraintes économiques auxquelles ne peuvent échapper les coopératives.

Cependant, pour que l'exercice possible de tels pouvoirs puisse constituer une incitation à entrer ou à demeurer à l'intérieur d'une coopérative, il faut que les membres aient le sentiment de pouvoir réellement exercer un tel pouvoir. La participation des membres aux instances de décision nous apparaît proportionnelle, toutes choses étant égales par ailleurs, à leur capacité, supposée ou réelle, d'exercer une influence sur les décisions prises à l'intérieur de la coopérative.

On remarquera que cette perception nous éloigne d'une autre, de type utilitariste, qui voudrait qu'un membre participe aux instances de décision dans la mesure où il trouve que « ça en vaut la peine » économiquement, c'est-à-dire qu'il mette en balance rationnellement les avantages économiques qu'il tire de sa participation et les efforts qu'il doit faire pour les obtenir. Dans notre optique, l'exercice de l'influence elle-même constitue une gratification, donc une incitation à participer aux décisions, ce qui n'exclut toutefois pas la gratification économique pouvant être obtenue grâce à cette influence.

Si notre perception est juste, il ne serait pas étonnant alors que la participation aux assemblées générales, par exemple, soit proportionnellement beaucoup plus grande dans les petites coopératives, où subsiste une sorte de démocratie directe, les décisions se prenant à l'assemblée même et le petit nombre de membres présents permettant au membre individuel de faire valoir et peut-être d'imposer son point de vue. À mesure que le nombre de membres croît, que l'administration de la coopérative se complexifie, donnant aux seuls spécialistes ou aux dirigeants depuis longtemps en place la maîtrise des dossiers, que les décisions touchent des questions juridiques, économiques ou administratives qui dépassent par leur ampleur le champ d'appréhension des membres, ceux-ci, ne pouvant plus maîtriser ou ne pouvant plus démontrer qu'ils maîtrisent les paramètres de la décision, auront tendance à s'abstenir de toute participation aux débats et même aux assemblées.

Des membres déjà détenteurs d'un pouvoir

De la proposition précédente nous pourrions en faire découler une autre qui en serait une sorte de corollaire ou tout au moins une suite logique. Il nous a semblé observer, avec d'autres, qu'au Québec, les coopératives de consommation tendaient à attirer des personnes ayant un niveau de revenu et d'instruction relativement élevé. Des nuances doivent être apportées à cette remarque ; d'abord, elle s'applique peut-être beaucoup moins aux petites communautés rurales et aux petites villes qu'aux grandes agglomérations urbaines ; de plus, il y a des exceptions, et certaines petites coopératives, des comptoirs alimentaires par exemple, regroupent un pourcentage élevé de personnes à faible revenu et peu instruites. Ce qui semble certain cependant, c'est que l'adhésion aux coopératives n'est pas proportionnellement plus forte à mesure que l'on descend dans l'échelle des revenus ; au contraire, mais il s'agit d'un a priori qui reste à vérifier, elle semble plus forte dans les échelles intermédiaires de revenu et d'instruction.

Nous pourrions avancer, pour tenter d'expliquer ce phénomène, que les personnes ayant un certain niveau d'instruction possèdent par le fait même un meilleur instrument d'analyse de leur situation économique et politique, alors qu'aucun parti politique ne remplit ici cette fonction pour les classes les moins favorisées. Mais nous croyons qu'il faut aller plus loin. Nous pensons que les coopératives tendent à attirer des personnes qui, par leur formation ou leur activité professionnelle, ont déjà une certaine maîtrise sur leur propre travail et (ou) exercent déjà une certaine influence à l'intérieur de l'organisation où elles se trouvent. Le cas des agriculteurs et des pêcheurs, maîtres ou naguère maîtres de leurs moyens de production, de même que le rôle des notables locaux dans les caisses populaires, nous semble aller dans le sens de ce que nous avançons.

Bien sûr, une telle proposition n'est valide que dans une perspective de relativité culturelle, et si elle a des chances d'être démontrée au Québec, elle ne vaudrait sans doute pas dans certains pays, comme la Grande-Bretagne, où la coopération a traditionnellement été perçue comme une institution du prolétariat[2]. Au Québec, la coopération a pu être et est peut-être encore parfois présentée de cette façon, mais nous ne croyons pas du tout qu'elle soit perçue ainsi par les premiers intéressés, c'est-à-dire par le prolétariat urbain. Sans doute cela supposerait-il que celui-ci ait conscience d'appartenir à une classe, que cette appartenance soit assumée, ce qui n'est pas du tout évident.

Tendance oligarchique et démocratie coopérative

Jusqu'à maintenant, nous avons surtout parlé du pouvoir du point de vue des simples membres, mais la possibilité qu'ils exercent une certaine influence dépend notamment du rapport qui existe entre eux et les administrateurs élus de la coopérative. Les membres élisent un conseil d'administration qui est responsable de la direction de l'entreprise à l'intérieur du cadre législatif et des règlements, d'une part, à l'intérieur du mandat accordé — défini ou accepté — par les membres, d'autre part.

A priori, on voit mal comment nous pourrions refuser pour les coopératives la loi de Roberto Michels[3], c'est-à-dire la tendance oligarchique des organisations. Nous avons déjà parlé des effets liés aux dimensions et surtout à la complexité croissantes de l'organisation, qui donnent aux seuls dirigeants la maîtrise des dossiers. Nous voulons souligner ici l'aspect plus proprement psychologique, soit la tendance des leaders à considérer leur situation plus ou moins comme un droit et à agir de façon à se maintenir au pouvoir, phénomène qui est en fait lié directement à la gratification du pouvoir.

Les coopératives n'échappent sans doute pas à la tendance oligarchique des organisations. Cependant, les valeurs démocratiques du coopératisme, dont celles de solidarité et d'égalité, et le contrôle pouvant effectivement être exercé par les membres créent à notre avis dans les coopératives une tendance à attirer vers la direction des individus pour qui la gratification du pouvoir est moins importante que chez leurs collègues de l'entreprise privée, et ceci par un processus de sélection et d'auto-sélection.

Nous reconnaissons cependant la difficulté et la complexité de cette question, pourtant centrale pour l'analyse du pouvoir dans les coopératives. Nous parlons d'une tendance générale, qui n'exclut pas l'accès à la direction d'individus fortement motivés par le pouvoir ou même autoritaires. Il faudrait aussi savoir à quel type d'entreprise privée on a affaire ; la situation est très différente pour le propriétaire unique d'une petite entreprise et pour les membres du conseil d'administration d'une grande société par actions, où un ou quelques actionnaires peuvent ou non exercer le contrôle. Il semble bien de toute façon que les petits actionnaires ne jouent pas un rôle très important dans les décisions. Il faudrait voir aussi de quelle coopérative il s'agit, et notamment quelle est sa dimension. Il demeure certain cependant que les dirigeants des coopératives doivent soumettre leurs décisions à une assemblée générale.

Il n'est pas impossible que le pouvoir, dans les coopératives, ne revête pas la même forme et ne provienne pas de la même source que celui qu'exercent les dirigeants de l'entreprise privée, même en mettant de côté le pouvoir rattaché pour ces derniers à la détention du capital. Regardons ce que dit Paul Lambert :

> Le dirigeant d'une coopérative doit réunir des qualités exceptionnelles. Il ne suffit pas qu'il soit un administrateur avisé, il ne suffit pas qu'il soit un homme informé des problèmes économiques généraux, de l'évolution de la demande, de la situation précise de son affaire. *Il faut encore qu'il soit un orateur au meilleur sens du mot.* Il faut qu'il soit capable d'imposer à son auditoire l'attention, même quand il explique le bilan de son entreprise ; il faut qu'il soit capable de répondre sur le champ et avec bonheur à n'importe quelle critique, à n'importe quelle objection [4].

Ce qui nous frappe dans cette citation, ce n'est pas tellement le portrait pour le moins idéaliste du dirigeant d'une coopérative, ce sont plutôt les qualités demandées, qui nous paraissent ressembler étrangement à celles qu'on demande à un homme politique. Si ce point de vue a quelque validité, le pouvoir des dirigeants des coopératives tendrait, beaucoup plus que celui des dirigeants de l'entreprise privée, à se rapprocher du pouvoir politique, notamment parce qu'il met en jeu une dimension importante de ce dernier, soit l'usage de la parole.

Les gestionnaires permanents

Du conseil d'administration de la coopérative dépendent les employés de l'entreprise, gestionnaires et simples salariés. Dans certaines petites coopératives, comptoirs alimentaires ou petites coopératives d'habitation par exemple, il n'y a pas d'employés, toutes les tâches étant accomplies bénévolement par les membres eux-mêmes. Cependant, à partir d'une certaine taille ou simplement dans certains types d'activité, l'embauche d'un personnel est inévitable. Avec la croissance de l'entreprise, il devient de plus en plus nécessaire de recourir à des spécialistes et en particulier à des gestionnaires permanents. Se pose alors le nouveau problème du rapport de pouvoir entre le conseil d'administration et des gestionnaires.

Il a existé et existe sans doute encore au Québec un stéréotype du gérant de caisse populaire, catholique, effacé et bon père de famille, mais dont la maîtrise des questions financières et économiques ou même administratives est plutôt faible. Ostergaard et Halsey [5] notent également la faible compétence des gérants des sociétés coopératives de consommation en Grande-Bretagne. Ils tentent d'expliquer la faible influence exercée par certains gérants par le fait qu'ils sont moins bien payés, moins compétents, donc moins confiants en eux-mêmes que leurs collègues de l'entreprise privée, et ainsi moins enclins à accaparer le pouvoir, à vouloir prendre des décisions.

Cette perception ne nous paraît pas entrer en contradiction avec le fait que le personnel de gestion des coopératives, dépendant d'un conseil d'administration lui-même soumis à l'assemblée des membres, soit légèrement différent pour cette raison de celui de l'entreprise privée. Il est fort possible qu'à ce premier niveau, le personnel de gestion trouve moins de gratification dans l'exercice d'une influence que celui de l'entreprise privée de taille analogue.

Cependant, plus la gestion se spécialise avec la croissance de la coopérative, plus il est difficile pour les membres d'exercer une influence sur la direction et plus les membres du conseil d'administration dépendent des gestionnaires permanents, laissant ainsi à ces derniers une plus grande marge de manoeuvre. Il ne faudrait pas oublier qu'une coopérative est une entreprise économique, avec ce que cela suppose de contraintes proprement économiques et administratives ; ces contraintes peuvent cependant être utilisées par les gestionnaires au nom de l'indispensable compétence pour imposer leur point de vue.

De plus, les entreprises coopératives se regroupent généralement en fédérations, soit pour un simple échange d'informations, soit pour des services communs ou un approvisionnement commun. Dans ce dernier cas en particulier, un autre niveau de décision est créé avec ses propres contraintes et ses propres influences.

La tendance générale serait donc qu'avec la croissance des organisations coopératives, la gratification obtenue par les gestionnaires tende à égaler celle qu'ils pourraient trouver dans l'entreprise privée. Nous pourrions sans doute parler d'une accumulation du pouvoir comme nous parlons d'une accumulation du capital. Plus encore, cette accumulation du pouvoir tendrait à amener les gestionnaires à rechercher une accumulation du capital dans le but d'accroître leur pouvoir. Le pouvoir économique n'est pas nécessairement lié à la détention du capital, il peut fort bien être lié à sa maîtrise.

Les travailleurs des entreprises coopératives

Il est une autre catégorie de personnes jouant un rôle majeur dans la marche des coopératives et dont nous n'avons guère parlé jusqu'à maintenant, soit les travailleurs salariés, cols bleus ou cols blancs, employés dans les coopératives. Leur contrôle sur l'organisation du travail est loin d'être un principe général ou universellement accepté dans le mouvement coopératif, au contraire. Au Québec, par exemple, il semble que la règle générale soit au mieux la même que dans l'entreprise privée, c'est-à-dire qu'ils n'ont rien à dire ou presque dans l'organisation du travail et encore moins dans l'orientation de la coopérative.

La situation est sans doute différente dans d'autres pays ; il semble qu'en Grande-Bretagne, par exemple, dans beaucoup de cas, les employés peuvent, à titre de membres, participer de plein droit aux assemblées, participer également à l'élection du conseil ou même être membres du conseil ; toutefois, dans beaucoup de cas, il y a des restrictions sur le nombre d'employés siégeant au conseil. Il semble que dans bon nombre des sociétés coopératives britanniques, les employés aient effectivement pris la direction de la société [6].

Le cas des coopératives de production est évidemment différent, puisque les propriétaires des coopératives sont alors les travailleurs eux-mêmes et non les consommateurs usagers. Nous parlons évidemment des véritables coopératives de production et non des coopératives de producteurs, appellation qui recouvre la quasi-totalité des coopératives agricoles et certaines coopératives d'artisans, par exemple, où la propriété des moyens de production eux-mêmes — la ferme ou l'atelier — ne revient pas à la coopérative, mais aux producteurs individuels groupés dans une coopérative dans le but d'écouler *leurs produits* ou de s'approvisionner.

Malgré l'attrait idéologique exercé par la coopérative de production sur les tenants de la pensée socialiste — en fait, la coopérative de production constitue une forme d'entreprise autogérée — elle a eu jusqu'à maintenant peu de succès. La gratification économique apportée aux travailleurs peut être de première importance, puisqu'il s'agit de créer ou de maintenir leur emploi, donc leur gagne-pain, en plus de leur donner la possibilité de récupérer les bénéfices éventuels. Cependant, en économie capitaliste cette formule se heurte au fait que, dans un tel système, par définition, les travailleurs ne sont pas les détenteurs du capital ni les héritiers du capital accumulé ; elle se heurte aussi à la complexité de la mise en marché et des techniques de production dans un système fortement concurrentiel. La réussite économique de l'entreprise risque fort de se faire au détriment de la maîtrise réelle des travailleurs sur la direction de l'entreprise. Dans la perspective que nous avons adoptée, la gratification d'ordre économique pourrait être obtenue en renonçant à celle du pouvoir.

Le coopératisme offre toutefois une possibilité de créer un type d'entreprise de production autogérée ou cogérée qui soit dans le prolongement des coopératives de consommation ; la production des biens écoulés dans les coopératives de consommation pourrait être confiée à des groupes de production qui décideraient eux-mêmes des techniques de production et de l'organisation du travail, ce qui apporterait aux producteurs, débarrassés des problèmes de financement et de mise en marché, la gratification de la maîtrise de leur travail, type de gratification à la frontière de la gratification du pouvoir et de celle de la création. Cette possibilité n'est pas que théorique, même si, à partir d'un certain niveau de complexité des techniques de production, les problèmes de rapports de pouvoir entre les travailleurs et les experts de la gestion ou du génie risquent de reprendre tous leurs droits.

Quoi qu'il en soit, au Québec, à l'heure actuelle, les coopératives de consommation n'offrent aucune gratification particulière de pouvoir à leurs employés ; seules quelques coopératives de production — et ceci exclut les entreprises de production propriétés des coopératives de consommation, d'épargne et de crédit ou agricoles — peuvent permettre d'obtenir ce type de gratification.

Les luttes internes

Parler de lutte de pouvoir à l'intérieur des coopératives semble une hérésie à beaucoup de coopérateurs. Selon Ostergaard et Halsey,

> The ideology of cooperation, with its emphasis on mutual aid, common purpose and loyalty, induces an attitude of mind which defines power oriented groups as « factions » rather than « parties». A party system involves conflict and competition and these, it is assumed, are the opposite of cooperation [7].

Les deux auteurs britanniques proposent, comme moyen d'accroître la participation des membres, de former des partis à l'intérieur des sociétés coopératives ou du mouvement, ayant constaté que l'existence de tels partis dans certaines grandes sociétés coopératives, notamment à Londres, avait cet effet. Même si leur perspective n'est pas la même que la nôtre, il nous semble que leur observation tend à confirmer ce que nous avons proposé ; l'existence de partis ou de groupes proposant des orientations divergentes peut accroître la participation, notamment parce qu'elle offre aux membres des groupes la possibilité d'exercer une influence et éventuellement d'accéder à la direction de la coopérative. Bien sûr, les orientations proposées peuvent mettre en jeu des gratifications d'ordre proprement économique ou culturel, mais nous avons déjà dit que les gratifications ne sont pas mutuellement exclusives, et celle de l'attrait du pouvoir est sans doute trop souvent négligée.

Les luttes internes peuvent toutefois avoir des effets inverses ; l'existence de groupes plus ou moins fortement dissidents peut entraîner des sorties importantes de membres dans des associations fortement imprégnées de valeurs de solidarité — c'est sans doute aussi le cas dans le syndicalisme par exemple — et nous songeons surtout aux membres qui se situent à l'extérieur des groupes. La réaction à la formation de tels groupes dépend de la culture politique des membres, en particulier de leur perception du rôle des coopératives, ce rôle pouvant être perçu comme uniquement économique ou aussi comme proprement politique. Elle dépend sans doute aussi des méthodes des groupes en cause ; ainsi, l'intervention de groupes « gauchistes », en particulier de la Ligue communiste (marxiste-léniniste), dans les comptoirs alimentaires au Québec a eu un effet désastreux sur la participation des membres et sur leur appartenance à ces coopératives, à court terme tout au moins. Le communisme n'est sans doute pas encore très intégré à la culture politique québécoise, non plus d'ailleurs que les méthodes de la Ligue... Il faudrait ajouter que l'idéologie libérale, bien enracinée, même chez les membres des coopératives, tend à diviser l'économique et le politique comme s'il s'agissait de deux sphères de l'activité humaine sans rapport direct l'une avec l'autre.

Le pouvoir externe aux coopératives

Lorsque nous osons une comparaison entre socialisme et coopératisme, en ayant comme perspective le développement de l'un et de l'autre en rapport avec le pouvoir, nous retenons une dimension parmi les nombreuses possibles.

Le socialisme d'inspiration marxiste, et surtout léniniste, propose de prendre le pouvoir politique comme moyen de collectiviser les moyens de production. Le socialisme offre à ses adeptes la possibilité de participer à une organisation politique leur permettant de détenir ou tout au moins de lutter pour détenir un pouvoir ; c'est l'appareil du parti, qui devient ainsi un appareil de pouvoir. Ce pouvoir est évidemment beaucoup plus grand si ce parti dirige l'État, mais même s'il demeure dans l'opposition, les membres exercent une influence aussi bien vers l'intérieur que vers l'extérieur.

Le coopératisme, pour sa part, n'offre rien de semblable ; au contraire, tant dans sa pratique que dans sa formulation doctrinale, il tend à se confiner à la sphère économique, n'ayant guère formulé à notre connaissance la nécessité d'une prise du pouvoir politique pour parvenir à une coopérativisation des moyens de production. Bernard Lavergne[8], avec ses régies coopératives, se rapproche un peu d'une telle formulation, si la mise en place de ces régies présuppose une nationalisation des entreprises à transformer en régies. Mais cette approche du coopératisme de Lavergne est loin de faire l'unanimité, à supposer même qu'elle fasse l'objet, à l'intérieur du mouvement coopératif, d'un débat qui dépasse les échanges de quelques « théoriciens » du coopératisme.

Le recours à l'État comme instrument de coopérativisation de l'économie est difficilement compatible avec les principes mêmes du coopératisme, notamment celui de l'adhésion libre, et met en jeu l'autonomie des coopératives. Loin de faire du politique un instrument, le mouvement coopératif, tout au moins au niveau international, vise à faire observer le principe de la « neutralité » politique ; ceci permet sans doute d'éviter les luttes idéologiques et les ruptures, mais rigoureusement observé au niveau national, ce principe conduit le mouvement coopératif à une acceptation du système capitaliste, de façon au moins tacite.

Il existe au moins une expérience d'un parti lié aux coopératives, le « Co-operative Party » de Grande-Bretagne. Le succès de ce parti est très mitigé et il semble mal se distinguer ou se définir par rapport au « Labour Party »[9]. Il y a d'ailleurs lieu de se demander quelle peut être la place d'un tel parti ; une fois repoussée la possibilité d'une coopérativisation plus ou moins forcée de l'économie, les intérêts du mouvement coopératif ne peuvent constituer qu'un élément du programme et des intérêts que doit prendre en compte tout parti politique ; ainsi, un parti social-démocrate aurait à considérer également, ne serait-ce que ceux-là, les intérêts du syndicalisme, et il n'est pas évident que coopératisme et syndicalisme aient des intérêts qui conduisent à des rapports entièrement coopératifs et absents de conflits de travail sérieux.

Ce que le coopératisme offre comme gratification de pouvoir tend donc à se limiter au champ d'action de l'économie et, à l'intérieur de ce champ, à des organisations de dimensions variables.

Conclusion

Dans la mesure où la gratification du pouvoir est en cause, nos propositions, si elles ont quelque justesse, ne nous conduisent pas à une vision très optimiste sur le développement des coopératives. D'abord, la détention du capital n'apporte qu'un pouvoir très limité, non proportionnel au capital détenu, contribuant ainsi à ralentir l'accumulation du capital coopératif. D'autre part, les simples membres risquent de perdre leur capacité d'exercer une influence avec la croissance de leur coopérative, notamment à cause de la complexité administrative croissant parallèlement. Les administrateurs élus, de même que les gestionnaires permanents, risquent d'y trouver moins de gratification de pouvoir que dans l'entreprise privée ; cependant, si le pouvoir des membres diminue avec la croissance de l'entreprise coopérative, celui des administrateurs et surtout des gestionnaires augmentant corollairement, cela signifierait que la gratification du pouvoir serait un facteur de croissance des coopératives dans la mesure où celles-ci s'éloigneraient du principe de base du coopératisme qu'est la démocratie, la détention du pouvoir par les membres ; la croissance se ferait par une accumulation du capital pour les fins du pouvoir des administrateurs élus et des gestionnaires et non nécessairement pour celles des membres ou de la communauté. Les administrateurs sont élus par les membres, même si ces derniers ne participent pas directement aux décisions. C'est en quelque sorte le système du pouvoir délégué des démocraties libérales : encore cela supposerait-il, pour que ce système fonctionne, que les membres votent massivement.

Pour les employés, les coopératives dans leur version québécoise n'offrent aucune gratification de pouvoir spécifique, sauf dans les cas plutôt rares des coopératives de production, et nous ne voyons se dessiner aucune tendance à un changement. Il n'est pas certain d'ailleurs qu'un accroissement du pouvoir des employés contribuerait à un développement plus rapide des coopératives.

Les luttes idéologiques, tant internes que dans leur rapport avec des partis politiques, pourraient, à certaines conditions, constituer un facteur de gratification pour un certain nombre de coopérateurs, mais avec des risques élevés de rupture dans une société comme le

Québec, où le coopératisme n'a jusqu'à présent formulé aucune idéologie spécifique, ni pro-socialiste, ni anti-capitaliste, ni même coopératiste dans le sens où elle viserait à une coopérativisation de l'économie.

Après ce tableau plutôt sombre, nous devons rappeler que la gratification du pouvoir n'est qu'une gratification parmi d'autres, et malgré le fait qu'elle soit à notre avis trop souvent négligée dans l'analyse, elle ne peut à elle seule rendre compte de l'espace occupé par les coopératives dans l'économie. Si tel était d'ailleurs le cas, il n'y aurait sans doute pas de coopératives.

Laurent Labrecque

Département de sciences politiques
Université Laval

Notes

[1] François Perroux, *Pouvoir et économie*, Études économiques, 2, Paris, Bruxelles, Montréal, Éditions Dunod, 1974.

[2] Voir G.N. Ostergaard et A.H. Halsey, *Power in Co-Operatives. A Study of the Internal Politics of British Retail Societies*, Oxford, Basil Blackwell, 1965, en particulier le chapitre d'introduction.

[3] R. Michels, *Political Parties. A Sociological Study of the Oligarchical Tendencies of Modern Democracy*, New-York, The Free Press, Paperback Edition, 1966.

[4] Paul Lambert, *La Doctrine coopérative*, Bruxelles, Éd. Les Propagateurs de la coopération, 1964, p. 69. Les soulignés sont de nous.

[5] G.N. Ostergaard et A.H. Halsey, *op. cit.*, p. 190 et 191.

[6] *Ibid.*, chap. 5.

[7] *Ibid.*, p. 221.

[8] B. Lavergne, *La Révolution coopérative ou le socialisme de l'Occident*, Paris, Presses universitaires de France, 1949. Voir aussi *Le Socialisme à visage humain. L'ordre coopératif*, Paris, Presses universitaires de France, 1971.

[9] Jean Meynaud, *Les Consommateurs et le pouvoir*, Études de science politique, n° 8, Lauzanne, 1964, p. 154 à 157.

La participation du public aux bureaux des corporations professionnelles

Je veux tout d'abord remercier les organisateurs de ce colloque de m'avoir invité à participer à ce panel. Il m'est particulièrement agréable de vous parler de l'expérience de cinq années de participation du public aux bureaux des corporations professionnelles. L'exposé s'appuie sur une analyse en cours au Service de la recherche de l'Office des professions du Québec et sur diverses constatations faites lors des sessions d'études des personnes nommées aux bureaux des corporations professionnelles [1].

Au cours des prochaines minutes, j'illustrerai brièvement les points suivants : 1) le contexte socio-politique de l'émergence de la participation du public aux bureaux des corporations professionnelles, 2) les modalités de cette participation, 3) les caractéristiques socio-professionnelles des administrateurs nommés, 4) la présence de ces personnes aux réunions des corporations et 5) quelques éléments de leur influence dans les corporations.

Le contexte socio-politique de l'émergence de la participation du public aux bureaux des corporations professionnelles

En 1965, le gouvernement fédéral annonçait sa décision d'établir un programme d'assurance-maladie à travers le Canada. Dès l'annonce de cette décision, le gouvernement québécois créait un comité chargé d'examiner les modalités d'application de cette décision. Puis, en 1966, le gouvernement Johnson, nouvellement arrivé au pouvoir, donna à une commission d'enquête le mandat d'étudier l'ensemble de la distribution et de l'organisation des soins de santé et des services sociaux.

Cette commission, connue sous le nom de Commission d'enquête sur la santé et le bien-être social (Commission Castonguay-Nepveu), élabora un certain nombre de principes sur lesquels devait reposer une réorganisation des soins de santé et des services sociaux. On peut résumer ces principes comme suit : une médecine globale, une décentralisation des pouvoirs de décision, une égalité d'accès aux soins de santé et aux services sociaux, une égalité de statut entre les différents professionnels de la santé et des services sociaux, et la participation des usagers et de tous les travailleurs de ces deux secteurs aux structures de décision. Cette réorganisation des services de santé et des services sociaux avait pour objectif : 1) d'améliorer l'état de santé de la population et 2) d'améliorer l'accessibilité de la population à ces services.

La réalisation de ces objectifs commandait une organisation des soins fondée sur la multidisciplinarité. Cependant, les auteurs ont vite fait de constater que la rigidité des champs d'exercice des professions, les pouvoirs des professions plus anciennes sur les professions auxiliaires et sur la distribution des services, l'inégalité des droits et privilèges des différentes professions, et le développement désordonné de l'organisation professionnelle constituaient des obstacles d'envergure à toute organisation des soins fondée sur le travail d'équipe. Une réforme de l'organisation professionnelle et des pouvoirs conférés aux corporations s'imposait donc. Ainsi, la Commission Castonguay-Nepveu entreprit d'examiner la question du droit professionnel. Cette étude a donné lieu au rapport *Les professions et la société*[2].

C'est dans le cadre de ce rapport que furent définis les principes directeurs de la réforme des professions. À la lecture du rapport, on constate que deux thèmes ont présidé au regroupement de ces principes : 1) « les limites à la professionnalisation du droit des occupations » et 2) « la systématisation du rôle de l'organisation professionnelle dans l'État »[3].

Sous le thème « limites à la professionnalisation », les auteurs proposaient de distinguer légalement une organisation professionnelle syndicale d'une corporation professionnelle chargée de protéger le public. Les auteurs du rapport précisaient :

> Nous croyons nécessaire de distinguer l'organisme professionnel chargé de défendre une occupation (scientifique ou technique) et de jouer, à cet égard, le rôle de mandataire de la société, de ceux qui doivent exister pour la défense de leurs membres. Le moyen de réaliser pratiquement cette distinction réside dans l'abolition des différences de statut (actuellement tantôt public, tantôt privé) entre les corporations régissant les occupations et dans la généralisation d'une organisation syndicale qui leur soit parallèle.
>
> En effet, la différence de régime juridique, chez les corporations gardiennes d'une occupation, fait de ces organismes un instrument de promotion de leurs membres, alors que leur raison d'être exclusive, du moins en termes fonctionnels, est d'assurer en cette matière un service public par la promotion et le contrôle de cette occupation. Conscience et sénat d'une occupation ou discipline, les corporations doivent être vues exclusivement comme des agents publics spécialistes (possession de la discipline) et spécialisés (l'administration d'une profession). À ce rôle uniforme pour toutes les corporations doit correspondre un statut identique. La quasi-dépendance de quelques-unes d'entre elles à l'égard de certaines autres doit être réexaminée [4].

Sous le thème « systématisation du rôle des corporations professionnelles dans l'État », les auteurs précisaient :

> Nous entendons, par la systématisation du rôle de l'organisation professionnelle dans l'État, la reconnaissance, dans le droit public, de son rôle comme structure d'un ensemble de services publics et l'intégration de ce système institutionnel dans les processus normaux de décision collective (processus politico-administratifs).
>
> On y arrivera en établissant un système unifié et public de droit professionnel, en rendant publics la composition et le fonctionnement des organismes professionnels, et en les intégrant aux tâches et aux processus de l'administration publique générale [5].

Ils ajoutaient :

> Si les ordres professionnels doivent devenir les mandataires de la société (services publics), il n'est que normal que des représentants de la collectivité (les usagers des services, si possible, ou du moins la population en général) et des pouvoirs publics (administration de l'État) siègent au conseil de ces ordres. La délégation de pouvoirs politiques postule évidemment un tel élargissement de leur composition [6].

Pour concrétiser cette ouverture des corporations sur la société, ils proposaient que des personnes soient nommées par le lieutenant-gouverneur en conseil pour siéger au conseil des corporations [7]. Ils proposaient aussi de conférer à ces personnes les mêmes pouvoirs qu'aux administrateurs élus. La participation des représentants du public et des représentants des syndicats professionnels au comité d'inspection professionnelle était aussi une condition essentielle pour réaliser cette ouverture [8]. L'objectif visé par cette participation était de tempérer le caractère privé qui, traditionnellement, entourait l'examen de l'exercice de la profession et les manquements à l'éthique professionnelle par les membres de la profession [9]. Cette proposition n'a pas été retenue par le législateur.

Toutefois, le principe de la participation de personnes qui ne font pas partie de la corporation (non-membres) aux organismes décisionnels des corporations fut consacré, en 1973, par l'adoption du *Code des professions*. Cette loi impose aux corporations l'obligation de partager leurs prises de décisions avec la population.

Ainsi, c'est dans le contexte de la réorganisation des soins de santé et des services sociaux que le gouvernement a entrepris de modifier l'organisation et les pouvoirs des corporations professionnelles. À cette occasion, il a confié à ces organismes, principalement, le mandat de protéger le public. Conformément à ce mandat, le gouvernement reconnut la nécessité d'amorcer une ouverture du milieu professionnel sur la société par une présence de personnes de l'extérieur aux bureaux des corporations. Les modalités de cette participation et de leurs applications ont été confiées à l'Office des professions [10].

Les modalités de la participation du public aux bureaux des corporations professionnelles

La nomination des administrateurs nommés

Le *Code des professions* précise que l'accession des personnes « non membres » à la fonction d'administrateur d'une corporation professionnelle se fait par nomination, après consultation des groupes socio-économiques et du Conseil interprofessionnel du Québec [11]. Toutefois, il ne précise pas comment et selon quelles modalités doit se faire cette consultation. Dans les faits, l'Office constitue une liste de groupes, puis les invite à suggérer des noms de personnes. Les groupes sont consultés une fois l'an. Ainsi, l'Office exerce une certaine discrétion au niveau du choix des groupes à consulter, du mode de consultation des groupes et même, comme on le verra plus loin, au niveau de la nomination des personnes proposées par les groupes.

Du début de l'année 1974 jusqu'au 31 août 1978, l'Office a consulté 152 groupes socio-économiques. Précisons que 60,0 % de ceux-ci ont suggéré les 2/3 des candidatures parvenues à l'Office. On note, de plus, que ce sont les groupes les mieux organisés qui proposent le plus souvent des candidatures, tels les groupes se consacrant à la promotion du développement économique. Pour leur part, les groupes voués à la promotion ou à la défense des intérêts des consommateurs attachent aussi beaucoup d'importance à cette consultation (si l'on en juge par le taux élevé de réponses envoyées à l'Office et par le nombre de personnes proposées par chaque groupe). Ces groupes représentent 8,6 % de l'ensemble des groupes consultés [12].

Après avoir consulté les groupes, l'Office constitue une liste de personnes à partir de laquelle il choisit les administrateurs nommés [13]. De juin 1974 jusqu'au 31 août 1978, 235 personnes ont été choisies pour siéger à ces postes, dont près de la moitié (45,0 %) pour deux mandats ou plus.

Précisons qu'en vertu de l'article 77 du *Code des professions*, le nombre d'administrateurs nommés au bureau d'une corporation ne peut être que minoritaire. Cette présence est assurée par 2, 3 ou 4 personnes sur un total de 8, 16 ou 24 administrateurs, selon que la corporation compte moins de 500 membres, de 500 à 1 500 membres, ou plus de 1 500 membres. En d'autres termes, la proportion de postes d'administrateurs nommés par rapport à l'ensemble des postes d'administrateurs diminue à mesure que le nombre de membres de la corporation augmente [14]. Quant à la durée des mandats, elle est la même que pour les administrateurs élus, à savoir de 1 à 4 ans, selon les corporations [15].

Le rôle de l'administrateur nommé

En plus de siéger aux bureaux des corporations, ces personnes sont appelées à siéger dans divers comités, notamment le comité administratif [16]. Cependant, elles sont exclues des comités d'inspection professionnelle et de discipline et du conseil d'arbitrage des comptes. Ces exclusions découlent de dispositions réglementaires et législatives qui stipulent que les membres de ces comités doivent être des membres de la corporation en cause [17]. Le premier de ces comités a pour fonction d'évaluer la compétence des membres de la profession, le second, de juger les manquements à l'éthique et le troisième, enfin, d'arbitrer les litiges de prix entre clients et professionnels. Les deux premiers sont des comités statutaires, donc essentiels à la protection du public, selon l'esprit du *Code des professions*. Le troisième est un comité constitué obligatoirement en vertu de l'article 86 du même *Code*. Or, comment expliquer que le législateur n'ait pas cru nécessaire d'assurer une participation de personnes « non membres » de la corporation à ces comités?

Par ailleurs, l'article 77 du *Code des professions* stipule que les administrateurs nommés « reçoivent la même rémunération, exercent les mêmes fonctions, jouissent des mêmes pouvoirs et sont soumis aux mêmes obligations » que les administrateurs élus. En vertu de ces dispositions, ces administrateurs « sont membres à part entière du Bureau de la corporation et ne bénéficient d'aucun statut distinctif »[18]. Tout comme l'administrateur élu, l'administrateur nommé a donc pour rôle de veiller à la protection du public.

Cependant, comme devait le souligner le président de l'Office, ces administrateurs sont « nommés par l'Office au nom d'un public qui ne les a pas élus, qui ne leur a pas donné de mandat et qui ne leur demande aucun compte »[19]. De plus, ils n'ont pas à rendre compte de leurs activités à l'Office des professions, aux groupes qui ont suggéré leurs candidatures ou encore, aux membres des corporations où ils siègent. On ne peut donc pas prétendre que les administrateurs nommés sont des représentants du public ou, plus particulièrement, des usagers des services offerts par les membres de la corporation où ils siègent. Leurs fonctions se résument donc à exprimer des points de vue personnels. Ainsi, une certaine ambiguïté entoure la fonction d'administrateur nommé.

Enfin, en vertu du serment de discrétion[20], l'administrateur nommé est tenu au secret administratif. Ce serment vise à garantir la confidentialité des délibérations des corporations professionnelles. Ainsi, la législation professionnelle impose à l'administrateur nommé une contrainte qui porte atteinte à ses moyens d'action et d'intervention auprès du public. Leurs interventions aux bureaux des corporations auraient certes plus de signification si le public était pris à témoin.

Les caractéristiques socio-professionnelles des administrateurs nommés

À l'occasion de la sélection des administrateurs nommés, l'Office doit s'assurer que ces personnes sont capables de faire valoir efficacement leurs points de vue. Cependant, comme devait le souligner l'ex-président de l'Office, le choix des candidats au poste d'administrateur nommé pose un dilemme :

> Doit-on choisir des individus représentatifs du plus grand nombre, au risque que leur participation soit court-circuitée par le personnel professionnel, permanent ou non, des institutions en cause ? Doit-on, au contraire, favoriser la participation d'individus plus « qualifiés » lesquels sauront peut-être mieux défendre leurs idées, mais proviendront d'élites socio-économiques plus ou moins semblables à celle des dirigeants ? [21]

Quel est donc le profil des personnes choisies par l'Office ? À ce sujet, on constate que la majorité des 235 personnes nommées entre juin 1974 et le 31 août 1978, est composée d'hommes, d'âge moyen, mariés, bilingues, travaillant dans les régions administratives de Montréal ou de Québec et habitant dans les villes de banlieue de ces deux régions. De plus, on observe qu'une forte majorité a obtenu au moins un diplôme d'études universitaires au cours des deux dernières décennies. Ces personnes sont surtout spécialisées dans les sciences administratives, humaines ou éducatives. Près des 2/3 d'entre elles sont au service d'organismes gouvernementaux ou travaillent pour le compte d'autres organismes à but non lucratif. On constate aussi que, 4 fois sur 5, ces personnes oeuvrent dans des secteurs d'activité qui ont pris de l'ampleur au cours des deux dernières décennies, à savoir : les secteurs du droit, de l'administration, des affaires sociales ou de l'éducation [22]. Enfin, elles travaillent dans les secteurs tertiaires de l'économie.

Afin d'apprécier le niveau socio-occupationnel de ces personnes, on a utilisé l'échelle occupationnelle de Rocher . Ainsi, on constate que plus de 3 personnes sur 5 appartiennent aux occupations « supérieures » (professionnels, administrateurs, propriétaires) alors que les autres appartiennent principalement aux occupations « intermédiaires » (semi-professionnels, enseignants, techniciens). Il faut aussi noter qu'un peu plus du 1/5 de ces personnes sont membres de corporations professionnelles.

Dans un autre ordre d'idées, on note que les candidats choisis sont très dynamiques au plan « para-professionnel ». En effet, on observe que chaque administrateur nommé est membre d'au moins deux groupes socio-économiques. Plus de la moitié d'entre eux exerce des fonctions impliquant des responsabilités particulières au sein de ces groupes [23].

Sur la base de ces observations, on peut affirmer que les administrateurs nommés appartiennent généralement aux fractions supérieures de ce que l'on pourrait appeler la « nouvelle classe moyenne » du Québec.

La présence des administrateurs nommés aux réunions des corporations

Cependant, le fait que plusieurs de ces personnes exercent des fonctions de responsabilité auprès d'employeurs ainsi que dans des groupes socio-économiques peut constituer un obstacle à leur assiduité aux réunions des corporations. En effet, on note une tendance à l'absentéisme : chaque personne participe en moyenne à une réunion sur deux [24].

De plus, notre analyse nous a permis de constater que la rémunération [25] qu'ils reçoivent pour leur présence aux réunions est le principal facteur expliquant les écarts dans les taux de présence des administrateurs nommés par corporation [26]. Les corporations qui rémunèrent substantiellement leurs administrateurs enregistrent un taux de présence des administrateurs nommés plus élevé que celles qui rémunèrent plus faiblement leurs administrateurs. Les corporations qui ne rémunèrent pas les administrateurs nommés enregistrent un taux de présence particulièrement faible. Les mêmes tendances se retrouvent au niveau des démissions [27].

Par ailleurs, la présence aux réunions n'est pas nécessairement en soi un facteur d'influence. D'autres éléments sont à considérer pour apprécier l'influence de ces personnes dans les corporations professionnelles.

Quelques éléments de l'influence des administrateurs nommés dans les corporations

Au cours de la dernière session d'étude, les administrateurs nommés ont eu l'occasion de réfléchir sur l'efficacité de leur participation à la gestion des corporations en regard de l'objectif de protection du public. Dans son dernier rapport annuel, l'Office des professions résume leurs réflexions de la façon suivante :

> À la question La participation des administrateurs nommés à la gestion des corporations professionnelles atteint-elle l'objectif de protection du public?, certains participants ont répondu par l'affirmative. Selon eux, leur présence est bénéfique à la fois à la corporation et au public puisqu'elle permet une plus grande ouverture du système professionnel sur la société, tout en favorisant

> un dialogue entre usagers et producteurs de services professionnels. Pour d'autres, toutefois, leur participation n'atteint pas complètement l'objectif de protection du public car l'administrateur est nommé à titre personnel et n'a aucun compte à rendre au public. De l'avis de l'ensemble des participants, l'efficacité de l'administrateur nommé dépend de son degré d'implication dans la corporation. Certains croient qu'ils ont un rôle de gestionnaire de la corporation, au même titre que les administrateurs élus. Pour d'autres, la fonction principale de l'administrateur nommé est d'assurer une présence du public au sein du Bureau d'une corporation [28].

Le contexte de travail ne favorise pas non plus une défense adéquate des intérêts des consommateurs de services professionnels. Le peu de réunions tenues annuellement, la quantité et l'ampleur des problèmes discutés au cours de ces réunions, l'insuffisance d'informations pertinentes à la préparation des réunions, le langage hermétique des professionnels, le transfert des « vraies » questions au niveau des comités, les querelles interpersonnelles entre dirigeants des corporations, etc., constituent autant d'obstacles à une défense adéquate des intérêts des consommateurs [29].

Il n'est donc pas surprenant de constater que plusieurs administrateurs nommés doutent de leur efficacité dans les corporations professionnelles. Certains interprètent même leur présence aux bureaux des corporations comme une caution morale et politique pour le système professionnel [30].

Conclusion

Le gouvernement québécois misait sur la participation du public pour ouvrir le milieu professionnel sur la société et pour mieux adapter les services professionnels aux besoins des consommateurs. Avec l'adoption du *Code des professions*, les corporations professionnelles se sont vu imposer plusieurs obligations afin de remplir leur mandat de protection du public. Elles se sont vu imposer notamment l'obligation de partager leurs pouvoirs de contrôle et de décision dans un champ d'activité avec des personnes qui ne font pas partie de la corporation. Ces changements ont, jusqu'à un certain point, modifié les règles de l'autogestion du système professionnel qui avaient prévalu jusqu'alors.

Cependant, la mise en place d'une telle structure de participation ne s'est pas réalisée sans difficultés et sans ambiguïtés. Parmi ces difficultés et ambiguïtés, on note : la proportion nettement minoritaire des administrateurs nommés aux bureaux des corporations, l'absence de ces personnes au sein des principaux comités statutaires de protection du public (inspection, discipline, arbitrage), un certain pouvoir discrétionnaire de l'Office en matière de consultation et de nomination, l'imprécision du rôle de l'administrateur nommé dans la législation professionnelle, la faible représentation des groupes de consommation au niveau de la consultation, le caractère peu représentatif des personnes nommées et enfin un contexte de travail corporatiste particulièrement intégrateur.

Néanmoins, il ne faut pas conclure de ces observations que la participation du public à la table de décision des corporations est un échec. L'expérience doit être poursuivie et une évaluation plus systématique de cette expérience s'impose.

Ce qui m'amène à une question plus fondamentale, à savoir : la participation de « représentants du public » au sein des corporations professionnelles a-t-elle permis l'instauration d'un équilibre entre les détenteurs de pouvoirs en matière de services professionnels et les consommateurs de ces services ? Les rapports entre professionnels et consommateurs, traditionnellement basés sur la dépendance, la confiance, le respect et une certaine inégalité, ont-ils été modifiés suite à cette réforme ?

Michel Brunet et Alain Vinet, dans une récente étude portant sur la participation des usagers à la réorganisation des services de santé et des services sociaux, devaient conclure :

> L'idée d'un contrôle des consommateurs sur les services professionnels ne peut que cheminer difficilement dans une société qui adhère généralement à une vision fonctionnaliste des professions. Le professionnel n'est guère incité à écouter un point de vue profane, tandis que l'usager est trop facilement enclin à se taire et à faire confiance. La création de structures de participation n'a pas suffi à modifier des habitudes profondément ancrées [31].

Claude Maheu

Service de la recherche
Office des professions du Québec

Notes

[1] Dans le cadre de leurs fonctions, les administrateurs nommés sont appelés à participer aux sessions d'étude que l'Office des professions

organise une ou deux fois par année. Ces sessions ont pour but de permettre aux administrateurs nommés d'échanger sur leur expérience de participation et de discuter de diverses questions qui peuvent avoir des effets sur les services professionnels et sur les consommateurs.

Les questions abordées au cours des sept sessions qui ont eu lieu depuis sont : 1) le fonctionnement du mécanisme de participation des administrateurs nommés ; 2) l'intégration de ces derniers au sein des corporations, la définition de leur mandat et les voies d'action à envisager dans la poursuite de celui-ci ; 3) l'information des usagers de services professionnels ; 4) l'évolution du professionnalisme au Québec ; 5) la déontologie professionnelle ; 6) la réglementation des honoraires professionnels dans la pratique privée ; 7) l'évaluation de l'efficacité des mécanismes dont disposent les corporations professionnelles pour assumer la protection du public.

[2] Québec (Province), Commission d'enquête sur la santé et le bien-être social, « Les professions et la société », dans *Rapport de la Commission d'enquête sur la santé et le bien-être social*, VII, Québec, Éditeur officiel du Québec, 1970, 102 p.

[3] *Ibid.*, p. 33.

[4] *Ibid.*, p. 34-35.

[5] *Ibid.*, p. 36.

[6] *Ibid.*, p. 38.

[7] « Que le conseil des ordres soit formé à majorité absolue de membres élus par leurs confrères et pour le reste, de membres nommés par le lieutenant-gouverneur en conseil sur la recommandation des milieux d'enseignement concernés, des associations concernées, du public consommateur et des fonctionnaires des ministères intéressés. Les membres nommés par le lieutenant-gouverneur en conseil ne doivent pas tous exercer l'activité professionnelle en question. » (*Ibid.*, p. 54.)

[8] « Que soit formé dans chaque ordre professionnel un comité d'inspection professionnelle, composé de membres de l'Ordre, de représentants du public et, le cas échéant, de représentants des syndicats en cause, chargé de procéder à une révision systématique des dossiers et d'étudier les plaintes individuelles du public en vue de porter plainte formellement, s'il y a lieu, auprès du tribunal disciplinaire de première instance et de régler certains différends entre praticiens et individus. » (*Ibid.*, p. 73-74.)

Le tribunal disciplinaire dont il est question correspond à l'actuel comité de discipline existant dans chacune des corporations.

[9] *Ibid.*, p. 38.

[10] L.Q., 1973, chap. 43, *Code des professions*, article 77. Les fonctions de l'Office des professions sont définies à l'article 12 de cette loi.

[11] L.Q., 1973, chap. 43, *Code des professions*, article 77.

[12] Depuis sa création, l'Office des professions a consulté 152 groupes socio-économiques oeuvrant le plus souvent sur la scène provinciale, dont le quart se consacre aux affaires éducatives et culturelles et le cinquième à la promotion et à la défense de salariés (associations professionnelles et syndicats de salariés). Une proportion tout aussi importante de groupes du domaine des affaires sociales et de la santé a été consultée. Les groupes du domaine de la promotion et de la défense des intérêts des consommateurs

représentent 8,6 % de l'ensemble des groupes consultés ; les groupes voués à la promotion du développement économique et à la défense des intérêts d'employeurs sont ceux qui furent le plus souvent consultés.

De plus, malgré que les groupes de consommation se situent au dernier rang quant au nombre de groupes consultés, ils se situent au troisième rang pour le nombre de personnes proposées par groupe, après les associations et syndicats de salariés et les groupes de développement économique, et au premier rang pour la proportion d'entre eux ayant répondu à l'invitation de l'Office, dépassant les groupes de développement économique.

[13] Au 31 août 1978, l'Office avait constitué une liste de 509 personnes susceptibles de siéger aux bureaux des corporations professionnelles.

[14] Au 31 mars 1978, 11 corporations avaient moins de 500 membres, 11 également regroupaient de 500 à 1500 membres et 16 dépassaient 1500 membres. Ainsi retrouve-t-on à cette date 119 postes d'administrateurs nommés. En effet, pour les corporations de moins de 500 membres, la proportion est de 25,0 %, contre 18,8 % pour celles qui comptent de 500 à 1500 membres et plus de 16,7 % pour celles qui ont plus de 1500 membres. De plus, selon l'article 77 du *Code des professions*, la moitié des personnes nommées doivent n'être membres d'aucune corporation professionnelle. Pour les corporations dont le nombre de membres est de moins de 500, le nombre d'administrateurs nommés membres de corporations professionnelles ne doit jamais dépasser 1 administrateur nommé sur 2 ; pour les corporations comptant de 500 à 1500 membres, la proportion est de 1 sur 3 et enfin, pour les corporations de plus de 1500 membres, le nombre d'administrateurs nommés membres de corporations professionnelles peut atteindre 2 administrateurs nommés sur 4.

[15] Conformément au règlement sur les modalités d'élection adopté par chaque corporation en vertu de l'article 93 du *Code des professions*. Un relevé de ces règlements au 15 mars 1979 permet de constater que la durée des mandats des administrateurs de 5 corporations est de 4 ans ; pour 10 corporations elle est de 3 ans, pour 20 de 2 ans et pour 3 autres corporations, la durée est d'une seule année. De plus, la nomination de ces personnes est intégrée au processus de roulement périodique des administrateurs élus des corporations. Lorsqu'un administrateur nommé démissionne, il est remplacé par une autre personne qui complète le mandat.

[16] L.Q., 1973, chap. 43, *Code des professions*, article 93.

[17] En vertu de certaines dispositions législatives et réglementaires, les administrateurs nommés ne peuvent siéger au comité d'inspection professionnelle (article 2.01 du règlement type déterminant la procédure d'inspection professionnelle : « membres nommés par le Bureau *parmi les professionnels exerçant depuis au moins 3 ans* »), ni au conseil d'arbitrage des comptes (article 3.02.01 du règlement concernant la procédure de conciliation et d'arbitrage des comptes : « le Bureau forme un conseil d'arbitrage *composé de 3 membres de la corporation* »), ni au comité de discipline (article 115 du *Code des professions* : « Au moins deux autres membres doivent être désignés par le Bureau de la corporation *parmi les membres de celle-ci* »). Je souligne.

[18] René Dussault, *Le Public à la table de décision des corporations professionnelles*, 5 juin 1974, p. 3.

[19] René Dussault, *L'Information, un instrument essentiel de la protection des*

consommateurs de services professionnels, allocution prononcée devant les administrateurs nommés, Montréal, le 27 avril 1978, p. 9.

[20] L.Q., 1973, chap. 43, *Code des professions*, article 92, paragraphe K.

[21] René Dussault, *La Participation des citoyens à l'administration publique : une réussite ou un mythe ?*, allocution prononcée devant les représentants du public aux bureaux de direction des corporations professionnelles, Montréal, le 11 février 1975, p. 13.

[22] Les données proviennent de la « Formule de demande de renseignements » que doit remplir chaque candidat au poste d'administrateur nommé.

[23] Pour les fins de l'étude que poursuit le Service de la recherche de l'Office des professions, on a retenu un maximum de trois groupes auxquels appartiennent les administrateurs nommés.

[24] Remarquons aussi que le taux de présence par administrateur nommé semble relié à certaines caractéristiques socio-professionnelles, dont l'état civil, l'âge, la fonction auprès de l'employeur et la fonction exercée au sein des groupes socio-économiques. Les personnes mariées, plus jeunes et très vieilles, occupant des fonctions de gestion auprès des employeurs et exerçant des fonctions de responsabilité élevée au sein de groupes socio-économiques ont tendance à être moins présentes aux réunions des corporations.

[25] Selon l'article 77 du *Code des professions*, les administrateurs nommés reçoivent la même rémunération que les administrateurs élus. Cette rémunération est fixée le plus souvent par résolution interne des corporations professionnelles. Le taux et le mode de rémunération diffèrent sensiblement d'une corporation à l'autre. De la sorte, certains administrateurs reçoivent peu ou ne reçoivent pas de rémunération, tandis que d'autres reçoivent des montants substantiels par réunion : au 31 mars 1979, 9 corporations allouaient par réunion $ 100 ou plus, 13 entre $ 50 et $ 99, 5 entre $ 1 et $ 49, et 11 corporations n'accordaient aucune rémunération.

[26] On obtient le taux de présence des administrateurs nommés par corporation en divisant le nombre de présences enregistré pour tous les administrateurs nommés d'une corporation au cours d'une année par le nombre de présences qu'on aurait pu enregistrer pour tous les administrateurs nommés en présumant que tous les postes d'administrateurs nommés ont été comblés au cours de l'année et que tous les administrateurs nommés ont fait acte de présence à toutes les réunions. Le taux de présence représente donc un comportement collectif de l'ensemble des administrateurs nommés d'une corporation. L'analyse a porté sur 33 corporations en 1975-1976, 29 en 1976-1977 et 27 en 1977-1978.

[27] Des 235 personnes nommées, 20 % ont démissionné de leur poste en cours de mandat et ces démissions se retrouvent principalement dans les corporations où la rémunération est particulièrement faible (24 % et 13 %). Soulignons aussi que plus on s'élève dans l'échelle occupationnelle de Rocher, plus le taux de démission s'élève, passant de 12 % dans les catégories inférieures à 31 % pour la catégorie la plus élevée (professionnels).

[28] Office des professions du Québec, *6e rapport d'activité 78-79*, mai 1979, p. 27-28. À paraître.

[29] Voir à ce sujet les comptes rendus des sessions d'études des administrateurs nommés aux bureaux des corporations professionnelles,

Office des professions du Québec, décembre 1978, janvier 1978, mai 1977, novembre 1976 et avril 1976. Voir aussi Lise Lachance, « Les représentants du public se disent mal à l'aise au sein de l'Office des professions du Québec », *Le Soleil*, le mardi 22 février 1975 ; Gérald LeBlanc, « Les représentants du public se débattent entre l'impuissance et la récupération », *Le Devoir*, le samedi 27 septembre 1975 ; Monique Payeur, « Quand le public siège à la table des professionnels », *Le Soleil*, le samedi 25 octobre 1975 ; Gilles Boivin, « Les administrateurs des corporations professionnelles se demandent s'ils protègent bien le consommateur », *Le Soleil*, le mercredi 24 novembre 1976, p. E-3.

[30] Office des professions du Québec, *Compte rendu de la septième session d'étude des administrateurs nommés aux Bureaux des corporations professionnelles par l'Office des professions du Québec*, décembre 1978, p. 21.

[31] Michel Brunet et Alain Vinet, « Le pouvoir professionnel. Conclusions d'une étude sur le changement social dans le domaine de la santé et des services sociaux », dans *Canadian Public Policy*, Spring Issue, 1979, p. 24 de l'original, à paraître et cité ici avec l'accord de M. Vinet.

Les obstacles à l'émergence d'un pouvoir régional démocratique

Parler du pouvoir régional au Québec, c'est quasiment parler d'un être de raison, car ni l'État ni le mouvement populaire n'y ont référé de façon explicite. Certes l'État a commencé à produire un discours sur la décentralisation et autres thèmes connexes comme la régionalisation, le développement régional; le projet de loi d'aménagement du territoire et d'urbanisme, déposé en décembre 1978, tente de se situer (encore très timidement) dans ce champ politico-idéologique.

Si la question du pouvoir régional n'a pas envahi de façon directe et explicite le champ politico-idéologique au Québec, ça ne veut pas dire que cette question reste totalement informulée. Car depuis 1960, plusieurs phénomènes y font allusion, sans la poser explicitement ; de plus, le traitement allusif de cette question se double souvent de conduites d'échec. Pensons à la création de l'O.P.D.Q., dont la pratique est sans lien avec les objectifs de planification et de développement qui servent à le définir. Pensons à la longue marche du B.A.E.Q. ; à la tentative infructueuse de préparation des schémas régionaux de développement ; aux essais infructueux d'élaboration et d'adoption des lois d'urbanisme et d'aménagement du territoire en 1972 et en 1976 ; aux communautés urbaines, qui sont finalement peu performantes. On peut se référer aussi au mouvment populaire de l'Est du Québec, qui constitue l'amorce fragile d'un mouvement régional. On peut même faire appel au miracle de la Beauce, dont on ne sait exactement s'il est pur effet de croyance ou fait économique.

Dès lors, on peut se demander pourquoi la question du pouvoir régional n'a pas fait l'objet de débats politico-idéologiques au

Québec. Pour commencer à répondre à cette vaste question, on peut chercher à identifier quels ont été les obstacles à l'émergence d'un pouvoir régional démocratique. Dans le but de répondre à cette dernière question, on peut poser, de manière abstraite, que le pouvoir régional peut émerger de la rencontre de deux mouvements, soit une réforme politico-administrative faite par l'État et une demande sociale exprimée par des revendications populaires. Ce qui nous amène à penser que les obstacles à l'émergence d'un pouvoir régional démocratique peuvent naître de deux sources : 1° de l'absence d'intervention étatique ou, s'il y en a une, de la nature de celle-ci ; 2° de la difficulté de la politisation du niveau régional, qui doit être associée à la difficulté de la politisation du niveau local.

Je veux ici faire porter mon analyse concrète sur la deuxième source de difficultés, plutôt que sur la première — ce qui ne veut pas dire que dans ma tentative d'identification des obstacles à la politisation des niveaux local et régional je ferai abstraction des interventions de l'État, tout au contraire. Cette préférence m'est dictée par une contrainte et par un choix d'action.

D'une part, en effet, je n'ai pas rassemblé les informations ni élaboré une grille d'analyse qui me permettraient de faire une analyse de la politique régionale qui dépasserait les généralités que l'on répète depuis quelques années sur l'abandon d'une volonté de lutte aux disparités régionales (essentiellement le B.A.E.Q.), suivi par le choix, opéré au début des années 70 et légitimé par le rapport H.M.R., de concentrer le développement dans la région de Montréal.

Deuxièmement, à cause de mon travail dans un conseil régional de développement et, plus particulièrement, à cause de mon implication dans un parti politique municipal, le Rassemblement populaire de Québec, l'analyse des difficultés et des conditions de politisation des niveaux local et régional m'intéresse davantage.

La difficile politisation du niveau local

Parlons tout d'abord de la difficile politisation du niveau local. Il s'agit là d'une évidence : à Montréal, la même équipe est au pouvoir depuis 1962 ; à Québec, depuis 1965. Et ailleurs ? la faible participation de la population aux élections municipales (participation au vote de 55,5 % des citoyens aptes à voter) est un indicateur non équivoque de la dépolitisation du niveau municipal.

La dépolitisation du niveau municipal.

Cette dépolitisation, comme on s'en doute, n'est pas déplorée par ceux qui détiennent le pouvoir ; ils en font même la théorie. Par une opération idéologique de dénégation, le discours dominant arrive à dire que le niveau municipal n'est pas un lieu de pouvoir ; qu'il ne fait pas partie de l'État, bien que, sur le plan politico-juridique, les municipalités soient la créature du gouvernement provincial ; on ne reconnaît pas la nature politique des décisions qui concernent l'aménagement-développement et la production des services municipaux ; de plus, jusqu'à tout récemment, on ne reconnaissait pas l'existence de partis politiques municipaux. Et l'affirmation qui inverse cette dénégation, qui prend la place du vide que le discours dominant énonce au sujet du pouvoir municipal, consiste à dire que le niveau municipal est un lieu où l'on ne fait qu'administrer, un centre de distribution de services.

En puisant dans le discours du groupe politique dominant à Québec, je vais présenter diverses formes par lesquelles se matérialise cette tentative de dépolitisation du niveau municipal. Je tire mes exemples de l'étude de G. Doré et R. Mayer, *L'Idéologie du réaménagement urbain à Québec*, EZOP-Québec, tome 4.

Première forme : Cette idéologie se présente comme une réforme municipale. Elle affirme vouloir débarasser le gouvernement municipal de la politique, assimilée à la politicaillerie et à l'électoralisme, pour y instaurer un régime à la fois honnête et défenseur de l'intérêt général. Voici un extrait d'une allocution du maire Lamontagne, faite à mi-terme de son premier mandat :

> Nous sommes donc déterminés à ne pas nous laisser entraîner sur les pentes dangereuses de l'électoralisme..., affirme-t-il. Au grand soulagement des vieux murs de cette salle de Conseil, le vent ronflant des paroles inutiles, des invectives et des pétarades a été remplacé par la discussion sereine et expéditive des problèmes qui doivent être solutionnés dans l'intérêt de la communauté... (Allocution du maire Gilles Lamontagne à l'occasion du dîner-bénéfice du Progrès civique, 14 nov. 1967. Cité dans EZOP-Québec, *op. cit.*, p. 32).

Dans une autre allocution devant un club social, l'ancien maire de Québec développait la même idée : « On veut habituer les gens à penser Québec plutôt qu'en termes de quartier et à concevoir le bien-être de leur quartier dans l'optique du bien-être général de toute la communauté québécoise ».

En m'inspirant du commentaire de Doré et Mayer, je pourrais dire que cette rationalisation suppose deux pétitions de principe, à savoir, premièrement, que « la soumission des intérêts particuliers à l'intérêt général commande la soumission des intérêts des citoyens des quartiers défavorisés à ceux de l'ensemble des citoyens de la Ville de Québec » ; et, deuxièmement, que le Maire se pose comme un responsable compétent et désintéressé capable de déterminer le contenu de l'intérêt public, alors qu'il ne possède, pas plus que les autres dirigeants d'ailleurs, aucun indicateur concret et significatif de l'intérêt public.

Deuxième forme : L'information que le pouvoir accepte de donner aux citoyens et aux groupes de citoyens est volontairement partielle. Il y a 10 ans, l'ex-maire Lamontagne justifiait par des raisons d'efficacité certaines restrictions à la diffusion de l'information, notamment en ce qui concerne les délibérations du Comité exécutif. Dans une lettre au président du Comité de citoyens de l'aire 10, le maire Lamontagne expliquait que « le Comité exécutif doit, pour être efficace, pouvoir fonctionner à l'abri de toutes contraintes. De telles contraintes pourraient venir de conseillers municipaux désirant favoriser les intérêts particuliers ; de tentations de prendre la vedette... de conflits de personnalités ou autres » (Lettre de Gilles Lamontagne à Roger Parent, président du comité conjoint de l'aire 10, 5-3-1969, p. 4). L'information donnée par les mass media est suffisante, ajoute-t-il (*Le Soleil*, 4-10-1968).

Dix ans plus tard, la même argumentation semble tenir : parmi les municipalités de la Communauté urbaine de Québec, Québec est la seule à tenir les réunions de son conseil municipal en un autre moment que le soir et à ne pas autoriser de période de questions pour le public présent. Raison ? Les réunions du conseil, pour être efficaces, ne doivent pas devenir un lieu d'empoigne et de désordre. De plus, affirment les dirigeants municipaux, le public est bien informé par les mass media.

Troisième forme : Quant aux pressions exercées par les regroupements de citoyens, qu'elles s'expriment comme volonté de participation ou comme contestation, elles sont sans cesse réinterprétées à l'intérieur d'un discours qui cherche à réduire leur impact politique. En ce qui concerne la volonté de participation, qui a animé les comités de citoyens, surtout à leur départ, les agents au pouvoir la réduisent à de la consultation. Quant à la contestation, les agents au pouvoir ne ménagent pas leurs jugements de valeur à son sujet. Il y a la bonne et la mauvaise contestation, celle qui est valable et celle qui ne l'est pas ; et, à la limite, on dira carrément que la contestation n'est pas nécessaire.

Je me permets de citer longuement cette page savoureuse de Doré et Mayer :

> Bien que le maire souhaite l'opposition des corps intermédiaires (*Soleil*, 28-11-1968), il pense de même que les conseillers, « qu'une véritable opposition n'est pas nécessaire pour le progrès de la

capitale » (*Action*, 27-11-69). Ces derniers développent même une conception « nouvelle » et « originale » de la démocratie parlementaire en affirmant qu'ils peuvent être à la fois le gouvernement et l'opposition. C'est l'opinion du conseiller Robert Blais : « Quand ce ne sera pas dans l'intérêt de la population, nous la ferons nous-mêmes l'opposition ». Sans manifester pour cela des tendances maoïstes (!), le conseiller Robert Clermont pense que la solution réside dans l'autocritique : « on a fait de l'autocritique durant les dernières années, on en fera durant les années à venir ». Le conseiller Olivier Samson reconnaît dans le maire Lamontagne le chef de l'opposition (!) : « Selon moi, le maire Lamontagne est le chef de l'opposition. Il est foncièrement honnête et celui qui s'aviserait de faire quelque chose qui ne serait pas dans l'ordre ou qui aurait l'intention de faire quelque chose qui ne serait pas dans l'ordre se verrait vite ramené à la réalité ».

Certains conseillers ne s'empêtrent pas dans des déguisements plus ou moins subtils. Ils éliminent carrément le rôle oppositionnel des corps intermédiaires. Pour le conseiller Olivier Samson, il semble clair dans son esprit que ce « n'est pas le problème des corps intermédiaires que de faire l'opposition au conseil de ville ». Pour le conseiller Jean-Paul Pelletier, « il est évident que les corps intermédiaires ne doivent pas agir comme opposition vis-à-vis l'administration municipale, mais plutôt comme des organismes de consultation ». D'autres conseillers reprennent une distinction chère au maire Lamontagne entre les corps intermédiaires « sérieux » et « représentatifs » et les autres. « Il n'y a pas d'autre solution que ce soit les corps intermédiaires, affirme le conseiller Alfred Roy, mais encore là, il ne faudrait pas que ce soit tous les corps intermédiaires mais seulement ceux qui sont représentatifs. » On reste coi quant aux critères de cette représentativité, mais on peut présumer qu'ils appartiennent à la même filiation idéologique que la définition de la bonne contestation versus la « contestation absurde » (EZOP-Québec, *op. cit.*, p. 103-104).

Comme on le voit, la dépolitisation du niveau municipal n'est pas, ainsi qu'on pourrait le penser au premier abord, l'effet de l'apathie de la population, de son manque d'intérêt — elle apparaît davantage comme l'effet d'un processus politico-idéologique mis en oeuvre par ceux qui détiennent le pouvoir. Toutefois, il ne faudrait pas comprendre qu'un tel processus est le produit des seules idées des édiles municipaux : il est aussi le reflet de la position politico-administrative que les gouvernements supérieurs délimitent pour les municipalités. Juridiquement, en effet, les municipalités sont dans une situation d'asservissement constitutionnel vis-à-vis des niveaux de gouvernement supérieurs ; l'analogie souvent employée pour qualifier cette dépendance est celle de la dépendance du simple citoyen vis-à-vis de son roi (du temps que celui-ci avait un pouvoir absolu). Cette dépendance juridique des municipalités vis-à-vis des gouvernements supérieurs s'est d'ailleurs accentuée au cours des années.

Dans leur étude sur « les structures politiques et administratives des municipalités urbaines au Québec », effectuée pour la Commission Castonguay sur l'urbanisation, G. Lord et D. Chénard dressent un bilan historique du gouvernement municipal. L'observation principale que l'on peut retenir de ce bilan, c'est que les municipalités du Québec ont connu une expansion de leurs fonctions durant la crise économique des années 30, ce qui a enclenché la crise financière des municipalités et, en conséquence, un mouvement de centralisation vers le niveau provincial. C'est ainsi que graduellement les municipalités ont perdu en partie ou en totalité leur compétence dans la définition et l'administration de programmes de bien-être, d'hygiène, de santé, d'éducation, de transport... « Pour pallier les inconvénients de la multiplicité et de l'incapacité administrative et financière des municipalités, concluent les auteurs, le gouvernement provincial a eu tendance à récupérer des secteurs d'activités relevant de ces dernières plutôt que de procéder à des réformes structurelles et au renforcement des structures existantes (...). De ce renforcement du pouvoir central découle une transformation du rôle des collectivités locales qui deviennent davantage des *relais* ou des *agents d'exécution* de politiques et de programmes conçus à l'échelon supérieur, d'où la nécessité pour le gouvernement central de multiplier les structures de tutelle et de contrôle sur l'activité locale » (*op. cit.*, p. 17 ; nous soulignons).

Donnons quelques exemples de la dépendance juridique des municipalités face au gouvernement provincial. Le Conseil des ministres exerce de nombreux pouvoirs à l'égard des structures municipales : émission des lettres patentes relatives à la constitution, l'annexion, la division, le regroupement des municipalités ; pouvoir de contrôle sur l'activité réglementaire des cités et villes ; nomination des juges municipaux ; pouvoir de réglementer les modalités relatives à la tenue des livres. De son côté, « le ministre des Affaires municipales remplit deux types de fonctions auprès des gouvernements municipaux. Premièrement, il assume des fonctions quant à l'existence juridique des corporations municipales et à tous les aspects relatifs à leurs structures, l'étendue de leurs pouvoirs et leur statut juridique. Deuxièmement, il assume des fonctions de contrôle et de surveillance sur l'activité municipale, en plus de remplir une fonction d'assistance et d'aide technique auprès des municipalités québécoises. »

Quant à la Commission municipale du Québec, elle assume des fonctions d'enquête, de contrôle des emprunts municipaux et de tutelle administrative sur les activités municipales. Parmi les autres ministères ou organismes gouvernementaux qui ont des pouvoirs sur les municipalités, mentionnons : les Services de protection de l'environnement, la Société d'habitation du Québec, la Commission de police, le ministère des Transports, le ministère des Affaires culturelles, l'O.P.D.Q., et différents ministères selon leur mandat (v.g. Affaires sociales; Industrie et Commerce; Haut-Commissariat à la jeunesse, aux loisirs et aux sports; ministère fédéral de l'Expansion économique régionale, etc.).

C'est à travers leur situation financière que se manifeste le plus clairement la position de faiblesse des municipalités. On observe en premier lieu une diminution de l'importance relative des municipalités à l'intérieur de la fonction économique de l'État. Ceci apparaît quand on compare l'évolution des revenus et des dépenses des municipalités avec l'évolution des revenus et des dépenses du gouvernement du Québec. De 1960 à 1970, « l'augmentation annuelle moyenne des revenus du gouvernement atteint 19,3 % (contre 10 % pour l'ensemble des municipalités), tandis que l'augmentation annuelle moyenne des dépenses se situe à 18,4 % (10,1 % pour l'ensemble des municipalités) » (*Annuaire du Québec*, 1973, p. 848). Durant cette décennie, le rapport du volume des revenus et dépenses provinciaux par rapport aux municipaux est passé de 2 à 6.

D'autre part, l'endettement des municipalités croît plus rapidement que l'évaluation des biens-fonds imposables : en prenant pour base l'année 1960 (indice : 100), l'indice de l'évaluation passe en 1973 à 277,2; celui de la dette obligataire à 300,2; et celui des dépenses affectées au service de la dette à 356,3 (voir *Annuaire du Québec 1975-76*, p. 1288). Faut-il rappeler que le service municipal qui coûte le plus cher, c'est le service de la dette (en 1973, il représente 26,0 des dépenses totales des municipalités)?

Dans une telle situation, on constate une dépendance financière importante des municipalités vis-à-vis des autres niveaux de gouvernement. En effet, l'endettement croissant des municipalités a été ralenti au milieu des années 60 par une augmentation considérable des paiements de transfert, venant principalement du niveau provincial : « de 1952 à 1962, le déséquilibre fiscal des municipalités du Québec s'est accru constamment (il est passé de $ 9 à $ 29 par tête), mais ce mouvement a été interrompu en 1964 par une augmentation subite des paiements de transfert 4,2 fois plus considérable par rapport au montant de l'année précédente » (EZOP-Québec, tome 3, pp. 86-87). Depuis 1965 toutefois, la part des paiements de tranfert dans l'enveloppe globale des revenus municipaux tend à se stabiliser vers la baisse : elle passe de 26,5 % (1965) à 23,1 % (1973) (B.S.Q., *Finances municipales 1972-73*, p. 12, et *Annuaire du Québec 1975-76*, p. 1290).

Notons qu'il existe deux types de paiements de transfert : inconditionnels et conditionnels, ces derniers étant liés à des projets précis dont la réalisation est contrôlée par des niveaux de gouvernement supérieurs. Pour le Québec, on compte 35 programmes de ce type administrés par 12 ministères. Une étude sur l'économie urbaine publique établit qu'à l'échelle du Canada, les paiements de transfert conditionnels n'ont cessé d'augmenter comparativement aux paiements de transfert inconditionnels (cf. W.I. Gillespie, *L'Économie urbaine publique. Le Canada urbain, ses problèmes et ses perspectives*, recherche monographique n° 4, Ottawa, 1971, p. 110). Cette tendance ne peut manquer d'avoir des effets négatifs sur la marge de liberté des administrateurs municipaux, ainsi que l'observe Gérard Bélanger, dans son étude sur le financement municipal au Québec :

> Comme les critères d'établissement des subventions sont souvent peu précis, il existe une marge de discrétion qui favorise l'esprit d'entrepreneur (ou de mendiant) chez les administrateurs locaux.
>
> Les subventions non statutaires permettent au niveau supérieur d'influencer les décisions locales. C'est, à la limite, une sorte de *mise en tutelle déguisée*, qui ne favorise donc pas la responsabilité administrative. (...) Les subventions conditionnelles influencent le choix des priorités du palier local de décision : elles rendent certaines activités plus attrayantes que d'autres. (...)
>
> Le nombre imposant de subventions conditionnelles, tant provinciales que fédérales, viennent modifier les priorités du niveau local. L'administrateur municipal doit connaître les règles du jeu et en tirer le meilleur parti possible ; il doit, en effet, répondre aux incitations venant des niveaux supérieurs s'il veut que ses concitoyens aient leur part des politiques des autres paliers de gouvernement. De telles règles du jeu ne favorisent pas la responsabilité administrative mais les pèlerinages aux gouvernements supérieurs et la surexpansion du secteur public (G. Bélanger, « Le financement municipal au Québec », annexe du *Rapport sur l'urbanisation*, 1976, pp. 55 et 68 ; nous soulignons).

Conclusion

On le voit, la dépolitisation du niveau municipal est l'effet combiné d'un processus idéologique et des institutions politico-administratives. Ce qui revient à dire, aussi paradoxal que cela apparaisse, que la position de dépendance des municipalités satisfait autant les détenteurs de ce pouvoir que les classes dirigeantes de la société. Car, il faut s'en rendre compte, la dépendance municipale a une efficacité propre dans l'ensemble des fonctions étatiques de régulation sociale et de répression politique, qui permettent la reproduction de la société capitaliste. Cette efficacité propre concerne les conditions de vie des travailleurs et la mise en place de certaines conditions de valorisation du capital.

D'une part, en effet, le faible pouvoir des municipalités leur laisse peu de marge de manoeuvre pour régler les problèmes urbains; d'autre part, cette faible marge de manoeuvre enchaîne les municipalités à la logique de développement du capital.

Il ne suffit donc pas de percevoir la situation de dépendance du niveau municipal, mais aussi son efficacité propre en tant que niveau de pouvoir. C'est la prise en compte de cette spécificité politique qui permet de dépasser le cadre réducteur de l'idéologie juridique dominante, qui tend à nier au niveau municipal son rôle politique — négation partagée trop souvent par une critique gauchiste de la lutte politique municipale, soit dit en passant !

La difficile politisation du niveau municipal

Dans le contexte que je viens de décrire, on comprend que la politisation du niveau municipal n'ait pas été chose facile — qu'elle ait nécessité des luttes nombreuses, sur de multiples enjeux, qui font la preuve concrète que la ville n'est pas qu'un objet d'administration : elle est devenue le lieu où s'affrontent des groupes sociaux, dont l'appropriation de l'espace constitue un des enjeux principaux.

Les groupes populaires ont été le révélateur du caractère politique des problèmes municipaux, des problèmes urbains, des problèmes liés à la consommation et à la défense des droits des personnes. Premièrement, les groupes populaires rendent visibles les différents aspects de la crise urbaine dans les villes : rareté et détérioration des logements, redéveloppement vs restauration, autoroute vs transport en commun... Deuxièmement, ils manifestent les contradictions de classes de cette crise et des politiques qui cherchent à la régler : même la politique la plus « sociale », celle de la restauration des logements, n'est pas exempte d'effets ségrégatifs. Troisièmement, l'opposition des groupes a entraîné divers changements dans la pratique de certains appareils d'État, qu'il s'agisse de concessions mineures aux revendications des groupes ou de tentatives de contrôle de l'action de ces groupes — mais changements qui forcent l'État à se montrer davantage dans sa gérance des enjeux majeurs de l'aménagement urbain.

En effet, en plus de servir de révélateur du caractère profondément politique des enjeux urbains, le mouvement populaire urbain (à l'instar du mouvement syndical) a fait bouger l'État (à tous ses paliers, c'est-à-dire autant municipal que provincial et fédéral). On peut dire, en empruntant l'expression à Nicos Poulantzas, que le mouvement traverse l'État, sa pratique le place non pas face à, mais à l'intérieur de l'État, comme terme d'un nouveau rapport de force — si on ne chosifie pas l'État comme simple instrument mécaniquement manipulable par la classe dominante, mais qu'on le conçoive comme *rapport social.* Dans certains cas, cette traversée de l'État par le mouvement populaire s'est faite par la lutte politique électorale : cas du FRAP (1970) et du RCM (1974) à Montréal, cas récent du Rassemblement populaire à Québec (novembre 1977). Ce que manifestent ces partis politiques et leurs luttes, c'est la difficile dialectisation du mouvement social et du mouvement politique, c'est le difficile passage de la lutte revendicative à la lutte politique.

De ces trois mouvements politiques, seul le FRAP (Front d'action politique) peut être qualifié au sens strict d'expression politique du mouvement des groupes populaires. Il en était l'émanation et la volonté de dépassement, comme l'exprime bien le titre du premier manifeste du FRAP : *Il ne suffit plus de surveiller le pouvoir, il faut l'exercer* (mai 1970). C'est un front commun de groupes populaires, le Regroupement des associations populaires du bas de la ville et de l'est de Montréal (RAP), qui est à l'origine du FRAP. Celui-ci fédérait 14 comités d'action politique dans autant de quartiers, dont plus de la moitié avait une tradition d'organisations populaires. À l'opposé, observent J.-P. Collin et J. Godbout, dans leur étude sur les organismes populaires en milieu urbain,

> le Rassemblement des citoyens de Montréal s'est effectivement fondé en dehors des groupes populaires et des comités de citoyens comme organisations. Des individus membres de ces groupes ont participé activement à la mise sur pied du RCM. Toutefois ces individus n'y vont pas comme représentants (ou plus simplement comme militants) des groupes populaires mais plutôt comme membres du P.Q., du N.P.D.-Québec, ou du M.P.U.* Le membership des groupes n'est pas totalement absent de la fondation du RCM. Ce n'est toutefois qu'une minorité qui y participe et, généralement, par le biais d'autres organisations [1].

D'autre part, le RCM — du moins dans son Congrès au programme de 1976 — a cherché à faire des conseils de quartier l'« émanation des luttes des citoyens », donc, au niveau de sa composition, une institution regroupant des délégués des comités de rue, des comités ouvriers et des organisations populaires. Il y a, sous-jacente à cette idée de la composition du conseil de quartier, une conception des rapports entre le mouvement social et le mouvement politique à l'intérieur de laquelle le politique est l'aboutissement du social, son complément indispensable et organique.

* M.P.U. : Mouvement progressiste urbain.

À Québec, le rapport entre les groupes populaires et le Rassemblement populaire ne s'est pas développé sur le modèle de Montréal, qu'il s'agisse de l'intégration des groupes dans la formation du parti (FRAP) ou de l'intention de les intégrer après coup (RCM). Non que cette autonomie ait été décidée à l'intérieur d'une analyse commune : elle s'est imposée à la suite d'un refus opposé par les groupes à l'invitation que leur avaient faite les initiateurs du R.P. de prendre la direction politique du parti. Ce refus des groupes porte plusieurs significations, qui vont du jugement de réalité qu'à vouloir assimiler mouvement populaire et mouvement politique, on risque d'appauvrir l'un en faveur de l'autre, à l'intuition politique que les enjeux, les méthodes de lutte, les combats du mouvement populaire sont plus larges et font appel à des sources profondes de l'imagination du peuple, niveau de mobilisation auquel n'atteint pas toujours le mouvement politique, davantage circonscrit par les limites de l'institutionnel et mû par une problématique de gestion.

Du mouvement populaire urbain au Québec, on peut donc dire ceci : il a fait accéder l'urbain au politique, il a même donné naissance à des partis politiques d'opposition, sans que ceux-ci en constituent l'expression plénière et exclusive.

On peut ici se poser la question suivante : pourquoi y a-t-il toujours eu une distance entre le mouvement populaire et le mouvement politique ? On peut penser que les causes de cette difficile adéquation peuvent provenir de deux sources : soit de l'intérieur du mouvement populaire, soit des agents au pouvoir, qui posent des obstacles à un tel passage.

Du côté du mouvement populaire, on peut chercher à interpréter sa réticence à « faire le saut » en politique en tenant compte des raisons qu'il donne et aussi d'éléments qui appartiennent à sa situation objective. D'une part, en effet, divers porte-parole du mouvement populaire refusent la lutte politique électorale à cause du caractère réformiste d'une telle lutte, des compromis électoralistes qu'elle implique — discours qui méconnaît le fait que les objectifs des luttes concrètes des groupes populaires ne sont pas autre chose que réformistes, et que la qualité révolutionnaire de ces luttes ne vient pas du discours qui les accompagne mais des acquis de classes qu'elles peuvent entraîner (ce qui, bien sûr, n'est pas toujours le cas, ou bien ne dure qu'un temps...).

De plus, il est possible d'affirmer que le discrédit jeté par une certaine gauche sur les luttes politiques municipales rejoint la négation de la fonction politique du niveau municipal qui est opérée par l'idéologie juridique dominante. Comme le remarquait Poulantzas, l'idéologie dominante est ainsi appelée, non seulement parce qu'elle est pensée par les classes dominantes, mais aussi parce qu'« elle constitue le modèle référentiel de l'opposition contre elle » (*Pouvoir politique et classes sociales*, p. 242).

Quoi qu'il en soit de la manière dont se dit la distance que le mouvement populaire veut maintenir par rapport à la lutte politique électorale, on peut penser qu'elle est la rationalisation de deux « constats » implicites que le mouvement n'ose se dire : « 1° il ne peut se permettre de diviser ses énergies entre la lutte revendicative et la lutte politique, à cause de la « rareté » de ses énergies ; 2° il est trop diversifié, dans ses objets et dans ses orientations, pour s'unifier dans une plate-forme commune qui viserait la prise du pouvoir municipal. Donc, il y a une sorte de calcul économique et de prise de conscience de la matérialité multiple du mouvement populaire qui déterminent en dernière instance cette division du travail, somme toute souhaitable et stimulante, qui s'est établie entre le mouvement populaire et le mouvement politique.

Pour rendre compte de la difficulté du passage du mouvement populaire à la lutte politique, il faut prendre aussi en considération les interventions dissuasives, récupératrices ou carrément répressives des agents au pouvoir.

Il y a un drôle de phénomène qui est en train de se produire, du moins à Québec. Maintenant que le mouvement populaire a donné naissance à un mouvement politique autonome, qui consacre ses énergies à la lutte politique contre la classe politique qui dirige Québec depuis près de 20 ans, celle-ci a tendance à ne reconnaître comme opposition légitime et suffisante que la voix des comités de citoyens. Lors du discours qu'il a fait au Congrès de l'Union des municipalités du Québec, à l'automne 1978, le maire Pelletier s'est opposé au projet gouvernemental de démocratisation de la vie municipale, en tenant le raisonnement suivant :

> Quant au rôle du citoyen dans la vie démocratique de son milieu, quatrième facteur de la démocratie municipale, il ne m'apparaît pas en danger. Dans ce sens, en effet, la démocratie municipale se porte bien au Québec. On n'a qu'à lire les journaux, quotidiens et hebdos, pour se rendre compte que dans la majorité de nos villes, les citoyens participent effectivement à leurs affaires municipales, s'y intéressent et interviennent. Quelle ville du Québec n'a pas connu la formation de comités de citoyens créés pour promouvoir ou défendre les intérêts particuliers d'un groupe, d'un secteur, d'un quartier ou même d'une idée ? Peu de municipalités n'ont pas vécu l'expérience de règlements qui ont dû être retirés ou modifiés par suite de l'intervention des citoyens et sous la pression de ceux-ci (*La démocratie municipale*, Notes pour une allocution de M. Jean Pelletier, maire de Québec, au Congrès de l'Union des municipalités du Québec, 27 septembre 1978, pp. 10-11).

Voilà un discours qui contredit celui que tenaient les détenteurs du pouvoir d'avant la naissance d'un mouvement politique. On disait aux comités de citoyens : « faites-vous élire » — tout en sachant très bien que l'accès à la lutte politique requiert des moyens et une organisation que le mouvement populaire n'avait pas. Aujourd'hui qu'un parti politique d'opposition existe, on souhaiterait bien du côté du pouvoir n'avoir affaire qu'à un mouvement social sans expression politique.

En plus de décourager la politisation du niveau municipal, les agents au pouvoir vont tenter de la récupérer, de la diviser, ou tout simplement de la réprimer. De telles interventions ne manquent pas ; pensons à l'association faite par des représentants du gouvernement fédéral entre le FRAP et le F.L.Q., au cours de l'élection de l'automne 1970 à Montréal. Pensons aussi à l'émergence rapide de tiers partis sur la scène politique de Québec et de Montréal, soit le Parti Municipal et le Groupe d'action municipale, le premier parti ayant été suscité par le caucus régional du Parti Québécois et le second par le Parti Libéral fédéral.

Conclusion

Ainsi, comme on peut le voir, la politisation du niveau local se heurte à une idéologie dominante qui cherche à dépolitiser ce niveau de pouvoir, travail de dequalification qui se fonde sur une position politico-administrative de dépendance, position qui laisse une marge de manoeuvre bien réduite aux politiciens locaux, dont ils se contentent bien par ailleurs.

Dans un tel contexte, on comprend que l'investissement d'une instance régionale ou supramunicipale de décision soit soumis au même travail de dépolitisation, c'est-à-dire de distanciation par rapport aux classes populaires.

La dépolitisation du niveau régional par les détenteurs du pouvoir municipal

Je me réfère ici à l'expérience de la Communauté urbaine de Québec. En analysant en effet la mise sur pied de cette instance, le rôle que les maires y ont joué ou celui qu'ils lui ont accordé, on observe une tentative constante de contrôle de la C.U.Q. par les maires des principales villes du territoire et de réduction de son rôle à des fonctions techniques. On a voulu éviter que la C.U.Q. devienne un lieu de débats des enjeux régionaux, un niveau de pouvoir accessible à la population, une instance de décision où se régleraient démocratiquement les questions d'intérêt régional.

Donnons quelques indices de ceci. Tout d'abord, dès la discussion du projet de création de la Communauté urbaine s'amorce la pratique réductrice des maires face à l'instance régionale que le gouvernement voulait créer. Ainsi, la Ville de Québec a obtenu l'acquiescement des autres municipalités à son opposition concernant la disposition de la loi qui prévoyait l'élection du président de l'organisme au suffrage universel. Une telle disposition aurait pu favoriser une plus grande politisation de l'organisme supramunicipal. Cette attitude réductrice des maires s'est perpétuée par la suite : le plus important débat mené par les maires au sujet de la C.U.Q. concernait son coût trop élevé, unanimement et rituellement dénoncé chaque année.

Deuxièmement, la C.U.Q. n'a exercé jusqu'ici que des fonctions techniques (telles que la confection des rôles d'évaluation, le service d'informatique) ou d'aménagement très ponctuel (le parc industriel Saint-Augustin). Elle a fait préparer — comme la loi l'y obligeait — un schéma d'aménagement pour la communauté, mais sans se soumettre à l'obligation que lui faisait l'article 143 de la loi de consulter la population sur ce schéma. On n'a pas non plus donné suite à la recommandation, faite par les auteurs du schéma, de créer une structure permanente de planification à l'intérieur de la Communauté. D'autre part, la C.U.Q. n'a pas exercé les compétences facultatives que lui accordait la loi et qui lui auraient permis d'exercer un leadership régional : v.g. dans la construction d'habitations subventionnées, les loisirs à caractère régional et les parcs régionaux.

Enfin, au moment de la création par les deux niveaux de gouvernement supérieurs de la Société Interport de Québec, on a assisté à un débat régional, qui concernait le rôle de la C.U.Q. et dans lequel les dirigeants de l'organisme sont intervenus en se divisant. Ce débat opposait les tenants de l'intégration de la Société Interport à la Communauté urbaine (position tenue par le directeur général de la C.U.Q. et par le Parti Québécois) et ceux qui désiraient que la Société soit indépendante de la C.U.Q. (position défendue victorieusement par la Chambre de commerce de Québec et par le président de la C.U.Q., M. Gilles Lamontagne, alors maire de Québec). Au moment de réformer la loi de la C.U.Q., en 1978, le gouvernement du Parti Québécois a d'abord pensé intégrer la Société Interport à la C.U.Q. Le communiqué de presse du ministre des Affaires municipales annonçant les « Propositions de changements aux structures de la Communauté urbaine de Québec » approuvées par le Conseil des ministres du 14 décembre 1977 proposait « la fusion au commissariat industriel de la Société Interport par une abrogation de sa loi constitutive » (p. 3). Ce qui correspondait à un souhait émis par le caucus des députés du Parti Québécois de la région de Québec, dans son *Document de travail soumis à Monsieur Guy Tardif,* ministre des Affaires municipales (mars 1977), sur *La réforme de la Communauté urbaine de Québec* (p. 6). Mais, en août 1978, le projet de loi maintenait l'indépendance de la Société Interport par rapport à la C.U.Q. Une telle mesure était d'autant plus étrange que les autres organismes métropolitains autonomes étaient intégrés à la C.U.Q. Cette exception a été consentie à la suite du lobbying de la Chambre de commerce. En plus de contribuer à l'affaiblissement du leadership de la C.U.Q., une telle exception peut avoir des effets néfastes, car il n'existe aucun mécanisme de contrôle démocratique des activités de la Société ; de plus, cette Société bénéficie de fonds publics, alors que la majorité de son conseil d'administration est composée de représentants de l'entreprise privée ; enfin, l'objectif de développement économique de la Société peut venir en conflit avec les perspectives d'aménagement de la C.U.Q., comme il apparaît entre autres dans le cas des battures de Beauport.

En se rendant aux pressions de l'organisme régional de défense des intérêts de la bourgeoisie locale, au détriment du renforcement de l'instance régionale de décision, où siègent des élus au second degré, le gouvernement provincial se trouve à affaiblir l'instance régionale qu'il a créée. Ce n'est d'ailleurs pas là la seule manifestation de l'ambivalence de l'État vis-à-vis de l'instance régionale de décision.

Les représentants de la C.U.Q. sont exclus du processus de décision concernant l'allocation des ressources négociées entre les gouvernements provincial et fédéral à l'intérieur des ententes cadres, alors que l'allocation de ces ressources a des effets importants sur le développement et l'aménagement de la région. Dans le cadre de l'entente Canada-Québec sur les zones spéciales, $ 137,4 millions ont été injectés dans la zone spéciale de Québec (dont les limites sont un peu plus étendues que celles de la zone métropolitaine de Québec), durant la période allant du 1er avril 1970 au 31 mars 1976.

La question se pose de savoir si l'objectif fixé à ce programme, qui était de développer « les services publics suffisants pour attirer l'industrie » et de créer ces « emplois productifs dont le manque représente un des principaux problèmes auxquels doivent faire face les régions à faible croissance du Canada », a eu de tels effets d'entraînement. On est davantage porté à croire que l'importance de ces investissements et leurs orientations ont eu pour effet de renforcer la fonction tertiaire de la zone métropolitaine de Québec, et plus particulièrement le poids de la ville centrale dans la région. À signaler que les sommes affectées au développement industriel, dans le cadre de cette entente, atteignent seulement $ 10 millions (dont $ 4,6 pour la construction du Centre de recherche industrielle du Québec), soit 7,3 % du total. À signaler aussi que la proportion des sommes qui a été allouée à la C.U.Q. est minime : aux environs de 5 %, si on inclut les investissements consentis pour le parc industriel Saint-Augustin.

En somme, on peut penser que l'allocation des ressources des ententes cadres a surtout favorisé Québec et sa vocation touristique.

Conclusion

Si l'on veut tirer les leçons de cette analyse pour discerner quelles seraient les conditions favorables à l'émergence d'un pouvoir régional démocratique, on peut inférer qu'elles se situent d'abord et avant tout du côté d'une plus grande politisation du niveau local.

Tant que celui-ci ne sera pas davantage objet de débats ouverts, tant qu'il ne sera pas davantage approprié par les classes populaires, les tentatives de création d'instances supramunicipales ou de mini-gouvernements régionaux seront contrôlées et rendues inefficaces par ceux qui actuellement contrôlent le pouvoir local en le dépolitisant.

Et dans un tel vide politique, dans un espace local et régional aussi dépolitisé, on peut penser que le sens réel des interventions régionales de l'État aura tendance à différer du sens affirmé.

Ainsi, en créant la C.U.M. et la C.U.Q., le gouvernement québécois a d'abord voulu régler des problèmes particuliers, dont la solution pressait. Selon Marie-Odile Trépanier, le problème de la police a été à l'origine de la C.U.M. et, précise-t-elle, « dans le cas de Québec, il fallait procéder à une réorganisation complète du système des transport en commun [2] ». Qui sait si la problématique réliée à la solution de ces problèmes, qui a d'ailleurs toujours été très présente dans la pratique de ces organismes supramunicipaux, n'a pas relégué au second plan les objectifs de concertation intermunicipale et d'aménagement régional que le gouvernement attachait à ces réformes? De même, dans la réforme de la décentralisation que cherche à réaliser le gouvernement actuel et dont la loi d'aménagement et d'urbanisme constitue une timide amorce, on peut penser que l'objectif de réduction des dépenses publiques qui commande actuellement toute la pratique gouvernementale peut arriver à déplacer les objectifs attachés à cette réforme, et ce d'autant plus facilement qu'il n'y aura pas de mouvement social cherchant à investir les instances régionales créées. Dès lors, il faut chercher à politiser davantage les classes populaires — même si dans nos sociétés il y a une crise grave du politique.

Lionel Robert

Conseil régional de développement de Québec

Notes

[1] J.-P. Collin et J. Godbout, *Les Organismes populaires en milieu urbain : contre-pouvoir ou nouvelle pratique professionnelle?*, Montréal, I.N.R.S.-Urbanisation, avril 1975, p. 202-203.

[2] M.-O. Trépanier, « Réflexion sur les aspects politico-administratifs des communautés urbaines au Québec, *in* Collectif, *Les Communautés urbaines de Montréal et de Québec, premier bilan* », Montréal, Presses de l'Université de Montréal, 1975, p. 68.

Enjeux régionaux et luttes pour le pouvoir

Dans cette communication, je traiterai la question du pouvoir régional telle qu'elle se présente dans une région particulière, celle de l'Est du Québec. Il convient de commencer par quelques mises en garde car cette notion de pouvoir régional peut être à l'origine de plusieurs méprises.

Premièrement, la notion même de région n'est pas toujours claire : on suppose souvent, par exemple, chez les habitants d'une région marginale l'existence d'une conscience régionale dont le rôle dans les rapports sociaux s'apparente à celui d'une conscience nationale de nation opprimée. C'est ainsi que l'on prétend souvent dans l'Est du Québec que les consommateurs sont défavorisés par rapport à Québec ou à Montréal, l'éloignement imposant un choix plus restreint et une élévation des prix due aux coûts supplémentaires de transport ; mais, du même souffle, on ajoute souvent que les hommes d'affaires régionaux sont également « défavorisés » du fait de leur appartenance à une région marginale. Par exemple, les entrepreneurs en construction se sont récemment dits pénalisés par l'application des règlements concernant la priorité d'embauche à cause de l'étendue même du territoire où s'exerçait cette priorité. Les règlements, en effet, obligeaient les employeurs à prendre un travailleur « A » résidant à 200 ou 300 kilomètres d'un chantier avant d'embaucher un « B » demeurant dans la ville même du chantier et de plus l'obligeaient à lui verser une indemnité de transport. Ces règlements furent dénoncés par les entrepreneurs comme discriminatoires envers les régions périphériques. Selon cette façon de voir les choses, tous les habitants d'une région marginale sont « défavorisés » et ils ont intérêt à faire front commun contre le pouvoir central. Comme dans le cas du discours national, il y a risque que cet appel à l'unité de tous les citoyens ne vienne masquer les intérêts divergents et les oppositions de classe qui se font jour à l'intérieur du corps social.

Deuxièmement, les « frontières » mêmes de la région rendent difficile une perception claire de la réalité qu'elle recouvre. Ceci est particulièrement patent pour la région dite de l'Est du Québec : s'agit-il d'une région ou de trois (Bas-Saint-Laurent, Gaspésie, Iles-de-la-Madeleine) ? L'identité « est-québécoise » n'est-elle, au mieux, que le résultat d'un découpage administratif (« la région 01 ») intervenu il y a une dizaine d'années ?

Toutes ces questions montrent que la notion de région n'a pas de fondements objectifs très précis. Cependant, dans le présent texte, je supposerai éclairci le problème de la légitimité du concept de région et je m'attarderai à un autre ordre de questions concernant la nature du pouvoir régional.

Sur ce plan également, il est nécessaire de prendre certaines précautions si l'on veut dissiper le plus possible les méprises. Par exemple, il est très important de préciser de quels niveaux de pouvoir l'on parle et d'établir qui en sont les détenteurs. S'agit-il du pouvoir économique ou du pouvoir politique ? S'agit-il d'un pouvoir exercé par la technocratie, par l'oligarchie d'affaires régionale ou par des organisations dites populaires ? On retrouve un peu de tout cela dans l'Est du Québec : en effet, l'État y administre de nombreux programmes tout en maintenant sur place des fonctionnaires de haut rang qui ont l'autorité de planifier les interventions de leurs ministères dans la région (déconcentration administrative) ; par ailleurs, les organes politiques locaux, comme les municipalités, les commissions scolaires, les commissions industrielles, sont largement entre les mains des notables locaux et des hommes d'affaires régionaux ; enfin, la région a connu une floraison d'organisations dites populaires qui oeuvrent, les unes à titre de groupes de pression ou de défense des intérêts, les autres à titre d'entreprises d'aménagement ou de production.

Où est le pouvoir régional dans tout cela ? Je reprendrai chacune des trois catégories que je viens de mentionner en posant pour chacune d'elles la question du pouvoir régional.

L'État et son pouvoir

La déconcentration administrative dans l'Est du Québec fait suite aux recommandations du B.A.E.Q. (Bureau d'aménagement de l'Est du Québec, 1963-1966). Certaines des dispositions du plan préparé par cet organisme furent reprises dans l'Entente Canada-Québec pour la région de l'Est signée en 1968. Une de ces dispositions consiste en la mise en place de la Conférence administrative régionale de l'Est du Québec (C.A.R.E.Q.), qui devient avec l'O.D.E.Q. (Office de développement de l'Est du Québec), filiale régionale de l'O.P.D.Q. (Office de planification et de développement du Québec), le maître d'oeuvre de l'Entente dans la région. La C.A.R.E.Q., c'est le regroupement des plus hauts gradés des fonctionnaires régionaux des divers ministères québécois qui interviennent dans la région. Certaines décisions sont prises sur place, mais il s'agit en fait d'une déconcentration qui ne peut être assimilée à une régionalisation du pouvoir administratif des ministères. Ce pouvoir est toujours exercé par le centre et toujours soumis à ses impératifs. Tout au plus peut-on dire que ces mécanismes ont contribué à rapprocher la population de ses administrateurs.

Le pouvoir politique local

Les organes politiques locaux, comme les municipalités et les commissions scolaires, sont effectivement le siège de parcelles d'un pouvoir qui est autochtone à la région. Ne serait-on pas en présence de véritables instances de pouvoir régional ? Trois remarques sont à faire à propos de ce « pouvoir ». Premièrement, il s'agit d'un pouvoir qui est plus local que régional par ses assises. Deuxièmement, l'État réglemente les activités de ces organes et contribue dans certains cas largement à leurs budgets, de sorte que la marge de manoeuvre et donc le pouvoir réel dont disposent ces organismes sont parfois fort réduits. Troisièmement, ces organismes constituent encore un château fort des élites traditionnelles dans la région.

Ces élites composées des notables locaux (clergé, professions libérales) et de l'oligarchie d'affaires régionale exercent une influence importante et somme toute très conservatrice dans la région. Il s'agit d'élites essentiellement urbaines, qui cherchent à promouvoir un développement fondé sur les projets de « prestige » dans le domaine du tertiaire et des services. Leur base d'accumulation est l'immeuble (y compris la spéculation foncière), le commerce, les communications, les petites institutions financières. On leur doit le réaménagement des centres-villes de Rimouski et de Matane ces dernières années ainsi que la multiplication des centres commerciaux dans la région. Très peu de ces hommes d'affaires sont des industriels d'origine extra-régionale, puisque ceci serait de nature à apporter de l'eau à leur moulin (immeuble, commerce). Il est remarquable que les maires de la plupart des villes du territoire se recrutent parmi cette catégorie d'hommes d'affaires.

Peut-on parler de détenteurs d'un pouvoir régional pour cette catégorie de personnes occupant les postes des organes politiques locaux ? Oui, sauf qu'il faut spécifier qu'ils représentent les intérêts d'une alliance de classes donnée (notables et oligarchie d'affaires) et qu'ils sont les porteurs d'un projet de développement particulier (axé essentiellement sur les « services »). Ce projet vise et intéresse les couches de la population disposant d'un revenu relativement élevé et n'offre d'autre place que celle de consommateurs passifs aux petits salariés, aux sans-travail et aux ruraux pauvres, dont la région compte des proportions fort importantes.

Existence d'un pouvoir populaire

La troisième catégorie, celle des organisations populaires, est composée de deux secteurs relativement distincts. Il faut d'abord mentionner que plusieurs projets populaires ont pris racine en milieu rural : opérations dignité, JAL, sociétés d'exploitation des ressources, coopératives. Même si l'Est du Québec est surtout connu pour ses organisations populaires rurales, il ne faut pas oublier qu'en milieu urbain, différents groupes populaires et culturels ont poussé, là aussi, comme dans les autres zones urbaines du Québec (A.C.E.F., comités de chômeurs, regroupements d'assistés sociaux, radios communautaires, etc.).

Ces deux secteurs populaires sont amenés à s'opposer à l'État, d'une part, et aux élites traditionnelles détentrices d'un certain pouvoir régional, d'autre part.

Pour toutes les organisations populaires ayant besoin à un moment ou à un autre de subventions gouvernementales, l'État supervise, normalise, encadre et contrôle la plupart de leurs initiatives. En définitive, il y a peu d'organisations populaires qui n'ont pas eu recours à un moment donné de leur existence à des subventions pour assurer au moins une partie de leurs activités. C'est donc dire que l'autonomie de la plupart de ces groupes est relativement mal assurée et que leur existence est dans plusieurs cas précaire.

L'opposition des organisations populaires aux élites traditionnelles est directe dans le cas des groupes urbains. Plusieurs de ces groupes sont en conflit ouvert avec les administrations municipales à propos des politiques de logement, de loisirs, de développement culturel, de services nouveaux à implanter (garderies, par exemple). L'opposition des projets populaires ruraux à ces mêmes élites n'est que potentielle, car jusqu'à maintenant la frange urbaine du littoral et l'arrière-pays ont évolué dans des directions différentes et sans se heurter. Cependant, la tendance à une intégration institutionnelle plus poussée de l'arrière-pays à l'espace économique urbain de la région se dessine. En effet, les futurs conseils de comté renouvelés, qui seront dotés de certains pouvoirs en matière d'aménagement du territoire, regrouperont les municipalités aussi bien rurales qu'urbaines. On peut d'ores et déjà prévoir des divergences dans la définition des priorités et la prééminence probable des éléments urbains. Par ailleurs, les commissions industrielles de la région, jusque-là confinées aux villes et à leur pourtour immédiat, ont affiché leur désir de se donner une vocation de promotion également dans l'arrière-pays. Tous ces éléments nouveaux font que l'opposition des projets populaires ruraux aux élites traditionnelles urbaines, de latente qu'elle est à l'heure actuelle, a bien des chances de s'actualiser dans un proche avenir.

Une partie du leadership est exercée dans ces organisations populaires (urbaines et rurales) par des individus d'origine petite-bourgeoise, dont certains constituent ce que l'on pourrait appeler une fraction radicalisée de la nouvelle petite bourgeoisie. Ces mêmes leaders, par les liens fréquents qu'ils entretiennent entre eux, sont en mesure de jeter un pont entre les organismes populaires de la ville et ceux de l'arrière-pays.

Les syndicats, relativement peu développés dans la région, ne se sont pas impliqués fréquemment dans les luttes populaires de la région jusqu'à maintenant. Plusieurs signes laissent croire qu'un rapprochement des forces syndicales et populaires (urbaines et rurales) de la région est susceptible de se développer dans un avenir prochain. Rimouski, pour la première fois de son histoire, vient de vivre un premier mai syndical-populaire exemplaire et impressionnant : syndicats des trois centrales et organisations populaires ont marché main dans la main. Ce rapprochement syndical-populaire est encore timide, mais il existe et risque de se développer encore beaucoup plus.

Ce rapprochement possible des syndicats et des organisations populaires de même que l'intégration accrue probable de l'arrière-pays aux institutions économiques et politiques de la frange urbaine du littoral vont polariser davantage les luttes sociales et politiques pour le pouvoir dans les années à venir. D'une part, on peut prévoir un aiguisement des contradictions entre le secteur syndical-populaire et les élites traditionnelles de la région ; d'autre part, l'État est déjà désigné dans plusieurs revendications comme la cible, l'adversaire immédiat à vaincre, car il possède un droit de vie ou de mort sur plusieurs expériences populaires. Cette situation ira en s'intensifiant dans l'avenir, car, après dix ans d'ententes spéciales Canada-Québec et après quinze ans de planification, le chômage est plus élevé que jamais dans la région et la migration se poursuit inexorablement.

Conclusion

Les relations entre les trois secteurs qui viennent d'être identifiés peuvent se schématiser de la façon suivante (les flèches indiquant la détention d'un pouvoir qui mène à l'exercice d'une domination) :

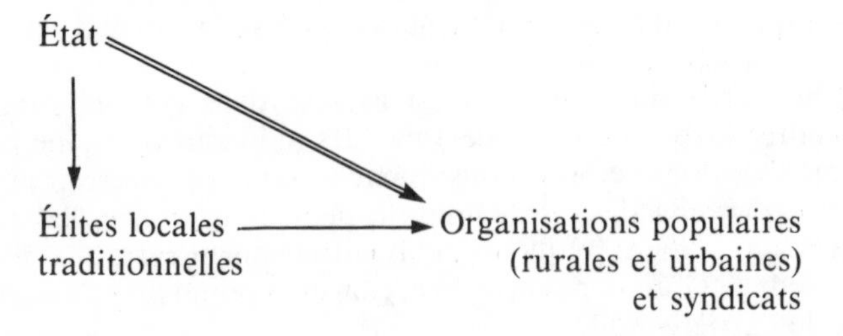

Pour résumer ce qui a été dit, l'État détient un pouvoir effectif, mais ce pouvoir n'est pas de nature régionale, et ce malgré une déconcentration administrative. Les élites traditionnelles, elles, exercent un pouvoir à essence locale, pouvoir qu'elles utilisent principalement pour promouvoir leurs intérêts particuliers. Le secteur syndical-populaire, quant à lui, ne peut compter que sur des bases de pouvoir fort minces et fort précaires. La capacité effective des organismes populaires d'orienter le développement de la région ou d'imposer leurs objectifs est plutôt réduite et, dans cette mesure, leur pouvoir ne peut être qualifié d'important. Leur situation de dépendance n'est toutefois pas complète et ces organisations sont amenées à s'opposer parfois vigoureusement à la fois aux élites traditionnelles et au pouvoir d'État.

À la lumière de ce qui vient d'être dit, il est facile de conclure que c'est l'État, sans aucun doute, qui exerce la plus grande influence dans les décisions qui affectent la région. Non seulement l'État est-il directement responsable d'une série de mesures administratives et politiques qui touchent directement la région, mais aussi il fixe les règles du jeu et de financement en ce qui concerne la plupart des organes politiques locaux, châteaux forts de l'élite traditionnelle, et il exerce un contrôle plus ou moins direct, par le truchement des subventions, sur les organismes populaires de la région. Les organisations populaires ne peuvent, à toutes fins utiles, traduire en réalisations que celles que leurs orientations qui ont reçu l'approbation de l'État.

Cette omniprésence de l'État et son pouvoir envahissant ne doivent pas faire oublier que la logique qui prévaut dans l'exercice de ce pouvoir est celle de la mise en valeur du capital à l'échelle nationale et continentale. La spécialisation de la région de l'Est dans certaines activités productives primaires ne laisse pas de place, par exemple, à la présence massive d'établissements d'entreprises monopolistes sur le territoire (cette présence est tangible, mais n'existe pas sur une grande échelle). Il n'en reste pas moins que l'action de l'État contribue à aménager l'intégration fonctionnelle de la région au reste de l'économie québécoise et continentale. Cet aménagement profite à des agents économiques qui ne sont pas nécessairement présents dans la région, mais qui n'en influencent pas moins les interventions de l'État. Ce n'est qu'en prenant en considération cette dimension de l'action de l'État que l'on peut saisir toute l'ampleur de l'exercice du pouvoir étatique dans une région comme celle de l'Est du Québec.

Serge Côté

Département des lettres et des sciences humaines
Université du Québec à Rimouski

Deuxième partie

Le pouvoir des travailleurs et l'organisation du travail

La santé des travailleurs : une réelle préoccupation ou une appropriation de pouvoir ?

Au cours des dernières années, on a vu resurgir au Québec une problématique que l'on a tendance à qualifier de nouvelle : la santé et la sécurité au travail. Mais historiquement, la reconnaissance de ce principe, même s'il ne fut que peu et mal appliqué, remonte à la fin du XIXème siècle [1]. Au cours des années, la législation sur les accidents de travail s'est modifiée, attribuant la responsabilité de l'acte, tantôt à la victime, tantôt au patron, pour actuellement tenter d'associer les travailleurs à la responsabilité collective des patrons en excluant les syndicats. C'est du moins ce qui semble ressortir du projet de loi relatif à la santé et à la sécurité au travail, qui prône les comités paritaires. De nombreuses protestations se sont fait entendre lors de la présentation de ce projet de loi.

L'actuelle problématique est peut-être plus axée sur les causes du phénomène que par le passé. Cette transformation dépend peut-être de la plus grande participation des travailleurs et de leurs représentants à divers groupes de pression de même qu'au conseil d'administration des nouveaux organismes de la santé. Elle est certes plus revendicatrice qu'au cours des années 60 et plus engageante pour les jeunes médecins qui oeuvrent dans les C.L.S.C. et les D.S.C. Jadis, le traditionnel médecin d'entreprise se contentait de poser des diagnostics et de retourner le travailleur à l'ouvrage sans jamais faire de commentaires.

Problématique basée sur des faits

Stimulé par la recherche mondiale en ce domaine, le Québec a fait ses premières armes. L'Institut de recherche appliquée sur le travail (IRAT) est un exemple de cet essor. D'autres organismes ont contribué à la connaissance des conditions de travail et de leur nocivité pour la santé des travailleurs.

En 1977, une étude intitulée *L'Appauvrissement des petits salariés*[2] démontre que les conditions de travail, comparativement aux habitudes de vie et aux caractéristiques de l'individu, expliquent à elles seules près de la moitié de la variance de l'indice de détérioration de la santé[3] des travailleurs des secteurs manufacturiers, des travailleurs manuels, des non-professionnels des services et de l'administration publique, de même que des anciens travailleurs de ces secteurs devenus chômeurs et assistés. Ces mêmes conditions de travail expliquent le tiers de la variance (indice de détérioration de la santé) pour les travailleurs de la construction et le quart pour un groupe témoin (« contrôle ») composé en très grande partie de professionnels, de directeurs, de contremaîtres et de personnel administratif et de bureau.

Importance des conditions de travail dans la détérioration de la santé : séquence d'ordre selon le pourcentage de la variance expliquée

	Manufacturier	Services	Chômeurs	Construction	Témoin	
(+)	47,3 %	47,1 %	41,5 %	38,7 %	22,2 %	(–)

Par contre, les accidents de travail frappent davantage les travailleurs de la construction et les travailleurs manuels des services et de l'administration publique. Ce sont également ceux-là qui subissent les accidents les plus graves.

Pourcentage des travailleurs ayant subi un ou plusieurs accidents de travail depuis 1967 : séquence d'ordre selon les pourcentages

	Construction	Services	Manufacturier	Chômeurs	Témoin	
(+)	39,6 %	30,7 %	27,3 %	21,5 %	13,2 %	(–)

Cette problématique est donc plus spécifique à certains types de travailleurs et demeure basée sur des faits incontestables. Il faut surtout retenir que les conditions de travail hautement néfastes sont reliées à l'*organisation même du travail* (horaires variables, travail de nuit, au rendement, à la pièce, à commission) ; *sont imposées par la tâche de travail* (travail à la chaîne, effectué dans des endroits malsains parce que le travail se fait sur ces lieux mêmes : dans des endroits frigorifiés, sur des échafaudages, sous terre, dans des courants d'air, dans l'eau, etc.) ; ou sont *associées à la nocivité des produits et des appareils manipulés* (produits chimiques, électrifiés, etc.).

Curieusement, *des services d'hygiène et de santé* offerts sur les lieux de travail (présence d'une infirmière, d'un médecin, tests médicaux, douches, etc.) semblent être davantage l'indice d'un travail dangereux qu'un élément positif pour la santé. Il faut préciser qu'il s'agit de services de santé privés, offerts par la compagnie. Par contre, la présence d'*appareils préventifs* (système d'aération, de climatisation, extincteurs, gicleurs, systèmes d'alarme, d'éclairage, etc.) se révèle propice à la santé.

Même si l'accroissement de l'âge, de la fatigue, des périodes de chômage antérieures et de la quantité d'alcool absorbée accentue la détérioration de la santé, il demeure que les conditions de travail sont incontestablement très importantes dans l'accélération de ce phénomène. La santé au travail doit donc devenir une préoccupation première pour la médecine d'aujourd'hui, du moins pour le corps médical qui oeuvre dans les organismes publics de santé.

Moyens mis en oeuvre pour préserver la santé des travailleurs

Parmi les moyens mis en oeuvre pour préserver la santé des travailleurs, il faut tenir compte des organismes et des interventions.

Les organismes

Dans le réseau des affaires sociales, seuls les départements de santé communautaire (D.S.C.) ont le mandat de s'occuper de la santé au travail. On se rappelle que les organismes de santé et de services sociaux ont été mis en place dans le but d'entreprendre une réforme, suite aux recommandations de la *Commission d'enquête sur la santé et le bien-être social.*

Le D.S.C., bien qu'il se situe à l'intérieur d'un centre hospitalier, a un rayonnement sous-régional, couvrant le territoire de plusieurs C.H. et de plusieurs C.L.S.C. Il a indirectement une vocation communautaire, puisqu'il participe à la promotion de la santé globale en établissant la programmation de divers services préventifs, lesquels seront mis en application par les C.L.S.C. de sa région. Le D.S.C. intervient directement dans deux milieux institutionnels : dans les écoles et dans les usines, industries ou entreprises.

Afin de coordonner les divers services préventifs[4] dont il est responsable, le D.S.C. doit procéder à des enquêtes épidémiologiques, veiller à l'application de mesures de contrôle appropriées, entreprendre des études spécifiques sur les besoins de la population dans le domaine de la santé physique et de la santé mentale.

En pratique, grâce à des équipes multidisciplinaires et au moyen de tests physiques (audiomètre), de tests médicaux et d'examens de laboratoire, il dépiste et soigne en usine ou au centre hospitalier des problèmes de santé, pour ensuite en dénoncer les causes dans l'espoir que s'opèrent des changements dans l'organisation même du travail. Il s'agit d'une oeuvre de dépistage et d'application de soins appropriés fort laborieuse et très répétitive si l'on pense au nombre et à l'insalubrité des industries sur le seul territoire du Montréal métropolitain.

Au printemps 1978, dans le but de se voir reconnaître le mandat de s'impliquer dans le domaine du travail, les C.L.S.C., par l'intermédiaire de leur Fédération, revendiquaient « la responsabilité des programmes de santé dans les milieux de travail[5] », sous prétexte de mieux remplir leur vocation axée sur la prévention et la distribution dans le milieu des soins de première ligne.

La Fédération faisait deux recommandations :

a) l'établissement *obligatoire* de comités de santé-sécurité-salubrité dans toute entreprise de dix employés et plus, à titre d'instrument privilégié d'une politique de promotion de la santé au travail ;
b) la création d'une Régie de la santé au travail qui relèverait d'un ministre titulaire d'un ministère sans vocation économique. Cette Régie de la santé devrait remplacer l'actuelle Commission des accidents du travail.

Ces recommandations devançaient le livre blanc en matière de santé et sécurité au travail. Elles étaient plus revendicatives que ce dernier, exigeant que la *majorité* au comité de santé soit détenue par les employés et non par l'employeur. Ce comité devait soumettre des recommandations *exécutoires* et aurait un *droit de veto* sur les modifications éventuelles de l'environnement du travailleur.

La Régie de la santé, dirigée par un conseil d'administration où les représentants des travailleurs seraient également majoritaires, devait assumer les fonctions suivantes : services d'inspection, information et éducation, recherche et compensation. Cette Régie devait mettre en place une structure fortement régionalisée et décentralisée par le biais des départements de santé communautaire. On réaffirmait leur rôle de coordination, d'évaluation, de planification au niveau régional tout en laissant la dimension de la distribution des services et de l'action aux C.L.S.C.

> Les citoyens devraient pouvoir compter sur les C.L.S.C. qui, de par leur vocation et leur situation, nous apparaissent être les établissements de santé privilégiés pour voir à la promotion de la santé en milieu de travail en collaboration avec le comité de santé-sécurité-salubrité. Les C.L.S.C. devraient avoir la responsabilité première des services de première ligne tant au niveau préventif que curatif dans les milieux de travail ; les D.S.C. assurant la suppléance quand il n'y a pas de C.L.S.C. [6]

Devant les réactions fort négatives provenant tant de la partie patronale que de la partie syndicale, et plus particulièrement du représentant de la F.T.Q., il ne semble pas y avoir eu de suites à une telle proposition.

Les interventions

Comment peut-on interpréter la réaction des syndicats ? Signifie-t-elle que les C.L.S.C. n'ont pas à intervenir dans le débat ?

Il nous semble légitime que les organismes publics de santé

- dépistent les maladies industrielles
- dispensent les soins de première ligne
- réalisent des programmes d'hygiène personnelle dans le but de changer les habitudes individuelles et de favoriser des attitudes saines permettant de réduire et même d'éviter des malaises (v.g. le stress au travail ou ailleurs)
- relèvent les causes de l'apparition de telles maladies par des analyses de laboratoire et des études épidémiologiques
- contribuent à l'amélioration de la formation du personnel médical et des professions connexes dans le domaine de la santé au travail
- diffusent l'information médicale relative à l'amélioration des connaissances

- établissent des priorités régionales en rapport avec l'information et la surveillance de la santé des travailleurs
- se prononcent sur les types de programmes de surveillance les plus appropriés
- améliorent et uniformisent les examens de pré-emploi, épisodiques, etc.
- vérifient les techniques d'examens d'interprétation radiologiques ou de laboratoire afin de rencontrer des critères d'excellence
- surveillent la qualité des premiers soins et des soins préventifs dispensés par les entreprises et les cabinets privés.

Les organismes publics de santé peuvent réaliser de telles interventions sans être présents sur les lieux du travail parce qu'ils sont en relation avec des travailleurs (individus) qui viennent les consulter et demandent leur aide. Ces travailleurs peuvent fournir l'information de base permettant de juger de la qualité de l'environnement au travail, des produits manipulés, des conditions de travail, et dans certains cas peuvent faciliter l'accès de l'usine pour inspection[7].

Mais les professionnels de la santé n'ont aucun pouvoir de revendication (si ce n'est un pouvoir de dénonciation publique) et aucun pouvoir de pression pour exiger que les conditions de travail, l'organisation de la production ou l'insalubrité des locaux soient changés. Les syndicats ont acquis cette certitude par les longues luttes menées et par la difficulté d'obtenir des règlements valables.

Les organismes publics de santé ne peuvent que collaborer et s'associer à des actions de pression mais ne peuvent s'approprier ce pouvoir puisqu'ils ne sont pas directement impliqués dans la production.

Ambiguïtés des notions de milieu et de prévention

La vocation des C.L.S.C. est fondée sur deux notions, celle de « milieu » et celle de « prévention », dont le sens est demeuré vague et dont les dimensions peuvent être multiples. Il se peut qu'une ambiguïté de ces notions ait amené le débordement du champ d'intervention qui leur correspond.

La notion de milieu

Le C.L.S.C. doit être inséré dans le « milieu », dans le quartier où il est localisé. Cela signifie qu'il doit faire siennes les préoccupations des gens du voisinage, doit participer à la vie communautaire et doit s'associer à l'entourage, à l'environnement, au groupe social.

La notion de « milieu » renvoie à la dimension du lieu de résidence, où s'exerce la vie privée des individus et où il est possible d'entreprendre des actions communautaires, par opposition au lieu de production, l'usine ou le lieu de travail, où se manifeste une vie collective, publique, gérée par des conditions établies lors du contrat de travail et où ne peuvent être légitimes que les revendications syndicales en opposition au système de production.

D'ailleurs, dans une région fortement industrialisée, le lieu de résidence est très souvent éloigné du lieu de production. Les travailleurs ont tendance, au fur et à mesure qu'augmentent leurs gains, à demeurer en banlieue pour y créer une quelconque vie privée. Dans un tel contexte, on voit mal comment les C.L.S.C. rattachés à un territoire particulier pourraient agir à la fois sur le lieu de résidence et sur le lieu de production des habitants de leur quartier.

Les conditions de travail ne relèvent pas de la volonté des individus, ni de leurs habitudes ou de leur vie privée. Elles sont imposées au moment du contrat de travail et sont inhérentes à la réalisation du travail commandé sur le lieu même de production. Elles varient selon le type de production, les produits manipulés, la machinerie utilisée, l'état des lieux de travail, etc.

La notion de prévention

Il faut distinguer plusieurs niveaux de prévention si l'on veut savoir de quel ordre peut être la prévention réalisée par les C.L.S.C. dans le domaine de la santé au travail.

Une *prévention primaire*, applicable à toute une collectivité, faite avant toute apparition de symptômes et de problèmes de santé, se situe au niveau même de l'organisation du travail, sur les lieux de production. Il s'agit d'agir sur les causes néfastes à la santé et non de soigner. Une adaptation de la machine assurant la santé et la sécurité de l'homme, la réduction de l'emploi de produits toxiques et leur remplacement par des substituts, des améliorations apportées à l'horaire de travail, aux salles de travail, des appareils de sécurité mis en place sont autant d'exemples de l'application de ce type de prévention.

Seuls les travailleurs et leurs syndicats sont en mesure de revendiquer et d'établir des pressions efficaces pour obtenir de véritables solutions. Les professionnels de la santé, les ingénieurs, les chimistes, les ergonomes et autres spécialistes peuvent alimenter ces revendications par des programmes d'information et de mise en garde contre les dangers que présentent divers produits, appareils ou modes de vie imposés par le travail.

Des programmes préventifs, tels que des exercices de détente susceptibles de réduire le stress au travail, s'adressent à la vie privée des individus.

Ils permettent d'acquérir des attitudes saines sans pour autant faire disparaître les agents de stress des lieux de travail. Malheureusement, même les habitudes les plus saines ne sauraient à elles seules contrecarrer l'effet nocif de tous les agents agresseurs reliés au système de production.

La *prévention secondaire* consiste à dépister les personnes susceptibles de présenter des maladies industrielles afin de les soigner avant que la maladie ne dégénère et devienne chronique. Lorsque les problèmes de santé sont dépistés, le mal est déjà fait. Il s'agit de réduire son action. À ce stade, les professionnels de la santé peuvent dénoncer un état de fait, preuves à l'appui. Toujours, les revendications de changement devront se manifester sur les lieux mêmes de production.

Enfin la *prévention tertiaire* peut s'exercer auprès d'individus chez qui la maladie est installée. On ne peut alors que tenter de freiner une détérioration plus grande, de réduire les souffrances, de retarder les complications. C'est souvent le cas des maladies industrielles, lentes, évolutives, mais souvent irréversibles. À ce stade, s'agit-il toujours de préventif ou de curatif ?

Réelle préoccupation ou appropriation de pouvoir ?

Un tel déplacement de sens de ces notions capitales risque d'aller au profit d'anciennes fractions de classes tout en permettant une alliance avec des agents sociaux. Sous prétexte de désirer « le bien du peuple », les médecins oeuvrant au sein de ces nouveaux organismes de santé ne tentent-ils pas de s'approprier le pouvoir de revendiquer les droits des travailleurs au détriment des syndicats ?

Quels moyens de pression peuvent susciter les comités paritaires de santé ? Comment deux antagonistes de nature, employeurs et employés, peuvent-ils devenir d'accord dans le but de protéger la vie et la santé du travailleur au détriment du profit ? La voix du médecin est-elle si puissante qu'elle permette une telle réconciliation ?

La médecine tente-t-elle de se dessiner une nouvelle image aux allures prolétaires ou désire-t-elle réellement s'associer aux travailleurs dans leurs luttes ?

Conclusion

Le milieu de vie (lieu de résidence) est nettement distinct du milieu de travail (lieu de production), même si, avec la meilleure volonté du monde, on tente de faire de ce dernier un « milieu de vie » ! Ceci ne saurait exister que par l'application rigoureuse d'une véritable prévention axée non pas sur les symptômes et la maladie mais bien sur les causes d'insalubrité et de danger : le système de production, l'organisation du travail et les conditions exigées.

Astrid Lefebvre-Girouard

Unité de recherche
Centre de services sociaux
du Montréal métropolitain

Notes

[1] En 1885, l'Acte des manufactures est voté afin d'interdire « de tenir une manufacture de manière que la vie de qui que ce soit qui y est employé soit en danger, ou de façon que la santé... soit en danger d'être compromise ». *Rapport de la Commission royale d'enquête sur les problèmes constitutionnels*, Annexe 6, 1955, p. 43.

[2] Astrid Lefebvre-Girouard, Nicole Gauthier et Jean Renaud, *L'Appauvrissement des petits salariés*, Montréal, C.S.S.M.M., juin 1977.

[3] Cet indice, basé sur une évaluation de l'état général de la santé, est de ce fait très conservateur.

[4] En périnatalité, santé maternelle et infantile, santé scolaire, gérontologie, hygiène dentaire, maintien à domicile, santé au travail, maladies infectieuses.

[5] Fédération des C.L.S.C. du Québec, *Proposition de la Fédération des C.L.S.C. concernant la réforme gouvernementale sur la protection de la*

salubrité, de la sécurité et de la santé dans les milieux de travail, document de travail, mars 1978, 60 pages.

[6] *Ibid.*, p. 35.

[7] L'inspection peut légalement être faite par des représentants syndicaux et par l'intermédiaire de services gouvernementaux (v.g. Services de protection de l'environnement).

Les travailleurs immigrés face au pouvoir

Analyser la situation des travailleurs immigrés au Canada commande de situer l'immigration par rapport aux facteurs d'émigration dans les divers pays « périphériques » dépendants des pays du « centre » (États-Unis, Canada, Allemagne, France, Suisse, Suède, Finlande). L'immigration ne peut s'expliquer seulement par la volonté des individus de changer de pays pour améliorer leurs conditions de vie. Certes, les facteurs psycho-sociaux ont une influence, mais il faut rappeler brièvement les facteurs socio-économiques et politiques qui forcent des milliers de travailleurs à émigrer

Les différences salariales entre les pays

Dans les pays en voie de développement, l'exploitation est marquée. Les salaires payés par les firmes multinationales dépassent habituellement les niveaux de salaire des entreprises nationales. Ceci n'étonne guère, vu les différences marquées dans le développement général des divers pays. Au Mexique et au Brésil, par exemple, l'écart des salaires avec ceux payés aux États-Unis était de 73,1 % et de 81,8 % en 1970[1].

La répression politique

À ces écarts marqués au niveau des salaires s'ajoute souvent une répression politique ouverte. Pensons à l'Amérique Latine, à Haïti et à certaines régions d'Afrique pour comprendre. Enfin, l'influence culturelle des pays du centre amène les travailleurs à aspirer à l'égalité complète avec les travailleurs des pays « riches », dans la liberté.

Par exemple, 7,78 millions de travailleurs étrangers venant dans une proportion de 71,8 % de pays en voie de développement ont émigré aux États-Unis entre 1951 et 1975[2]. Au Canada, pour la cinquième année consécutive, Haïti se place au premier rang des pays sources d'immigration. Suivent les pays sources traditionnels comme la France, les États-Unis et le Royaume-Uni. En 1968, cependant, 65 % des immigrants admis venaient de l'Europe, alors qu'en 1976, ils ne formaient que 33 % des gens admis[3]. Il est intéressant de constater que 58 % des immigrants (selon le ministère de l'Immigration du Québec) sont des travailleurs intégrés principalement au secteur manufacturier.

Les pressions sur les salaires

Ces travailleurs sortent de leur pays parce qu'ils souffrent directement des pressions sur les salaires. Il est alors nécessaire que la distribution des revenus reste stable et inégale d'un pays à l'autre, sans changement en faveur des travailleurs. Équilibrer les salaires équivaudrait à nuire aux « investisseurs » et cela signifie réduction de la marge de profit[4].

La circulation forcée des biens, des capitaux et des hommes

Le capitalisme monopoliste impose ses rapports de production aux pays sous-développés et change ainsi les modes de production, l'organisation sociale et politique, et la culture même. Cette présence forcée des capitaux entraîne une circulation toujours grandissante et toujours plus rapide des biens de consommation. Les investissements faits dans un pays sous-développé ouvrent aussi la porte à la circulation des travailleurs. Une certaine partie de la main-d'oeuvre trouve de l'emploi dans les secteurs développés par les firmes multinationales alors que d'autres secteurs restent souvent peu ou pas développés. Il y a donc un risque constant de voir une grande partie des travailleurs employés dans les secteurs les moins développés et les plus vulnérables changer de pays.

Les conséquences sont faciles à imaginer : un certain nombre cherche à émigrer vers les pays développés pour s'insérer dans le processus de la production contrôlé massivement par les firmes multinationales. Les États nations acceptent facilement ces mouvements des travailleurs parce que ces derniers viennent grossir les rangs du prolétariat actif et, par surcroît, sont facilement exploitables.

Les mouvements de travailleurs sont souvent accentués par les firmes multinationales elles-mêmes. Les sièges sociaux décident du sort et des conditions de vie des travailleurs de leurs filiales. Leur condition « d'esclaves salariés » leur apparaît d'autant plus clairement que les décisions sont prises loin du territoire national. La fermeture d'une usine étrangère est la manifestation la plus criante de la pression qu'exercent les firmes multinationales sur les travailleurs. Pensons à la fermeture de Cadbury à Montréal et de ITT-Rayonnier à Port-Cartier en 1979.

C'est donc dans un contexte mondial où la tendance à la centralisation va en s'accentuant et où les travailleurs sont de plus en plus soumis à des pressions multiples (économiques, politiques, sociales et culturelles) qu'il faut comprendre les déplacements de travailleurs à travers le monde. La situation n'est pas nouvelle :

> De 1815 à 1918, plus de 35 millions d'Européens parvinrent aux États-Unis. La plupart de ces départs résultaient des changements économiques : ruine des artisans et des paysans, surpopulation dans le cas où la croissance démographique s'accélérait sans des bases suffisantes d'industrialisation (Pologne, Italie, etc.); on comptait aussi des victimes des persécutions religieuses, guerres, révolutions et troubles de toutes sortes. Les immigrants fournissaient la somme de travail exigée par une économie en expansion rapide et ils étaient acceptés en grand nombre[5].

Les travailleurs immigrés au Québec et les pouvoirs en place

Quand un travailleur quitte un pays pour émigrer, il doit d'abord faire face à la loi de l'immigration et tenter d'entrer sur le marché du travail, première étape de sa survie. C'est principalement à ces deux paliers que les travailleurs doivent faire face à divers niveaux de pouvoir.

Le premier pouvoir à affronter : l'État

La loi

Engagé dans un vaste processus d'exploitation au niveau international, le travailleur immigrant doit d'abord se soumettre à une loi canadienne de l'immigration truffée de mesures restrictives et coercitives qui visent un contrôle parfait des travailleurs.

Les objectifs de la loi sont très explicites quant à son sens fondamental. Elle est conçue, selon ses termes,

> en vue de promouvoir nos intérêts sur le plan interne et international,
> de stimuler le développement d'une économie florissante et d'assurer la prospérité dans toutes les régions du pays[6].

Il y a donc une dimension économique très présente dans la loi, dimension qui a des effets directs sur les travailleurs. Il faut que l'État « domestique » les travailleurs étrangers, surtout ceux que l'on présume être des « gens de gauche » parce qu'ils fuient des régimes fascistes (Chiliens, Argentins, Haïtiens, et combien d'autres !). Pour atteindre les nobles objectifs de la défense de ses intérêts, l'État canadien invoque la « sécurité nationale[7] ». Au nom de cette « insécurité » nationale, les travailleurs deviennent facilement passibles d'expulsion, d'interrogatoires, de perquisitions sans mandat ou de détention. L'Union des travailleurs immigrants et québécois a fermement dénoncé ces aspects de la loi : « L'article 104.2 prévoit que tout agent de la paix, et tout agent d'immigration au Canada peut arrêter SANS MANDAT, sans ordre et même sans directive à cet effet, toute personne soupçonnée de tomber sous le coup des articles 27.2b, c, d, g, h, i, j...[8] ».

Ces articles de loi visent surtout les travailleurs parce que ceux-ci viennent d'abord pour s'établir et pour vivre au Canada, mais que leurs conditions de travail pourraient les amener à contester. Pour sa part l'investisseur qui immigre au Canada bénéficie d'une protection particulière parce qu'il contribue à rendre notre économie « plus florissante » et qu'il est peu enclin à s'impliquer socialement et politiquement ; et s'il le fait, il a généralement tendance à s'associer à ses semblables, c'est-à-dire à la bourgeoisie. Il ne représente donc pas une menace à « l'insécurité » nationale.

Les conséquences de l'application d'une telle loi sont faciles à voir. Chez les travailleurs, c'est la crainte et l'insécurité : peur de faire du travail syndical, peur de s'impliquer politiquement, peur de participer à des organisations de masse (groupes populaires, coopératives, etc.). Dans un tel climat, comment parler sérieusement de qualité de l'intégration des travailleurs immigrants ? Et de simple liberté démocratique ?

Si la loi canadienne est presque seule sur la sellette, la raison en est fort simple : l'immigration est essentiellement de juridiction fédérale. Le gouvernement du Québec vient tout juste d'obtenir un droit de regard dans la sélection des immigrants et, pour le reste, il s'occupe principalement de l'adaptation des « Néo-Québécois » au Québec d'aujourd'hui. Cette préoccupation est plus marquée au Québec en raison de ses revendications nationalistes, de son souci d'intégrer les immigrants au système scolaire francophone, de leur donner le français comme langue de travail, etc.

Les appareils d'État

Les principaux services que doivent utiliser les travailleurs immigrants sont les centres de main-d'oeuvre. Les nouveaux immigrants « bénéficient » d'un service centralisé (le fameux centre de Place Alexis-Nihon). Comme ce centre est spécialisé, centralisé et lié directement à l'application de la loi sur l'immigration, les travailleurs essaient de l'éviter et comptent sur leurs propres moyens pour trouver du travail : relations entre parents et amis, recherches personnelles, media d'information, agences de placement privées, etc. Une recherche récente de l'Union des travailleurs immigrants et québécois portant sur 200 travailleurs immigrés le démontre clairement. 38,6 % d'entre eux disent compter sur les relations entre parents et amis, et seulement 5,2 % disent utiliser les centres de main-d'oeuvre[9].

Le second pouvoir : l'entreprise

Une étude récente de Polèse et LêMinh[10] a démontré que par leurs caractéristiques individuelles et professionnelles, les travailleurs immigrants constituent une main-d'oeuvre avantageusement comparable à la main-d'oeuvre québécoise, et même généralement plus scolarisée et plus jeune.

Pourtant, ils arrivent à la conclusion que l'économie québécoise a beaucoup de difficulté à absorber et à intégrer tous les immigrants qui lui sont destinés. *C'est-à-dire que par rapport à leur capacité de production, la contribution réelle des immigrants, au cours de leur première année de séjour, est de 50 % de leur potentiel. Polèse et LêMinh attribuent cette perte à trois raisons principales : 30 % des immigrants repartent presque immédiatement après leur arrivée ; de ceux qui restent, 30 % n'arrivent pas à combler des postes vacants au cours de leur première année et se situent bien en deçà du niveau de revenus équivalant à leur formation professionnelle.*

Cette conclusion est confirmée par l'étude que nous avons réalisée avec l'U.T.I.Q. (Union des travailleurs immigrants et québécois). Sur 200 travailleurs, 39,6 % des hommes et 32,4 % des femmes disent travailler dans le métier pour lequel ils ont été formés dans leur pays. Pour les travailleurs des trois secteurs suivants :

manufactures, services et construction, nous sommes arrivés à établir des moyennes salariales de $ 8 000 pour les hommes et de $ 6 044 pour les femmes. Ces données tiennent compte du fait que les immigrants d'Amérique latine et des Caraïbes ont en général une scolarité plus élevée que les travailleurs européens (en particulier les Italiens, les Grecs, les Portugais et les Espagnols), mais occupent davantage des emplois moins rémunérateurs. Par exemple, on constate qu'il y a dans le secteur de la construction très peu de travailleurs immigrants arrivés au Québec depuis moins de 5 ans. Or ce secteur est formé d'environ 50 % de travailleurs italiens syndiqués à la CSN, dont les salaires, assez élevés, sont comparables à ceux des travailleurs de la construction nés au Canada.

C'est donc dire que les nouveaux immigrants sont pratiquement confinés dans des secteurs défavorisés de l'économie. À ce sujet, il me semble opportun de citer longuement Bernard Bernier, qui, dans un texte intitulé *Classes sociales et conflits ethniques en milieu industriel*, décrit le processus de mobilité des travailleurs en cinq points :

1. Dans les 25 dernières années, des emplois masculins ont été pris en charge par des femmes, et ce avec une baisse de salaire ;
2. Dans la même période, la proportion des travailleurs et travailleuses autochtones, surtout d'origine canadienne française, dans la main-d'oeuvre totale a diminué autant dans la sous-branche de la robe que du manteau, ces autochtones ont été remplacés par des immigrants que l'on paie moins, souvent en-dessous du salaire minimum ;
3. Depuis une dizaine d'années, la composition ethnique de la main-d'oeuvre a changé : majoritairement composée d'Italiens et de ressortissants d'Europe de l'Est en 1960, la main-d'oeuvre immigrante dans le vêtement comporte une proportion toujours plus forte de Portugais, et, depuis 3 ou 4 ans, d'Antillais ;
4. La présence d'un fort contingent de membres d'un ou deux groupes ethniques importants (Canadiens français, Italiens, Grecs, Portugais, ensemble des gens d'Europe de l'Est) dans une usine rend parfois difficile la pénétration de membres d'un autre de ces groupes dans la même usine ;
5. Il y a peu de contacts entre ouvriers et surtout ouvrières des groupes ethniques différents.

Enfin, Bernier note ceci :

> Les raisons principales de la substitution de la main-d'oeuvre immigrante (surtout féminine), aux travailleurs autochtones dans le vêtement ont été clairement identifiées par un des patrons que nous avons interrogés : les immigrantes, surtout celles arrivées récemment, sont plus dociles, acceptent de faire n'importe quel travail, ne réclament pas de vacances, rejettent le militantisme syndical, et surtout travaillent à salaire inférieur [11].

Les nouveaux travailleurs immigrants acceptent donc les emplois dans les services (hôtels, restaurants, etc.) et les industries de fabrication et de transformation les plus « défavorisées ». Ces emplois sont souvent récusés par les travailleurs autochtones et les travailleurs immigrants établis au Québec depuis plus de 5 ans.

Avec une telle situation, un déséquilibre du marché du travail est maintenu et peut rendre le Québec dépendant de l'importation d'une main-d'oeuvre étrangère pour faire fonctionner certains secteurs de son économie, ce qui constitue une solution de facilité. Certains pays (France, Suisse, République Fédérale Allemande) sont déjà atteints de ce mal profond. Pensons seulement à l'hôtellerie, à la voirie, au bâtiment, etc.

Cette conjoncture développe une catégorie de travailleurs surexploités et surexploitables. Les entreprises (petites et moyennes) se disent obligées de payer de faibles salaires pour garantir leur survie (disent-elles !) et pour s'assurer de meilleurs profits. Les nouveaux travailleurs immigrants forment une main-d'oeuvre en partie captive ; ils sont obligés d'accepter des conditions de travail difficiles, et ce souvent sans moyens de défense. Dans certains secteurs (hôtellerie, textiles et vêtements), les travailleurs se rendent compte que les grandes « unions internationales » sont souvent de connivence avec les patrons pour « contrôler » les travailleurs.

Le fait que certaines de ces « unions » aient à leur tête des travailleurs immigrants dans plusieurs cas ne change rien à la situation. Un syndicalisme « affairiste » notoire est bien implanté et ces dirigeants y trouvent une occasion de prestige personnel. Un récent conflit de juridiction entre les Teamsters et la CSN (en novembre 1978) l'a démonté. Une bataille juridique s'est faite sur le dos des travailleurs. De plus, dans plusieurs secteurs, quand les travailleurs immigrants veulent s'organiser, ils sont victimes de congédiements (Popular Industries, Canada Hosiery, Avalon Hosiery), de fermetures d'usine (Canada Fashion)[12]. Évidemment, ces réactions patronales ne s'appliquent pas de façon univoque aux travailleurs immigrants, mais à cause de leur statut devant la loi, ceux-ci sont plus vulnérables, en particulier au cours de leurs premières années de vie dans le « pays d'accueil ».

Face au pouvoir, les travailleurs immigrés s'organisent

Les associations

Depuis une dizaine d'années, les travailleurs immigrés ont commencé à se doter d'associations en vue de défendre leurs intérêts, et ce au grand désespoir des « élites ethniques ».

De fait, les immigrants ne forment pas un tout homogène dans chaque communauté. En général, on parle des Italiens, des Grecs, des Portugais, mais ce lieu commun correspond à ce que les élites de chaque communauté véhiculent. De multiples associations aspirent à représenter la communauté. La bourgeoisie, à ce niveau, est bien organisée. À mon avis, il y a une « petite bourgeoisie ethnique », qui est de connivence avec la bourgeoisie canadienne et qui se donne deux grands types d'associations. Premièrement, les associations de défense directe de ses intérêts (par exemple, une association d'hommes d'affaires), et, en second lieu, les organisations de services.

Dans le premier type, on retrouve les associations d'hommes d'affaires (chambre de commerce, etc.) regroupant des commerçants et des industriels, les associations à caractère religieux ou nationaliste (par exemple, la National Black Coalition). En général, ces organisations véhiculent un nationalisme étroit qui vise à donner plus de pouvoir aux élites.

L'analyse de leur discours fait surtout ressortir le thème des postes de prestige que devraient occuper des gens de couleur ou des gens de la communauté, selon les cas. Par exemple, on dénonce le fait qu'il y a trop peu de présidents de compagnie ou de banque appartenant au groupe ethnique.

En second lieu, il y a les associations de loisirs (sports, activités culturelles, etc.) et de services sociaux et médicaux constituées sur une base ethnique.

Au-delà de ces organisations, il y a les organisations que les travailleurs eux-mêmes se sont données. En général, ces associations ont comme base commune le rejet de la représentation unique par les hommes d'affaires et les professionnels. Les travailleurs se dotent peu à peu d'associations pour défendre leurs intérêts et de centres communautaires pour se donner des services sociaux, d'information et de référence qui correspondent davantage à leurs intérêts. Il faut signaler qu'après leur arrivée, les travailleurs mettent beaucoup plus de temps à s'organiser que la bourgeoisie. Bien sûr, de vieilles organisations de travailleurs existent (comme l'Association of the United Ukrainians), mais ces associations formées d'immigrants d'Europe de l'Est venus au Canada avant la deuxième guerre sont peu actives. Par contre, les groupes de travailleurs immigrés ici depuis cinq ans n'ont presque pas d'organisations pour les représenter. La plupart des associations visent à développer la solidarité ouvrière, à développer les liens organiques avec les centrales syndicales québécoises, à défendre les droits des travailleurs immigrés, à les former et à les mobiliser pour qu'ils puissent se défendre eux-mêmes contre l'exploitation.

La plupart de ces associations naissent sous l'inspiration de militants de gauche. Cette situation s'explique par le fait que ces travailleurs ont souvent une expérience politique dans leur pays d'origine et cette pratique vient par ailleurs enrichir le mouvement ouvrier québécois et canadien. Regardons quelques exemples : la F.I.L.E.F. (Federazione Italiana Lavoratori Emigrati e Famiglie) *, créée en 1972, est un organisme international dont le siège social est à Rome. C'est une organisation de masse qui rejoint les travailleurs de toutes les allégeances politiques. La F.I.L.E.F. est active dans l'éducation des travailleurs immigrés et dans l'organisation syndicale et travaille à la syndicalisation des travailleurs italiens. L'Association des travailleurs grecs, fondée en 1971, veut aussi favoriser l'éducation syndicale et politique, créer des liens avec les travailleurs d'autres origines et avec les centrales syndicales québécoises. L'Association offre également des services directs : consultation sur l'assurance-chômage, sur les problèmes juridiques, sur la loi de l'immigration, etc.

Le M.D.P. (Movimento Democratico Portugués) **, organisé en 1967, avait d'abord comme but de soutenir la lutte anti-fasciste (contre Salazar) au Portugal. Très rapidement, le mouvement en est venu à travailler activement avec les travailleurs portugais à Montréal. L'analphabétisme étant assez élevé dans la communauté, le M.D.P. s'est attaqué à l'alphabétisation-conscientisation selon la méthode développée par Paulo Freire au Brésil. De plus, le M.D.P. s'est attaché à développer la solidarité ouvrière chez les Portugais à Montréal et les liens avec les travailleurs d'origines diverses.

Dans la communauté portugaise, il y a aussi un centre communautaire (Centro Communitario de Referencia e de Informaçao), qui joue un rôle actif dans l'aide concrète à apporter aux travailleurs portugais.

En 1976 naissait « Au bas de l'échelle », sous l'inspiration d'organisateurs communautaires du Centre de services sociaux Ville-Marie et du Centre social d'aide aux immigrants. Cette association visait à regrouper les travailleurs les plus exploités, soit ceux qui travaillent en-dessous du salaire minimum (aides domestiques, serveuses de restaurant, etc.). En 1978, l'association se scinde en deux et un groupe d'aides domestiques forme sa propre association (Association du personnel domestique).

Ces deux associations mettent l'accent sur l'information et la mobilisation afin de dénoncer les situations d'exploitation et de faire des pressions sur les employeurs ou sur l'État.

Des batailles significatives ont été remportées contre des agences

* Fédération italienne des travailleurs immigrants et de leur famille.

** Mouvement démocratique portugais.

de placement, plusieurs cas ont été portés à l'attention de la Commission des droits de la personne, de la Commission du salaire minimum, etc. Ces deux associations se sont montrées très actives pour présenter un mémoire à la Commission parlementaire sur les conditions minimales de travail (projet de loi 126).

En 1976, ces diverses associations, dans la foulée de la lutte menée contre la loi C-24 sur l'immigration, ont envisagé une forme de coalition permanente, ce qui a fait naître l'U.T.I.Q. (Union des travailleurs immigrants et québécois). Comme les autres associations, l'U.T.I.Q. vise à faire de l'information et de l'éducation et à exercer des pressions sur les pouvoirs en place, pour changer des lois ou pour dénoncer les situations d'exploitation. L'U.T.I.Q. introduisait une dimension nouvelle dans la solidarité ouvrière en ayant comme caractéristique de regrouper des associations de travailleurs de diverses origines et des militants d'origine canadienne.

Quelques comités de solidarité nés en 1978 ou en 1979 travaillent aussi dans une perspective de solidarité Québécois-immigrants, par exemple le Quebec-Caribbean Committee, qui vise à développer une meilleure compréhension entre Québécois et Antillais, le Comité québécois pour un Chili démocratique, formé aussi de Québécois et de Chiliens, mais orienté vers la lutte anti-fasciste au Chili, le Mouvement québécois contre le racisme, le sionisme et l'apartheid.

Les positions des travailleurs immigrés

Une position de classe

Les diverses associations de travailleurs contribuent grandement à l'évolution du mouvement ouvrier québécois par leurs positions et les luttes qu'elles mènent. Le fait que ces associations se définissent comme des organisations de la classe ouvrière constitue un enrichissement du mouvement ouvrier québécois. Il faut dépasser les considérations de certains théoriciens de l'immigration qui parlent de « classes ethniques » ou de « sous-classe » formée de « pauvres ethniques »[13] se situant tout à fait au bas de la structure de classes nord-américaine. Une telle position situe les travailleurs immigrés dans une strate distincte à l'intérieur de la classe ouvrière.

Il est vrai que bon nombre de travailleurs immigrés, surtout les nouveaux arrivés, ont souvent des conditions de travail et des avantages sociaux moins intéressants que les travailleurs autochtones, surtout en Europe, où les contingents de travailleurs migrants sont fort importants (en Allemagne de l'Ouest, en Suisse, en

Suède et en France). Ce qui fait dire à l'organisation internationale italienne, la F.I.L.E.F., que les travailleurs immigrants constituent en Europe un sous-prolétariat [14]. Ce genre de problème de différences dans les droits ne peut servir de base à une classification différente de celle des travailleurs autochtones.

Cependant, la pratique et la maturité politique de bon nombre de travailleurs immigrants les amènent dans la pratique à se définir comme étant partie du prolétariat à part entière. De fait, les travailleurs immigrants participent aux rapports de production capitalistes de la même manière que les travailleurs nés ici, et par conséquent subissent la même exploitation, mais accentuée par leur statut et l'insécurité plus grande dans laquelle ils se trouvent.

Une solidarité en devenir

Par leurs positions, les associations de travailleurs nées dans la dernière décade mènent une lutte offensive. Les travailleurs immigrants ne veulent plus seulement s'engager dans des luttes défensives et revendicatrices. Leur offensive conduit à une élévation constante du niveau de conscience des travailleurs et à une plus grande solidarité entre tous les travailleurs.

Dans leur lutte, les travailleurs immigrants sont aussi conscients d'une lacune principale qui concerne tous les travailleurs : l'absence d'un parti ouvrier de masse sur la scène politique et, par voie de conséquence, le manque d'orientation précise des centrales syndicales ou d'un alignement clairement identifié comme c'est le cas en Europe et en Amérique Latine. Par exemple, la C.G.T., en France, est plutôt d'allégeance communiste et la C.F.D.T., d'allégeance socialiste.

La création d'un rapport de force

Les travailleurs immigrants sont en train de réussir à créer un rapport de force qui leur est favorable. Les gouvernements et leurs nombreux appareils et les centrales syndicales ont depuis environ deux ans développé « un préjugé favorable » à l'égard des travailleurs immigrants. Le ministère de l'Immigration du Québec a mis sur pied un comité consultatif auquel siègent six représentants venus de la base, des organisations de travailleurs immigrants. Nous voyons aussi la Commission des droits de la personne, le ministère du Développement culturel, rechercher de « bonnes relations » avec les travailleurs immigrants. Cependant, les perspectives « participationnistes » mises de l'avant par le gouvernement du Québec sont très récupératrices et peuvent contribuer à créer l'illusion que le gouvernement est maintenant un gouvernement de travailleurs. Ce sont les organisations syndicales qui contribuent à l'heure actuelle le plus à renforcer le rapport de force en faveur des travailleurs immigrants. En 1977, la CEQ (Centrale de l'enseignement du Québec) contribuait activement à l'organisation d'un colloque sur la situation des Antillais. Cette centrale collabore régulièrement avec la plupart des associations de travailleurs immigrants. La CSN (Confédération des syndicats nationaux) s'intéresse de façon de plus en plus directe à la situation des travailleurs immigrants par des consultations, des luttes conjointes comme dans le cas de l'Hôtel Méridien et l'organisation d'un « sommet populaire ». La FTQ (Fédération des travailleurs du Québec) vient d'organiser un colloque (1-2-3 avril 1979) sur la situation des travailleurs immigrants et d'adopter une série de mesures concrètes lors de son congrès annuel (25-30 novembre 1979).

Enfin, les patrons en prennent pour leur rhume ! Plusieurs travailleurs immigrants mènent maintenant des luttes intéressantes dans leur milieu de travail : hôtels, restaurants et manufactures. Dans certains milieux, les travailleurs se syndiquent de plus en plus et vont parfois jusqu'à la grève. C'est face au patronat que les travailleurs étrangers deviennent de plus en forts depuis qu'ils ont commencé à défendre eux-mêmes leurs intérêts.

Conclusion

Le développement de l'impérialisme a ses propres lois ; il crée des pressions constantes sur les travailleurs des différents pays et les amène souvent, de façon médiatisée, à prendre la décision de quitter leur pays d'origine. L'émigration n'est donc pas nécessairement un choix complètement volontaire, mais résulte d'un processus d'exploitation qui crée les conditions politiques (par exemple, l'instauration de régimes fascistes en Amérique Latine), les conditions économiques (par exemple, de mauvaises conditions salariales, le chômage), les conditions sociales (par exemple, des services de santé inadéquats, une pénurie de logements) et les conditions culturelles (par exemple, la domination idéologique, la mystification des modes de consommation de la société capitaliste développée) qui forcent le travailleur à prendre la décision d'émigrer.

Rendus au Québec, les travailleurs immigrants doivent subir une exploitation sous diverses formes. Actuellement, la lutte contre l'exploitation est en train de changer. Les travailleurs sont de plus en plus organisés et en mesure d'agir sur les pouvoirs en place. Même si les organisations de travailleurs ne sont pas encore très nombreuses et ne comptent pas un membership très développé, des milliers de travailleurs les connaissent et travaillent avec elles. Ce n'est donc pas par hasard si l'intérêt pour les travailleurs immigrants dépasse maintenant l'objet d'étude des sociologues et des anthropologues pour s'inscrire dans un processus de changement socio-politique.

André Jacob

Module travail social
Université du Québec à Montréal
et Union des travailleurs immigrants et québécois

Notes

[1] Henri ,Claude, *Les multinationales et l'impérialisme*, Paris, Éditions sociales, 1978, p. 86-87.

[2] *Bulletin de l'Institut national démographique* (population et sociétés), Paris, juillet 1977.

[3] Ministère de l'Immigration du Québec, *Bulletin spécial*, 1977.

[4] Suzanne De Brunhoff, *État et capital*, Grenoble, Presses universitaires de Grenoble (Maspero), 1976.

[5] Bernard Granotier, *Les Travailleurs immigrés en France*, Paris, Maspero, 1979, p. 32.

[6] Gouvernement du Canada, Loi fédérale sur l'immigration (C-24), 1977, art. 3.

[7] *Ibid.*, art. 3h.

[8] Union des travailleurs immigrants et québécois, *NOUS, les travailleurs immigrants*, Montréal, avril 1979, p. 22.

[9] Union des travailleurs immigrants et québécois, *Les Conditions de travail d'un groupe de travailleurs immigrés montréalais*, Montréal, janvier 1979, tableau I (texte miméographié).

[10] Mario Polèse et Agnès Lê Minh, *L'Impact à court terme de l'immigration internationale sur la production et l'emploi au Québec, 1968-1975*, Montréal, Ministère de l'Immigration du Québec, « Études et documents », n° 3, avril 1978.

[11] Bernard Bernier, *Classes sociales et conflits ethniques en milieu industriel*, Université de Montréal, Département d'anthropologie, septembre 1976, p. 24-26 (texte miméographié).

[12] Conseil central des syndicats nationaux de Montréal, *Rapport d'une réunion conjointe de groupes de travailleurs immigrants et du Conseil central de Montréal* (18 novembre 1978), p. 6-7.

[13] Anthony Giddens, *The Class Structure and the Advanced Societies*, London, Cohen, 1973.

[14] F.I.L.E.F. (Federazione Italiana Lavoratori, Emigrati e Famiglie), *Dossier sur les conditions de travail*, Montréal, 1976.

Le pouvoir ethnique : ses assises et ses objets

Supposer l'existence d'un pouvoir ethnique et s'interroger sur sa transformation constitue une démarche audacieuse. C'est reconnaître d'emblée la dimension essentiellement politique de la problématique des relations interethniques. En effet, exception faite des marxistes, les sociologues [1] se sont évertués à concevoir cette problématique uniquement sous son aspect culturel, le regroupement des ethnies demeurant un phénomène allant de soi et appelé à se résorber. Dans une telle perspective, la question d'un pouvoir ethnique est accessoire.

La montée du nationalisme québécois, les affrontements à McGill et à Saint-Léonard, l'escalade législative sur les langues, les dernières élections provinciales... ont montré qu'il existait un certain pouvoir ethnique. Le plus souvent, celui-ci s'est manifesté d'une façon communautaire, non pas par des actions individuelles, mais plutôt par des actions collectives, faisant intervenir soit des porte-parole, soit des institutions, soit des masses. Actualisée par les événements, la question ethnique a connu un regain de vigueur au Québec, elle a relancé les études et conséquemment les théories. Celles-ci, hélas, sont muettes sur cette question comme sur bien d'autres.

À défaut d'une explication acceptable du rassemblement et de l'organisation des Néo-Québécois en groupes, la tentation est grande de situer la question du pouvoir ethnique à la jonction de l'un des couples, à saveur manichéenne, si souvent utilisés pour qualifier les rapports interethniques : dominant-dominé, exploitant-exploité, autochtone-étranger. Ce découpage réunit en des blocs homogènes des multitudes d'individus qui perdent toute spécificité. Référence sera faite alors aux Italiens, aux Grecs, aux Portugais, aux Juifs, comme si ceux-ci étaient tous d'accord, avaient tous les mêmes intérêts, étaient tous semblables. Ceux d'entre nous qui connaissent des personnes appartenant à ces diverses ethnies, et nous en connaissons tous, savent que cette homogénéité n'existe pas. Pourtant force est de reconnaître que les actions signifiant un pouvoir ethnique apparaissent bel et bien comme l'expression d'une seule entité, le groupe ethnique. N'est-il pas indispensable alors, pour bien situer les tenants et les aboutissants du pouvoir ethnique, de s'interroger sur la formation des groupes et sur leurs structures ?

La littérature accumulée sur la question ethnique est très vaste, mais heureusement, elle est aussi très redondante. Bien qu'il faille distinguer deux courants distincts, les études fonctionnalistes et les études marxistes, on peut résumer l'acquis scientifique sur cette question en six points : l'immigration, la discrimination, la ségrégation, l'assimilation, l'accommodation et l'intégration, la communauté et (ou) le quartier ethnique.

Quel que soit le cadre théorique, ou culturaliste ou matérialiste, l'immigration est toujours retenue comme le facteur premier qui fournit certaines des conditions indispensables à l'instauration de rapports sociaux ethniquement ou racialement définis.

L'approche fonctionnelle pose l'immigration comme un phénomène inhérent à la généralisation des échanges qui caractérise notre époque, échanges de marchandises, d'idées, d'hommes... L'immigrant est un individu qui, désireux d'améliorer ses conditions de vie, quitte un « moins bien » pour un « meilleur ». La principale conséquence de l'immigration est alors de mettre en relation des individus de cultures différentes et d'amorcer ainsi un changement culturel.

L'approche matérialiste, de son côté, pose l'immigration comme un phénomène politique et économique, dépendant, d'une part, du degré de développement des rapports de production et, d'autre part, de la conjoncture économique du moment. Les pays capitalistes importent la force de travail dont ils ont besoin ; la décision individuelle d'émigrer s'inscrit donc à l'intérieur d'un cadre économique, politique et idéologique structurellement déterminé. La principale conséquence de l'immigration est, au niveau économique, de maintenir le taux d'extraction de la plus-value et, au niveau politique, de diviser le prolétariat.

De même, fonctionnalistes et matérialistes sont d'accord pour reconnaître que les « étrangers » sont, en règle générale, victimes d'une exploitation plus forte en raison de leur qualité d'étrangers. S'ils divergent d'opinion, c'est moins sur les facteurs qui génèrent ce phénomène que sur sa nature et sa finalité. Pour les premiers, la discrimination socio-économique constitue une réponse quasi instinctive mais socialement entretenue, par laquelle les autochtones limitent et entravent la compétition que les étrangers leur font en vue d'un meilleur statut socio-économique. Cette réponse s'enclenche aux « signes » qui justifient et cautionnent un comportement discriminatoire. L'hypothèse est faite, en conséquence, que l'extinction de cette visibilité ne peut qu'entraîner la résorption, par défaut, de la discrimination.

Pour les seconds, la discrimination à laquelle sont soumis les étrangers résulte de pratiques sociales soutenues entre autres au niveau des institutions, parce qu'elles assurent des fonctions économiques et politiques essentielles pour le maintien et la reproduction des rapports sociaux. Les différences concrètes d'ordre biologique ou culturel qui sous-tendent les préjugés sont idéologiquement définies comme « signes » de la discrimination et par là la justifient. Il s'ensuit que ces pratiques discriminatoires ne peuvent disparaître que si surviennent des modifications au niveau des rapports sociaux qui les fondent.

Alors que la discrimination traduit essentiellement une forme d'exploitation économique ayant une connotation sociale (discrimination face à la loi, face aux services publics), la ségrégation signifie principalement une séparation dans l'espace corrélative de la discrimination. Pour les fonctionnalistes, qui sont ceux qui ont défini ce concept, la ségrégation spatiale est signifiante des divisions sociales, donc de la discrimination ; le phénomène est surtout apparent au niveau de la résidence, de l'habitat. Pour les fonctionnalistes, la ségrégation devient le fait des personnes discriminées qui s'isolent pour se défendre.

Il est regrettable que les matérialistes se soient peu intéressés à cette composante de la question ethnique. Le seul élément qu'ils apportent, c'est une reconnaissance possible du rôle des appareils d'État, qui, soit favoriseraient, soit contribueraient à instaurer les différenciations socio-spatiales ou bien encore institueraient la ségrégation afin de gérer les relations interethniques. Compte tenu de la conception matérialiste de l'État, cette contribution revêt une importance certaine, puisqu'elle pourrait démarquer un des champs de la lutte des classes.

L'assimilation constitue une des composantes de la question mises de l'avant par les analyses fonctionnalistes, qui ont voulu exprimer par ce concept à la fois l'acculturation des individus (l'acquisition par les immigrants des modèles de comportements du groupe social dominant) et l'enrichissement de la culture dominante par l'apport culturel des étrangers. L'assimilation, phénomène temporel lent, devrait, d'après eux, amener l'atténuation et la disparition des signes différentiels qui s'enclenchent aux préjugés et aux pratiques discriminatoires. Dès lors, puisque la ségrégation est signifiante de la discrimination, la mesure de la ségrégation équivaut à une mesure de l'assimilation, celle-ci devant être inversement proportionnelle à l'isolement spatial. Cet avancé théorique n'a pas trouvé d'échos concluants dans les faits. La ségrégation persiste au-delà de trois générations et semble, au contraire, constituer un état invariant dans l'organisation spatiale des relations interethniques. Un intérêt demeure relativement à l'idée d'une opposition entre ségrégation et assimilation. La première peut très bien être comprise comme limitant ou conditionnant la seconde.

La notion d'accommodation traduit un état dans les relations interethniques, celui d'une solution politique minimale et nécessaire, celui d'un *modus vivendi* non pas négocié, comme dans l'inclusion de T. Parsons, mais bien imposé par la « majorité ». Bien que peu utilisée, cette notion est celle qui traduit le mieux l'état des rapports entre les « ethniques », c'est-à-dire les immigrés et leurs descendants, et la « majorité », telle qu'elle s'exprime par l'exercice du pouvoir politique. C'est la notion la plus réaliste et la plus lucide que le traitement fonctionnaliste ait produite. Elle situe, en effet, la discrimination et la ségrégation comme les corrolaires d'une accommodation fondée sur un rapport de forces inégal. C'est aussi la moins utilisée. L'accommodation, au contraire de l'assimilation et de l'amalgame, si elle connote la situation des individus, trouve un équivalent collectif dans la notion d'intégration, dont l'usage serait plus approprié pour qualifier la position des groupes que celle des individus.

L'idée de communauté, compte tenu du contexte américain dans lequel elle a pris corps, renvoie, d'une part, à celle d'un petit groupe ou sous-groupe, composé d'individus ayant en partage un ou des intérêts sur lesquels existerait un « consensus » et, d'autre part, à celle d'organisation, c'est-à-dire d'une mise en forme des relations interindividuelles rendant possible une action collective à l'intérieur de la société. Appliquée aux « ethniques », cette notion signifie un regroupement des individus autour d'une commune réalité ethnique ou raciale, couplé avec une organisation des individus pour mener une action sociale commune en tant que groupe ethnique. Cette organisation se manifeste à la fois par la création d'associations et la mise en service d'équipements destinés à soutenir la vie communautaire, commerces, écoles, loisirs, media de liaison... Par quartier « X », on peut entendre, comme définition de départ, un lieu dans lequel vit une partie des individus ayant en commun cet attribut « X », cet ensemble d'individus constituant une proportion de la population totale inscrite dans cet espace. Si le critère « X » est statistique et n'est que cela, si par exemple les personnes de religion orthodoxe se concentrent statistiquement dans telles et telles portions de l'espace, il y aurait lieu de parler d'« espaces sociaux » (social areas). Par contre, si cet espace est occupé de façon privilégiée par un groupe d'individus formant une communauté, il y aurait lieu de parler alors de « quartier », puisque ce terme véhicule une certaine connotation administrative, politique ou juridique, comme il connote l'idée d'unité et d'homogénéité.

Ceci implique que la concentration statistique d'individus, ethniquement catégorisés dans ce cas-ci, désigne des « espaces ethniques » (ou raciaux) qui ne pourront être reconnus comme « quartiers ethniques » que si existent dans ces lieux des institutions à caractère ethnique, révélatrices d'une organisation communautaire plus ou moins poussée. En corollaire s'ensuit la possibilité qu'existent des communautés ethniques sans quartier, des espaces ethniques sans communauté, mais aussi l'impossibilité qu'un quartier ethnique existe sans communauté.

Ainsi définie, la notion de quartier est très restrictive et elle ne devrait être utilisée que pour rendre compte des découpages socio-spatiaux à connotations ethniques ou raciales. La généralisation de son usage à d'autres types de découpages devrait être assujettie à des analyses particulières à chaque cas. Par contre, il faudrait retenir comme possible l'existence de quartiers et de communautés multi-ethniques.

De ces six notions, aucune n'est suffisante pour expliquer la formation d'un groupe ethnique. Certes indéniable au niveau des individus, l'assimilation ne constitue pas le facteur premier d'explication, comme l'ont postulé les sociologues urbains. Les thèses fonctionnalistes sont incomplètes et contradictoires ; de plus, la réalité est là, offrant un démenti catégorique. Les notions de ségrégation, d'accomodation et d'intégration demeurent descriptives d'un état ou d'un effet et ne peuvent nullement intervenir comme facteurs d'interprétation. Restent donc l'immigration, la discrimination et la communauté.

Tous les immigrants, toutefois, ne forment pas des communautés ethniques, tous ne sont pas sujets à des pratiques discriminatoires et enfin toutes les communautés n'offrent pas la même structure, ni même n'occupent un quartier. Deux niveaux de rupture se dégagent donc : un premier au sein de l'immigration, un second dans les communautés. Quel critère distingue les immigrants qui s'organisent en communauté et ceux qui ne le font pas ? Pourquoi certaines communautés s'organisent-elles sur une base territoriale ? Peut-on lier la discrimination avec l'une ou l'autre des catégories d'immigrants et aussi de communautés ?

Une analyse, même succincte, de la législation montre que les gouvernements canadiens ont institué deux formes d'immigration et que l'une d'elles, mettant en jeu les statuts de dépendant et de parrainé, est qualifiable d'« immigration dépendante ». Par cette forme d'immigration, le Canada importe une force de travail peu qualifiée et socio-économiquement fragile mais, ce faisant, il importe aussi des familles. Celles-ci sont issues de milieux sociaux le plus souvent peu industrialisés et tributaires d'économies fondées sur une agriculture quasi moyenâgeuse et apparentée à ce que C. Meillassoux définit comme des rapports de production domestiques. Ce fait implique que le Canada introduit des pratiques socio-culturelles très différentes de celles des Canadiens. L'immigration dépendante véhicule ou génère donc un ensemble de conditions indispensables, mais non suffisantes, pour que prennent corps des communautés fortement structurées parce que capables de se reproduire.

Sur un autre plan, l'analyse de l'accession par des Portugais à la propriété foncière permet d'affirmer que par cette accession, une petite bourgeoisie portugaise s'est formée à même la masse des immigrants portugais entrés au Canada depuis les années 1950. Cette petite bourgeoisie foncière est également une bourgeoisie de boutique, puisque plus de la moitié des propriétaires fonciers portugais les plus importants sont des commerçants. Cette analyse de la propriété foncière permet de concevoir que le rassemblement des Portugais est l'oeuvre d'une petite bourgeoisie portugaise qui a pris corps, qui vit et qui survivra à même ce rassemblement. Il est remarquable que les propriétaires portugais pratiquent une stratégie de location favorisant les locataires portugais et que la concentration des Portugais dans l'espace est apparue à la même époque (1960) que les premières acquisitions de biens fonciers.

L'articulation de ces deux catégories et leur réinscription dans une définition plus large de la question ethnique permettent de situer les notions d'exploitation et de discrimination, soit les notions les plus souvent utilisées pour qualifier la question ethnique. Ce travail de reconstruction de l'objet peut se réaliser en dix points :

1° L'immigration est une pratique sociale, obéissant à des impératifs économiques et politiques conséquents avec l'organisation des rapports sociaux.

2° Il faut distinguer deux types d'immigration, l'une dite indépendante, visant à importer sur une base individuelle une force de travail scolarisée et qualifiée, l'autre dite dépendante, visant à importer sur une base familiale une force de travail peu scolarisée et peu qualifiée ; l'une et l'autre formes d'immigration ne peuvent être que conséquentes avec les besoins économiques du pays.

3° Le caractère familial de l'immigration dépendante et la fragilité socio-économique des immigrants parrainés et désignés, conjugués avec le rapport de dépendance qu'introduit la législation, font que ce type d'immigration véhicule les conditions nécessaires pour qu'un groupe ethnique s'organise en « colonie ethnique[2] », c'est-à-dire en communauté occupant un espace défini.

4° La colonie, en reproduisant les conditions initialement introduites par l'immigration dépendante, reproduit de fait les qualités de la force de travail ainsi importée et, donc, les conditions de son exploitation sous une forme particulière, caractérisée entre autres par des emplois moins bien rémunérés et plus sujets au chômage.

5° La colonie ethnique, en raison de sa permanence comme entité sociale concrète, introduit dans les rapports sociaux des divisions qualifiées à partir de critères arbitraires et étrangers à l'enjeu des rapports sociaux eux-mêmes, c'est-à-dire la redistribution des richesses sociales.

6° Le rassemblement dans l'espace qui caractérise les colonies ethniques signifie la formation, au sein même du groupe ethnique, d'un sous-ensemble d'individus qui ont en commun cet intérêt de rassembler les individus du groupe ethnique.

7° La formation de ce sous-ensemble et le rassemblement sont les produits d'une interaction entre l' « organisation sociale » et l'« organisation spatiale » de la colonie.

8° Ce sous-ensemble se discrimine des autres membres du groupe en accédant à la propriété foncière ; ces propriétaires, une fois en mesure d'héberger d'autres immigrants, d'une part rassemblent et d'autre part captent les effets bénéfiques du rassemblement en capitalisant une rente.

9° Ce sous-ensemble constitue dès lors l'équivalent d'une « petite bourgeoisie ethnique » en ce sens que, bien que non propriétaire de moyens de production, elle bénéficie néanmoins d'une redistribution de la plus-value sociale sous forme d'une rente à laquelle lui donne accès son droit de propriété.

10° L'intérêt de cette petite bourgeoisie ethnique se doit de coïncider avec celui des classes ou fractions de classe qui tirent un avantage de l'immigration dépendante et de l'existence de la colonie qui reproduit des conditions d'exploitation similaires à celles qui ont été introduites par cette forme d'immigration.

La formation des colonies ethniques s'inscrit donc en continuité avec l'immigration sous sa forme dépendante ; elle est le produit de l'action d'une fraction des individus appartenant au groupe ethnique, qui s'érigent en petite bourgeoisie en accédant à la propriété foncière. Ceci leur permet de soutirer une rente à même le rassemblement des membres du groupe, auquel il est dans leur intérêt de contribuer activement. Le rassemblement fournit des conditions nécessaires pour que les traits culturels qui servent de support physique aux pratiques de discrimination sociale soient reproduits au-delà de l'acculturation des individus survenant au fil des générations.

Si la thèse développée à propos des Portugais était valable pour l'ensemble des groupes ethniques qui sont organisés en colonies, ceci impliquerait que les quatre plus importantes communautés néo-québécoises (juive, italienne, grecque, portugaise) non seulement ne seraient pas homogènes mais seraient, au contraire, le produit et le moyen de petites bourgeoisies ethniques. Dans cette éventualité, l'idée du pouvoir ethnique prendrait une teinte particulière puisqu'il serait question, alors, du pouvoir d'une fraction de classe. Un retour sur la problématique générale, revue à la lumière de cette thèse, permettra de mieux comprendre quelle serait la finalité d'un tel pouvoir et d'identifier sur quels objets il serait appliqué.

Les petites bourgeoisies ethniques se distinguent au sein des rapports sociaux par le fait que ceux qui appartiennent à ces fractions de classe accumulent un capital et ont par conséquent des intérêts communs, leur principal souci étant de placer leur capital et de le faire fructifier. Ce processus de capitalisation et d'accumulation s'amorce par l'accession à la propriété foncière, qui donne droit à la perception d'une rente. Ce type d'accumulation s'inscrit dans une stratégie à long terme et fait face au problème constant de réaliser la rente capitalisée dans le bien foncier. Le premier intérêt des petits bourgeois potentiels devrait être, donc, de trouver un autre lieu d'investissement.

Quelles sont les possibilités, à part la rente ? Dans un premier temps, et de façon générale, on peut exclure les secteurs industriels et bancaires. L'implantation d'usines et plus encore la fondation de banques ne sont pas à la portée des premiers venus. Reste donc le secteur commercial, qui, bien que participant du profit d'entreprise, n'exige pas nécessairement des mises de fonds astronomiques puisqu'une bonne partie de ce secteur d'activité demeure encore non monopolisée.

Puisque la thèse veut que la colonie soit avant tout un lieu de reproduction d'une force de travail particulière, reproduction placée sous le contrôle d'une petite bourgeoisie, il serait normal que celle-ci investisse dans les activités commerciales liées à cette reproduction, en particulier dans l'alimentation.

L'investissement dans l'immobilier assurerait une capitalisation à long terme et, du fait du rassemblement, participerait à la création d'un bassin privilégié de consommation. L'investissement dans le commerce de l'alimentation permettrait une exploitation primaire de ce bassin et l'extraction d'un profit commercial immédiat. De même, l'investissement dans les secteurs commerciaux connexes au logement et à l'immeuble (ameublement et entreprises de construction) devrait figurer comme pratiques primaires. Sur ces bases, l'entrée constante d'immigrants devrait garantir la multiplication des possibilités d'investissement et autoriser, par conséquent, une accumulation élargie, mais aussi un élargissement de la petite bourgeoisie.

Si la croissance de la colonie est constante, on est en droit de concevoir que de nouveaux types de commerces requérant de plus vastes bassins de population soient implantés, fournissant ainsi la possibilité d'investissements plus importants, plus rares mais aussi probablement plus lucratifs. On pourrait donc concevoir que pour une croissance constante, l'accumulation forcerait l'ethnicisation de l'ensemble des structures commerciales. On pourrait même avancer que dans le cas des activités commerciales primaires telles que l'alimentation, une masse démographique suffisante autoriserait des investissements en amont dans le secteur industriel des aliments et boissons, par exemple.

Les petites bourgeoisies ethniques pourraient donc, pendant un certain temps, se maintenir comme fraction de classe en investissant uniquement à l'intérieur de la communauté. Le rythme de l'accumulation n'étant pas uniforme pour chaque type d'investissement, ces petites bourgeoisies se hiérarchiseraient, une part toujours plus importante du capital ethnique étant concentrée entre les mains d'une proportion relativement toujours plus petite d'individus. Les règles de la capitalisation prévoient une reproduction élargie du capital. Ceci nécessite l'ouverture de nouveaux champs d'investissement et la multiplication des opportunités. Le postulat d'une croissance constante ne peut, toutefois, être indéfiniment retenu. D'une part, la source n'est pas inépuisable, ni ne sont constantes les conditions qui favorisent l'immigration ; d'autre part, on ne peut nier l'occurrence d'une assimilation atténuant la dépendance des « ethniques » vis-à-vis de la colonie. Les petites bourgeoisies se verraient donc dans l'obligation, ou bien de sortir des colonies pour investir et continuer à accumuler, ou bien de renoncer à élargir leur capital.

Au sortir des colonies, toutefois, les petites bourgeoisies se trouveraient sujettes aux pratiques discriminatoires en raison de leur qualité ethnique, qualité qu'elles-mêmes ont contribué à rendre permanente. Quelles seraient, alors, les possibilités d'action de cette fraction de classe? Comme ce type d'action impliquerait l'affranchissement de l'ensemble des membres des colonies, il serait prévisible que les petites bourgeoisies ethniques entreraient en conflit avec les fractions de classes dominantes, qui, elles, en théorie, ont intérêt à maintenir les divisions ethniques ou raciales en raison de la lutte générée par la contradiction fondamentale des rapports de production capitalistes.

Coincées, les petites bourgeoisies ethniques ne pourraient donc que s'engager dans un conflit avec les classes dominantes, mais en maintenant leurs bases, c'est-à-dire en demeurant « ethniques » ; dès lors, leurs actions ne pourraient que renforcer encore plus leur caractère ethnique et, par conséquent, les pratiques discriminatoires qui le mettent à profit. Obligées d'investir en dehors de la colonie, les petites bourgeoisies se devraient de conquérir des champs d'investissement. On pourrait concevoir, d'une part, qu'elles mettraient à profit leur emprise sur la force de travail particulière que recèlent les colonies pour soutenir une action économique compétitive et, d'autre part, qu'elles concentreraient leur action sur des secteurs d'activités économiques « abordables », c'est-à-dire à faible composition organique, en vue de les monopoliser, ce qui rendrait leur capital indispensable.

Sur un autre plan, l'étiolement de la colonie, consécutif à une réduction des flux migratoires et à l'assimilation, devrait être compensé par un renforcement de la cohésion communautaire, ce qui pourrait être obtenu par la politisation des pratiques discriminatoires. L'émergence au niveau politique des petites bourgeoisies ethniques entraînerait une réaction négative de la part des fractions de classes dominantes et susciterait par ricochet un accroissement de la dépendance des « ethniques » vis-à-vis des colonies, donc des petites bourgeoisies. Cette politisation, compte tenu du double fait que les petites bourgeoisies contrôlent un espace et que le pouvoir politique est spatialisé, pourrait se matérialiser autant au niveau municipal qu'au niveau national. Comme toutefois, à ce dernier niveau, leur action ne pourrait être que minoritaire tant que leur contrôle ne représenterait pas un enjeu électoral ou une balance de pouvoir, les petites bourgeoisies auraient avantage à consolider leurs assises politiques au seul niveau local.

Cette discussion a fait ressortir une finalité générale de l'exercice du pouvoir par les petites bourgeoisies ethniques, celle d'accumuler du capital. Mais cette accumulation se réaliserait selon deux phases distinctes [3], l'une qualifiable d'extensive, l'autre d'intensive. Dans le premier cas, les petites bourgeoisies étendent leurs bases d'accumulation en ethnicisant des structures économiques et en mettant en place des structures communautaires. Dans le second cas, elles intensifient leur accumulation en tentant de spécialiser leurs investissements — et, si possible, de monopoliser des secteurs — et en politisant les divisions ethniques. L'exercice du pouvoir ethnique par les petites bourgeoisies sera donc différent dans les deux cas.

Lors de la phase extensive, les petites bourgeoisies doivent maintenir le plus longtemps possible l'afflux d'immigrants le plus important possible. C'est un objectif de base. Ceci expliquerait les réactions soutenues des groupes ethniques lorsque le gouvernement canadien manifeste le désir de freiner l'immigration dépendante. Les petites bourgeoisies doivent également renforcer la cohésion du groupe. Aussi multiplient-elles les institutions telles que les écoles, les media d'information, les activités culturelles, les associations.

Dans la seconde phase, l'objectif de ces petites bourgeoisies est de conquérir des champs d'investissement en dehors de la colonie. Elles entrent alors en concurrence les unes avec les autres ainsi qu'avec les classes autochtones et dominantes. Dès lors, *volans nolans*, elles sont obligées de politiser les rapports interethniques en dénonçant les pratiques discriminatoires, en acquérant le contrôle des structures politico-administratives qui sont à leur portée, en tentant de constituer un enjeu électoral. Ce faisant, les petites bourgeoisies transforment les divisions ethniques, ayant à la base une fonction d'exutoire en rapport avec la contradiction fondamentale, en une nouvelle contradiction, seconde certes, mais bien concrète.

Aussi comprendra-t-on, telle qu'elle apparaît, que l'expression d'un pouvoir ethnique soit avant tout l'expression d'une action de classe, d'une fraction du groupe ethnique. Ce pouvoir des petits bourgeois s'exerce autant à l'intérieur des communautés, au nom d'une culture ancestrale, qu'à l'extérieur, au nom, alors, de la communauté. Si les divisions ethniques sont un des moyens utilisés par la bourgeoisie pour lutter contre les travailleurs, les petites bourgeoisies ethniques sont celles qui manipulent ce moyen. Ce sont elles qui exécutent les divisions. Ce faisant, elles en récupèrent les effets seconds, mais arrive nécessairement le moment où leurs intérêts entrant en contradiction avec ceux de la bourgeoisie, elles politisent les divisions ethniques. La lutte des classes resurgit alors à un niveau manifeste, sous une forme différente qui risque d'occulter l'enjeu premier de cette lutte, la redistribution des richesses sociales.

Gilles Lavigne
Institut d'urbanisme
Faculté de l'aménagement
Université de Montréal

Notes

[1] L'analyse présentée ici reprend en bref celle que j'ai exposée dans *La Formation d'un quartier ethnique : les Portugais à Montréal*, Université de Montréal, Faculté de l'aménagement, février 1978, thèse de doctorat.

[2] Par colonie ethnique, il faut entendre un groupe ethnique organisé en communauté, occupant un espace défini et assurant une fonction de reproduction du groupe. Ce terme de colonie rend compte, en français, d'une reproduction et d'une localisation ainsi que d'une réunion d'individus issus d'un même pays qui en habitent un autre.

[3] Ce découpage en deux phases rejoint celui qu'a proposé l'équipe de recherche du C.R.I.U. qui, depuis deux ans, étudie l'histoire de l'urbanisation du Québec (projet F.C.A.C.).

Le pouvoir syndical : limites et contradictions

C'est un signe des temps : voilà maintenant que nous parlons de *pouvoir syndical.* Ce faisant, nous accolons deux mots qui, il n'y a pas si longtemps, paraissaient irréconciables, incompatibles, tant les organisations ouvrières semblaient dépourvues face au capital et à l'État. Les choses ont-elles tellement changé ? Qu'il s'agisse des répondants aux sondages Gallup, pour qui les syndicats ont de plus en plus, voire trop de pouvoir, ou qu'il s'agisse de dire que le mouvement syndical participe à la reproduction du système, c'est maintenant une chose entendue : le mouvement syndical québécois fait partie intégrante des réseaux de pouvoir qui sont à l'oeuvre au Québec. Et la question qu'il convient alors de se poser, c'est : « dans quelle mesure le pouvoir et l'influence de la classe ouvrière, des travailleurs, sont-ils réductibles, assimilables à ce pouvoir syndical, et représentés par lui ? » .

Les réflexions, essentiellement empiriques, que je veux ici proposer, à titre de femme impliquée et employée dans une centrale syndicale, la Fédération des travailleurs du Québec, depuis plusieurs années, tournent forcément autour de cette notion de pouvoir, puisque tel est le thème de ce colloque. Je ne m'attarderai pas à tenter de la définir, mais je veux signaler, au départ, que ce n'est pas sans malaise que j'aborde ce sujet. Nous avons été formés à l'idée que l'organisation syndicale était essentiellement un contre-pouvoir, une force de contestation et ultimement de renversement. Il s'ensuit que poser la question du degré de pouvoir du syndicalisme dans notre société est un geste inconfortable ; poser celle du pouvoir à l'intérieur des structures syndicales l'est encore davantage, et prend une allure démystificatrice. Ce sont pourtant là questions pertinentes, qu'il faut poser, à défaut peut-être d'y répondre.

Le pouvoir syndical dans la société québécoise

Depuis les 15 ou 20 dernières années, le pouvoir syndical et le mode d'exercice de ce pouvoir ont connu des variations importantes. Pour ma part, je partagerais en trois périodes cette évolution, laquelle fut marquée par des déterminismes tant politiques et économiques, qu'intra-syndicaux.

Première période

Une première période couvrirait, grosso modo, les années 60 jusqu'en 1972. Cette décennie tient sa cohérence interne principalement du fait de l'unité syndicale qui l'a caractérisée. Dans les années 60, cette unité fut marquée par la publication de mémoires conjoints des centrales (incluant l'UCC) sur des sujets majeurs : question constitutionnelle, assurance-maladie... ; cette unité se confirma par la discussion très avancée d'un pacte de non-maraudage entre les états-majors syndicaux et la tenue des colloques régionaux en 1970.

Parallèlement, le taux de syndicalisation croissait, grâce en bonne partie à la syndicalisation des travailleurs des secteurs public et para-public. L'effort de rattrapage entrepris par les travailleurs du secteur public était soutenu par leurs camarades du secteur privé ; cet appui devait connaître une dernière mais éclatante manifestation lors des débrayages du printemps 1972, à l'occasion de l'emprisonnement des dirigeants syndicaux. Pendant cette période également, la FTQ opérait son grand tournant de « québécisation », qui, bien sûr, lui permettait d'assurer sa survie et son développement, mais surtout faisait d'elle un intervenant impliqué dans l'évolution politique québécoise et le développement des forces de gauche.

Sur le plan économique, la machine tourne (relativement) bien, et les syndicats mènent des luttes pour atténuer les inégalités socio-économiques engendrées par le système. Le gouvernement, d'année en année, s'affiche de plus en plus comme le défenseur inconditionnel de la liberté d'entreprise mais doit concéder un ensemble de politiques sociales répondant aux revendications ouvrières.

La crise économique, qui commence à se faire jour au début des années 70, marque l'époque d'une grande effervescence politique et militante du côté syndical. C'est la période de la parution de plusieurs « manifestes » syndicaux, traduisant la recherche autonome mais parallèle qui avait cours dans chaque centrale. S'il était d'usage alors, dans plusieurs milieux, de « hiérarchiser » le niveau d'articulation politique des centrales syndicales l'une par rapport à l'autre, pour plusieurs qui vivaient les débats de l'intérieur, c'était un vain exercice, tant les ressemblances dans la recherche et la pratique militante apparaissaient supérieures aux divergences, celles-là davantage sinon exclusivement liées à des questions de vocabulaire, de niveau de langage.

Cette première période fut une époque de solidarité syndicale, de recherche commune, d'ouverture des centrales face à la multitude de comités de citoyens et d'organisations populaires qui foisonnaient alors. S'il faut parler en termes de pouvoir, comment ne pas dire que cette période, marquée au coin de la solidarité, fut celle du développement d'un contre-pouvoir, axé non seulement sur l'opposition à un gouvernement anti-travailleurs, mais aussi sur la définition d'une société différente.

Deuxième période

Ma seconde période de référence s'étend de 1972 au 15 novembre 1976. Plusieurs transformations s'opérèrent alors.

Sur le plan de l'unité syndicale, le schisme à la CSN qui devait donner naissance à la CSD est suivi d'une montée du syndicalisme indépendant ou « non aligné », alors que le taux de syndicalisation global commence à plafonner. Les premiers tiraillements dans la solidarité entre les travailleurs des secteurs public et privé deviennent perceptibles. Le début du processus d'émiettement des forces syndicales, qui accompagne des relations inter-centrales de plus en plus tendues, est consacré par la mise sur pied de la Commission d'enquête Cliche, dont les marques sont loin encore aujourd'hui d'être effacées.

Cette période n'est pourtant pas exempte de luttes communes, et ici il faut parler de la lutte pour l'indexation, qui fut l'occasion d'un rapprochement des centrales à l'occasion d'états généraux ; il faut aussi parler de la lutte contre le bill 89, que Bourassa retira finalement sous la pression. De façon générale, cependant, il s'opéra un certain repliement dans chacune des centrales autour de ses conflits propres.

L'accentuation de la crise économique entraîna les organisations syndicales dans des luttes défensives pour protéger l'emploi et les droits acquis. L'agression de la loi C-73 (et 64) entame le champ du négociable, attaque le pouvoir d'achat des travailleurs, et sonne le glas des luttes pour l'indexation.

Enfin, la question nationale, qui commence à prendre de l'importance du fait de l'implantation du Parti Québécois dans la société et des échos favorables qu'il trouve chez les travailleurs, intervient de plus en plus souvent comme élément perturbateur dans les discussions politiques auxquelles se livrent les organisations syndicales. Plus le Parti Québécois assure sa force, plus les syndicats hésitent à affirmer leur identité et à définir leur plate-forme. À la FTQ, les années 1973-1974 marquent des moments importants de notre histoire de reconquête et d'affirmation au détriment du Congrès du travail du Canada ; les revendications d'autonomie de la FTQ étaient le fruit d'une volonté très ferme des militants, qui sans doute voyaient là un prolongement logique de leurs convictions nationalistes à la hausse.

Rétroactivement, cette période m'apparaît marquée de flottement et d'effritement. Le mouvement syndical en vient à développer et à systématiser son rejet absolu du régime Bourassa et donc à s'affirmer comme force d'opposition ; la publication du rapport Fantus confirmait à sa façon cette évolution. Mais il est en même temps de moins en moins capable de définir des objectifs communs aux centrales et de poursuivre la recherche idéologique entamée précédemment. Et c'est un mouvement syndical affaibli parce que divisé qui voit le Parti Québécois prendre le pouvoir, un mouvement syndical dont les divergences semblent de plus en plus nettes à l'approche des élections.

Troisième période

Ce qui était en germe pendant cette seconde période se voit en quelque sorte consacré après la prise du pouvoir par le Parti Québécois. L'heure est au chômage, aux fermetures d'usines, à la psychose du licenciement ; la situation économique pénible dans laquelle se débattent les travailleurs, et qui pouvait susciter un mouvement de révolte et une mobilisation intense, est inséparable d'un contexte politique qui va précisément contre un tel mouvement. Les centrales syndicales ont dû opérer des rajustements tenant compte de la prise du pouvoir par le Parti Québécois et surtout de l'appui massif qu'il a connu de la part des travailleurs.

Alors qu'il constituait auparavant une force d'opposition au gouvernement en place, le mouvement syndical assiste au renversement de la situation, le nouveau gouvernement se trouvant la cible de l'opposition des forces patronales et de multiples tentatives de déstabilisation. À des degrés divers, les centrales ont senti le besoin d'appuyer le gouvernement contre cette opposition virulente.

Il est sûr que la FTQ s'est démarquée des autres centrales, et particulièrement de la CSN, dans son attitude face au nouveau gouvernement. L'attitude de la FTQ prend racine dans des discussions dans notre centrale qui reflètent les attentes d'une majorité de militants. Il ne s'agit certes pas d'une approbation inconditionnelle, et il existe plusieurs tendances à la FTQ exprimant des niveaux différents de recul critique face au parti au pouvoir. Des débats plus articulés et sûrement plus durs sont inévitables.

Pour plusieurs observateurs, il est apparu à quelques reprises que les centrales avaient des positions souvent assez rapprochées sur quelques sujets bien précis, mais que ces positions, s'insérant dans des présentations ou enveloppes idéologiques différentes, apparaissaient trompeusement contradictoires. Bien sûr, l'idéologie de base est fondamentale, quand il s'agit de dire « on est plutôt pour » ou « on est plutôt contre »; pour les nostalgiques de l'unité d'action syndicale, cela peut sembler parfois passablement stérile.

Les relations intersyndicales ont connu sans doute leur plus bas niveau depuis longtemps en 1978, alors que le 1er mai a vu les centrales se diviser. Les tensions et tiraillements sont omniprésents, les rivalités intersyndicales et le maraudage plus vifs que jamais, et même le projet d'unité CEQ-CSN est tabletté. Le taux de syndicalisation plafonne et les centrales n'arrivent pas à s'entendre sur les moyens de remédier à ce problème. Le front commun des travailleurs des secteurs public et para-public a commencé à fonctionner sur des bases d'unité et de militance fragiles.

Alors donc que le mouvement syndical se révèle désuni, en perte de capacité de mobilisation, il se trouve amené à assurer un rôle de « partenaire » socio-économique à la faveur de la politique de concertation du gouvernement québécois. Affaiblissement du contre-pouvoir et institutionnalisation d'un nouveau pouvoir de participation.

Cette politique de concertation du gouvernement québécois se fonde précisément sur sa fragilité. Et c'est cette même fragilité qui motive les centrales — certaines centrales devrais-je dire — à endosser cette politique, tant le Parti Québécois représente actuellement le seul véhicule potentiel d'un certain nombre d'aspirations.

Les choix qui s'offrent au mouvement syndical sont limités. Avons-nous, par exemple, le choix de ne pas appuyer le gouvernement dans ses tentatives de reprise en main de l'économie québécoise au détriment des intérêts des multinationales? Le mouvement syndical se trouve forcément sur une corde raide. Ayant sacrifié — avec plus ou moins d'hésitations selon les centrales — le confort du refus global, les syndicats doivent tantôt approuver, la plupart du temps nuancer, tantôt rejeter les propositions gouvernementales, et cet exercice demande une rigueur et une articulation politique accrues, ce à quoi ils n'étaient pas nécessairement préparés. Peut-être le Parti Québécois a-t-il pris les syndicats de vitesse, avant qu'ils aient eu le temps de préciser leur plate-forme, de compléter les amorces du début des années 70.

Le débat sur la question nationale peut entraîner un mouvement de réflexion plus intense sur le projet de société véhiculé par les centrales, et dans ce sillage la reconstruction d'une force politique qui n'existe plus guère. Une telle éventualité devra toutefois nécessairement s'appuyer sur une unité syndicale qui, pour l'instant, stagne à un niveau très bas.

Le pouvoir à l'intérieur des centrales syndicales

Ce colloque prend place au lendemain du congrès d'une organisation syndicale (CCSNM) où la présence et le rôle des groupes politiques furent non seulement discutés, mais lourdement déterminants. C'est un problème difficile, là encore vécu différemment dans chacune des centrales, et qui me semble devoir prendre plus d'ampleur. C'est non seulement un problème de pouvoir à l'intérieur des structures syndicales, mais aussi un problème d'unité et de solidarité ouvrières. L'omniprésence des groupes politiques a lourdement contribué à éloigner les centrales l'une de l'autre et particulièrement à isoler les centrales de l'ensemble des forces progressistes au Québec. Cette même omniprésence contribue parfois à développer une méfiance exagérée et stérilisante à l'endroit de toute expression de dissidence à l'intérieur du mouvement syndical.

L'analyse, qui s'amorce, de la présence et de l'impact des groupes politiques à l'oeuvre dans le mouvement syndical amènera peut-être ce dernier à faire un lien entre un certain effritement idéologique et la vulnérabilité qui le caractérise face à l'intervention de militants émanant de groupes idéologiquement très structurés.

Au-delà de l'action des groupes politiques à l'intérieur des organismes syndicaux, toute la question de l'exercice du pouvoir syndical m'apparaît représenter un enjeu qu'il faudrait livrer à la réflexion collective. Le mouvement syndical, qui a souvent été prompt à dénoncer le système de représentation, la démocratie dite bourgeoise, un certain formalisme démocratique, ne doit pas hésiter à transposer certaines de ses analyses à son propre fonctionnement. Cela me semble d'autant plus impérieux que le mouvement syndical accepte de s'engager dans des expériences de concertation, et que corollairement la hausse de l'intervention étatique dans l'économie ne peut qu'entraîner un certain glissement du pouvoir ouvrier de négociation vers les instances syndicales supérieures. Ce glissement a déjà été manifeste dans les syndicats des secteurs public et para-public, et cela n'a pas été sans entraîner des heurts et des rajustements de parcours. De même, dans l'industrie de la construction, les syndicats majoritaires désirent revenir à l'autonomie de négociation qu'ils ont perdue avec la loi 290.

Pour que cette volonté de contrôler les centres de décision et de les ramener le plus près possible de la base ne s'inscrive pas en contradiction avec l'évolution qui se dessine actuellement — syndicalisme comme partenaire économique et politique — le mouvement syndical ne doit pas hésiter à s'interroger sur ses pratiques participationnistes. Le phénomène de l'absence ou de la grave sous-représentation des femmes dans les instances syndicales est sans doute l'illustration la plus évidente, la plus incontestable, des difficultés qu'éprouve le mouvement syndical à prendre en charge et à représenter adéquatement les intérêts de larges portions de ses effectifs. L'absence de pouvoir des femmes syndicalisées n'est évidemment pas un phénomène qui peut être considéré isolément de ce qui se passe dans la société globale. Sans insister sur les nécessaires liens qui doivent être tracés, on peut quand même noter qu'il ne devrait pas être utopique d'attendre du mouvement syndical un effort de réflexion — et une action subséquente — qui mettrait en cause les modalités d'exercice du pouvoir syndical.

Le faible taux de syndicalisation des travailleurs québécois, qui ressort clairement lorsque l'on isole le secteur privé, et les solutions préconisées pour pallier ce problème, sont un autre enjeu susceptible de poser la question du pouvoir à l'intérieur des organisations syndicales. Les syndicalistes les plus critiques ne remettent jamais en cause le caractère irremplaçable des syndicats comme outils de lutte, de défense et de promotion des intérêts des travailleurs ; les organisations syndicales sont les seules à être contrôlées, selon des modes fort variés bien sûr, par les travailleurs, et les seules à pouvoir véhiculer adéquatement leurs besoins et aspirations. Il s'ensuit que des formules visant à permettre une syndicalisation accrue sont les seules formules de défense des travailleurs qui puissent être acceptables par le mouvement syndical. La FTQ a, quant à elle, fait la promotion de l'accréditation multipatronale, moyen concret de permettre à des milliers de travailleurs l'accès au syndicalisme.

L'accréditation multipatronale se trouve souvent mise en opposition avec une meilleure législation minimale universelle, qui prétendrait garantir des droits aux travailleurs en l'absence de toute organisation collective. Autant la lutte pour l'accréditation multipatronale me semble juste, autant il me semble important de l'associer à une volonté de conserver entre les mains des collectifs de base l'essentiel du pouvoir de décision. L'accréditation multipatronale, en facilitant l'accès à la syndicalisation, peut entraîner un raffermissement du pouvoir d'influence que peut exercer la classe ouvrière, une meilleure cohésion dans ses rangs, et en ce sens un accroissement du pouvoir syndical au niveau de la société globale. Cet accroissement de pouvoir me semble cependant devoir être conditionné par une grande vigilance au niveau des structures de participation et de décision de ces nouveaux syndicats multipatronaux.

Dans le cadre de cette tendance à la concentration du pouvoir syndical, qui est en grande partie dictée par une conjoncture que le mouvement syndical ne contrôle pas complètement, on peut identifier comme un signe de santé démocratique l'accent actuellement mis dans le mouvement syndical sur la formation des membres et militants, qui s'inscrit dans une perspective d'autonomie et de prise en charge de leurs pratiques syndicales par les membres.

Le pouvoir syndical (interne) doit faire l'objet d'un perpétuel questionnement, au risque de se mettre à ressembler aux autres pouvoirs qu'il dénonce quotidiennement. Plusieurs initiatives syndicales, très diversifiées, vont dans ce sens, au-delà de cette volonté de formation de la base et par la base. Quand le CCSNM s'interroge sur le rôle des groupes politiques à l'intérieur de sa structure, quand la FTQ s'interroge sur la place des travailleurs immigrants et de leurs luttes dans son action syndicale, c'est de pouvoir qu'il s'agit. Lorsque les comités de condition féminine suscitent des discussions, parfois pénibles, dans les centrales, c'est non seulement de reconnaissance des droits des femmes qu'il s'agit, mais aussi de leur reconnaissance du droit au pouvoir. Pouvoir différent sans doute, mais pouvoir.

Les débats qui traversent et ébranlent les organisations syndicales constituent peut-être une garantie de vitalité et de démocratie interne. Le mouvement syndical ne doit pas rester en dehors de la réflexion sur la réappropriation du pouvoir individuel et collectif de détermination de nos devenirs ; il doit y participer, non seulement dans ses pratiques de relations patronales-ouvrières, mais à l'intérieur même de son fonctionnement propre.

Mona-Josée Gagnon

Service de recherche
Fédération des travailleurs du Québec

Coopération et syndicalisme agricoles au Québec : une lutte pour le pouvoir?

Plusieurs événements récents nous amènent à penser que non seulement il y a des tensions entre la coopération et le syndicalisme agricoles, mais que ces deux organismes se mènent une lutte assez vive pour assurer ou augmenter leur emprise sur le milieu agricole. Pour ne prendre que les manifestations les plus connues de ce phénomène, citons la querelle autour du problème du lait qui se déroule dans les publications de l'Union des producteurs agricoles, de la Coopérative fédérée et des grandes coopératives laitières, devant la Régie des marchés agricoles du Québec, et qui est rendue depuis quelques mois devant les tribunaux, suite à l'action entreprise par la Coopérative fédérée contre la Fédération des producteurs de lait. Rappelons aussi le débat autour du projet de loi 116.

Comment expliquer ce phénomène? Nous ne croyons pas qu'il puisse être éclairé par une cause ou par un élément unique, mais plutôt par un ensemble d'éléments relevant tant de l'histoire, de l'idéologie et de la nature des organismes que de la conjoncture. C'est autour de ces points que nous tenterons de construire notre propos, non pas pour en arriver à une explication définitive, mais plutôt pour établir les premiers jalons d'une problématique. Cette démarche se situe à l'intérieur d'une recherche d'ensemble sur la coopération agricole au Québec.

Historique

Nous avons à plusieurs reprises lu des textes ou entendu des discours de dirigeants coopératifs ou syndicaux, où ces derniers soulignaient la bonne entente entre leurs associations respectives. Ces affirmations relevaient davantage du souhait que de la réalité, car sauf pour de brèves périodes exceptionnelles venant confirmer la règle, les relations n'ont jamais été bonnes.

Remontons au début des années 20. Depuis 1908, année de la passation de la loi des Sociétés coopératives agricoles, plus de 300 coopératives locales ou régionales avaient été fondées et de ce nombre, environ 150 étaient encore en opération. La Confédération des coopératives agricoles, fondée en 1916 par l'abbé J.-B.-A. Allaire, venait de disparaître, entraînant avec elle un grand nombre de coopératives locales. Il existait de plus trois coopératives provinciales : la Coopérative agricole des fromagers de Québec, qui se joignit en 1920 à la Coopérative centrale des agriculteurs de Québec, fondée en 1910, le Comptoir coopératif, fondé en 1913, et la Société coopérative agricole des producteurs de semences de Québec, fondée en 1914. Du côté syndical existaient les Fermiers-Unis de Québec, depuis 1918. Leur meilleure année fut 1923, où ils comptèrent 172 succursales et près de 5 000 membres.

Depuis 1918, il était question de la fusion des coopératives provinciales, mais aucune d'entre elles ne la souhaitait vraiment. Le ministre de l'Agriculture du Québec, J.-E. Caron, la provoqua en 1922.

L'agronome Noé Ponton, qui avait acheté en 1921 le *Bulletin des agriculteurs* appartenant alors à la Coopérative centrale, y multipliait ses critiques de l'action gouvernementale en matière d'agriculture et accordait un appui soutenu aux Fermiers-Unis, qui s'étaient lancés dans la politique active, en particulier lors de l'élection fédérale de 1921. Même s'ils oeuvraient au plan fédéral et n'obtinrent aucun succès électoral, les Fermiers-Unis hantaient le ministre Caron. Il craignait qu'ils abordent la politique provinciale, nuisent au Parti libéral et étendent leur influence sur les coopératives agricoles. C'est dans ce contexte qu'il obligea les trois coopératives provinciales à fusionner et que naquit la Coopérative fédérée. Si, au strict plan de l'efficacité, cette fusion s'imposait depuis longtemps, elle se fit dans de très mauvaises conditions. Dès sa fondation, la Coopérative fédérée était dans les faits mise en tutelle et cela durera jusqu'en 1930.

Cette situation déclencha aussitôt une vive opposition, particulièrement de la part de Ponton. Ce dernier et Firmin Létourneau mirent alors toutes leurs énergies à promouvoir le syndicalisme agricole. Ils en vinrent cependant vite à la conclusion que les Fermiers-Unis, neutres sur le plan religieux et engagés sur le plan politique, ne réussiraient jamais à s'implanter profondément. C'est alors qu'est née l'idée d'une nouvelle association, confessionnelle et neutre sur le plan politique. L'Union catholique des cultivateurs sera fondée en 1924.

Le ministre Caron était tellement furieux qu'il refusa d'assister à la séance d'ouverture du congrès de fondation. « Nous sommes convaincus, écrivait-il, que ce Congrès auquel vous nous invitez est organisé, par ses promoteurs originaires, dans un but hostile à l'administration provinciale [1] ». Il ne croyait pas à la neutralité politique de l'U.C.C. et il n'avait pas complètement tort d'ailleurs.

Le tout dégénéra vite en effet en conflit politique. Les coopératives et surtout la Coopérative fédérée appuyaient le Parti libéral au pouvoir et les syndicats agricoles appuyaient le Parti conservateur. Un des principaux responsables actuels de la Coopérative fédérée nous déclarait qu'encore dans les années 1940, le conseil d'administration de la Coopérative était composé de Rouges et celui de l'U.C.C. de Bleus.

Au moment de sa fondation, l'U.C.C. ne prévoyait pas exercer d'activités économiques, se voulant un organisme de défense des intérêts professionnels des agriculteurs. Par contre, elle espérait bien forcer les coopératives locales et la Coopérative fédérée à se transformer, à devenir de vraies coopératives. Constatant son insuccès dans ce domaine et voulant répondre à ses membres qui réclamaient certains services économiques, elle décida en 1929 de favoriser la formation de syndicats coopératifs. En 1930, elle organisa le Comptoir coopératif de l'U.C.C. pour servir aux syndicats de centrale d'achat et de vente.

Un nouveau ministre de l'agriculture, J.-L. Perron, fit amender la loi de la Coopérative fédérée en 1930, lui rendant ainsi sa liberté, et se préoccupa d'améliorer sa situation financière [2]. Les gens de l'U.C.C. et d'autres se mirent alors à accuser la Coopérative de fonctionner grâce à des subventions gouvernementales, tandis que cette dernière disait que le gouvernement ne faisait que lui rembourser les dettes encourues au moment de la tutelle.

La clarification de la situation coopérative de la Fédérée ne satisfaisait donc pas pleinement l'U.C.C. et les tensions entre les deux organismes continuèrent de plus belle jusqu'en 1938 ; ils signèrent alors une entente par laquelle chaque conseil d'administration accueillait trois membres nommés par l'autre organisme. De plus, l'U.C.C. fermait son Comptoir coopératif et engageait les syndicats coopératifs à s'affilier à la Fédérée. L'entente dura jusqu'en 1953. Dans un mémoire présenté aux archevêques et évêques du Québec en

1951, les aumôniers de l'U.C.C. écrivaient que « pour obtenir plus d'unité dans le mouvement coopératif rural, (l'U.C.C. avait) consenti de lourds sacrifices en supprimant son Comptoir Coopératif et en reconnaissant la Coopérative Fédérée comme un de ses services économiques [3] ».

Nous retrouvons exprimée dans cette citation une idée qui s'implanta assez vite à l'U.C.C., à savoir que le syndicalisme devait d'une façon ou de l'autre encadrer la coopération. L'histoire des relations entre les deux organismes, surtout dans les années 40 et 50, l'illustre bien.

L'U.C.C., par exemple, faisait de l'éducation coopérative, ce qui n'était pas contesté par les coopératives. Ces dernières n'acceptaient toutefois pas que l'U.C.C. en fasse un monopole, d'autant plus qu'elle demandait parfois de l'argent aux coopératives pour le faire. Si les coopératives avaient acquiescé à pareille demande, elles auraient encore une fois perdu une partie de leur autonomie.

Les tensions relatives à l'éducation coopérative furent encore envenimées par l'existence du Conseil de la coopération du Québec, fondé en 1939. L'U.C.C. en faisait partie au début, mais encore là des dissensions se manifestèrent assez vite. L'U.C.C. voulait imposer son point de vue sur l'éducation coopérative. Appelés à trancher le débat, les évêques rédigèrent un mémoire sur le sujet en 1953, où ils distribuaient les torts aux différentes parties, mais où l'U.C.C. pouvait trouver une certaine confirmation de sa volonté de suprématie [4].

Entre-temps, l'U.C.C. s'était en 1951 retirée du Conseil parce que ce dernier avait refusé de créer deux sections, l'une rurale et l'autre urbaine. Il aurait certainement été plus facile à l'U.C.C. d'imposer ses vues dans une section rurale que dans le Conseil tel qu'il existait et cela n'a sans doute pas échappé à ce dernier.

Jusque vers 1945, l'U.C.C. a surtout privilégié la formule coopérative comme mécanisme de commercialisation des produits agricoles. Par la suite, faisant remarquer que la coopération n'occupait pas tous les domaines, elle se mit à réclamer une loi qui aurait permis l'application de la formule de la convention collective à la vente des produits de la ferme. Cette demande sera renouvelée dans tous les mémoires annuels présentés au gouvernement provincial jusqu'à la passation de la loi des marchés agricoles, en 1956.

Nous soumettons que la raison rappelée plus haut et énoncée officiellement n'était pas la seule. Nous pensons en effet que cette voie nouvelle, la convention collective, qu'on appellera plus tard plan conjoint, fut mise de l'avant parce que l'U.C.C. se rendait compte qu'elle ne réussirait pas à mettre la main sur les coopératives.

La formule des plans conjoints fut retenue dans la loi des marchés agricoles, mais il y était dit que cela ne devrait pas nuire à l'action des coopératives. Il y était en particulier dit ceci : « Rien dans l'application de la présente loi ne doit venir en conflit avec les engagements d'un producteur vis-à-vis sa coopérative, ni avec les engagements de celle-ci avec une autre coopérative ». Ce paragraphe fut biffé en 1963 et les coopératives demandent encore qu'il soit réintroduit, jugeant que son absence donne trop de latitude au syndicalisme agricole dans l'application des plans conjoints et nuit ainsi à l'action des coopératives.

Nous pouvons dire que la loi des marchés agricoles a vraiment ouvert une voie nouvelle à l'U.C.C. et lui a permis de mettre sur pied, à côté de ses fédérations régionales, des fédérations professionnelles qui sont directement impliquées sur le plan économique, surtout depuis 1963, année où un amendement leur a permis d'administrer des plans conjoints. Par la suite, à peu près chaque fois que la loi fut amendée, il y eut augmentation des pouvoirs syndicaux, les coopératives ne réussissant pas à faire valoir leur point de vue ou encore acceptant des compromis qui les défavorisaient. Le cas récent de la loi 116 en est un bel exemple.

Cela a donné comme résultat que les coopératives sont assujetties aux plans conjoints de la même manière que les entreprises capitalistes, ce qui est aberrant puisque cela nie la nature de la coopération. Le plan conjoint conduit en effet à une négociation entre des producteurs et des transformateurs. Dans le système capitaliste ça va, étant donné que ce sont deux groupes différents. Par contre, dans le système coopératif, les producteurs sont aussi les transformateurs puisqu'ils sont collectivement propriétaires de leurs usines de transformation. Ils ne devraient pas avoir à négocier avec eux-mêmes.

Il s'agit évidemment là d'un bon moyen à la disposition du syndicalisme agricole pour s'immiscer dans le fonctionnement des coopératives. Ce n'est d'ailleurs pas pour rien que ces dernières voudraient être exemptées de l'application des plans conjoints ou encore, pour ne pas aller trop contre la mode, administrer elles-mêmes leurs propres plans conjoints, ce qui en pratique reviendrait au même. Le syndicalisme s'y oppose avec la dernière énergie car il perdrait alors une grande partie de son pouvoir, surtout dans les domaines où les coopératives sont puissantes. La querelle actuelle entre les fédérations de producteurs de lait et les coopératives laitières est très significative à cet égard.

La position de l'U.C.C. s'est encore renforcée en 1972, lorsque le gouvernement provincial a voté la loi des producteurs agricoles. C'est alors que l'U.C.C. devint l'U.P.A. et cessa à toutes fins utiles d'être une association volontaire. Désormais tous les producteurs doivent contribuer au financement de l'U.P.A. Les coopératives demandèrent que la contribution soit volontaire mais encore une fois ne purent faire prévaloir leur point de vue.

L'histoire nous montre donc qu'il y a à peu près toujours eu lutte entre la coopération et le syndicalisme agricoles pour déterminer qui exercerait le plus de pouvoir auprès des agriculteurs. Elle nous montre aussi que le syndicalisme fut le plus souvent « l'agresseur » et le plus souvent le gagnant.

Facteurs idéologiques

Les tensions dont nous venons de retracer brièvement la genèse étaient et sont encore favorisées par des facteurs d'ordre idéologique. Du côté du syndicalisme, on a toujours prétendu exercer une action plus globale que la coopération, puisqu'on s'intéressait à tous les aspects de la vie de l'agriculteur, non seulement à l'aspect économique, comme dans la coopération, disait-on, mais aussi à l'aspect religieux, à l'aspect moral et à l'aspect social.

Ce point de vue prit une ampleur particulière pendant la période du corporatisme. On prônait la mise en place de la corporation de l'agriculture, à la tête de laquelle serait l'U.C.C. Ainsi, lors de la Semaine sociale de 1937, consacrée à la coopération, Firmin Létourneau, l'un des fondateurs de l'U.C.C., déclarait que dans la corporation, « l'association professionnelle est plus grande que la coopération. Celle-ci est une création de celle-là. Il y a entre les deux un rapport de subordination. C'est une hiérarchie qu'il faut respecter. Autrement, c'est la discorde, la lutte [5] ».

Quinze ans plus tard, le même thème sera repris dans le cours à domicile de l'U.C.C. de 1951-1952, portant sur *la coopération en regard de la doctrine sociale de l'Église*. On peut y lire :

> L'U.C.C. poursuit directement le BIEN COMMUN de la profession agricole...
>
> Au contraire les coopératives poursuivent des fins particulières, limitées : l'amélioration des conditions économiques des cultivateurs, et certaines fins sociales déterminées. Sans doute elles font aussi de l'éducation, organisent des services et prennent la défense de certains intérêts ; ce n'est pas toutefois sous l'angle général de l'agriculture mais sous l'angle particulier de la coopération... Or, peut-on logiquement mettre sur un même pied d'égalité une

association (l'association professionnelle), qui a pour but la défense du bien commun, c'est-à-dire de *tous les intérêts* de l'agriculture, et une autre (l'association coopérative) qui de par sa nature même n'en protège qu'*une partie*. Le tout n'est-il pas plus grand que les parties?...

Démontrer que l'association professionnelle est l'organe central, le moteur de toute la vie professionnelle agricole, et que les coopératives agricoles ne sont que des organes ou instruments économiques, c'est réaffirmer la primauté du syndicalisme sur la coopération. Bien plus, ceci évoque immédiatement un certain rapport de dépendance entre les deux... [6]

Cette idée de la suprématie du syndicalisme est demeurée pour ainsi dire dans la mémoire collective même après l'abandon de l'orientation corporatiste. Elle fut soutenue alors par une pensée revendicative où on retrouve formulés les grands problèmes de l'agriculture québécoise.

Du côté des coopératives, le soutien idéologique était moins puissant, la pensée coopérative était floue. Par la suite, avec la fondation du Conseil de la coopération, elle se précisa un peu. Mais il n'en sortit pas, à notre point de vue, une doctrine qui aurait pu servir de défense contre les attaques. Non seulement les attaques venant du syndicalisme agricole, mais surtout celles venant de l'économie capitaliste.

Nous savons en effet que les coopératives agricoles rencontrèrent de nombreuses difficultés financières. Pour les résoudre, on a naturellement emprunté les techniques de gestion mises au point par le capitalisme, à la fois parce que ces techniques semblaient avoir fait leurs preuves et parce qu'il n'y en avait pas d'autres disponibles. Mais comme les coopératives n'avaient pas une base doctrinale forte, elles ont importé non seulement les techniques de gestion de l'entreprise capitaliste mais aussi les valeurs sous-jacentes à ce type d'entreprise.

Les difficultés financières des coopératives les forcèrent à concentrer leur action sur l'aspect économique. Évidemment, cela produisit de bons résultats au plan de l'entreprise. Mais en même temps qu'elles laissaient de côté les autres aspects, par exemple l'aspect social ou l'aspect éducation, elles rationalisaient cette situation en disant qu'elles étaient d'abord et avant tout des entreprises et que l'aspect économique devait primer. Depuis ce temps, le syndicalisme agricole a beau jeu pour affirmer qu'il est plus complet que la coopération, qu'il représente plus que les intérêts économiques des agriculteurs. D'autant plus que la plupart des coopératives et même la Fédérée ont très peu développé leurs services de formation, d'information et de relations publiques.

Des organisations de nature différente

Nous savons déjà que nous sommes en présence de deux organisations différentes. Par définition, le syndicalisme est revendicateur et il fonctionne pour autant qu'il a un « adversaire » auprès de qui il peut exercer des pressions — c'est le cas du syndicalisme à vocation générale —, ou encore avec qui il peut négocier — c'est davantage le cas du syndicalisme spécialisé —. Si nous prenons l'exemple dé l'industrie laitière, les fédérations de producteurs ont besoin de transformateurs capitalistes en face d'eux. D'un autre côté, ces derniers sont davantage favorables au syndicalisme qu'à la coopération. Il s'agit de voir à ce sujet la position du Conseil de l'industrie laitière du Québec, organisme patronal.

Cela se comprend facilement, car plus la présence coopérative est forte, moins il y a de place pour le syndicalisme et l'entreprise privée. Dans ce sens, nous pouvons dire que la nature même de la coopération et du syndicalisme agricoles est source de tensions entre les deux.

Soulignons aussi que le syndicalisme, n'étant pas particulièrement aux prises avec les contraintes inhérentes à une entreprise de transformation, peut se permettre beaucoup plus de pressions et d'actions publiques que la coopération. Le syndicalisme a aussi beaucoup plus de temps et de moyens pour s'attaquer à la coopération que cette dernière n'en a pour s'en prendre à lui. La coopération se défend plus ou moins lorsqu'elle est attaquée, mais cela se fait souvent aux dépens de l'entreprise.

La conjoncture

Autant les coopératives peuvent lutter avec succès dans le domaine économique et obtenir ainsi des revenus intéressants pour leurs membres et aussi, souvent, pour l'ensemble des agriculteurs parce que les entreprises capitalistes sont obligées de s'ajuster à la politique des coopératives, autant les coopératives sont mal préparées à réagir contre l'action syndicale ou l'action politique.

Le syndicalisme agricole est devenu un groupe de pression puissant et il s'est donné les moyens de le demeurer. Aucun gouvernement ne peut l'ignorer longtemps, aussi réussit-il habituellement à obtenir ce qu'il souhaite.

C'est dans cette perspective qu'il faut placer le débat sur la loi 116. Il faut cependant ajouter un élément conjoncturel. En effet, comme l'U.C.C. et maintenant l'U.P.A. ont toujours été plus nationalistes que les coopératives agricoles et comme la souveraineté est très importante pour le gouvernement actuel et qu'elle est essentielle et prioritaire pour le ministre de l'Agriculture Jean Garon, on était encore plus enclin à satisfaire les demandes syndicales et à accorder au syndicalisme plus de pouvoir dans l'application des plans conjoints.

Fonction manifeste, fonction latente

De plus en plus d'agriculteurs se plaignent de ces éternelles querelles entre la coopération et le syndicalisme agricoles. Chaque association dit que c'est pour le bien des agriculteurs, mais est-ce si certain quand on pense à ce que ces querelles coûtent en temps, en énergies et en argent? Améliorer les conditions socio-économiques des agriculteurs, c'est la fonction manifeste. Ces querelles n'auraient-elles pas aussi comme fonction latente d'assurer à tel ou tel groupe de dirigeants la suprématie sur l'autre, et il nous semble que c'est davantage recherché par le syndicalisme, pour asseoir son pouvoir. Dans ce sens, le syndicalisme se sent obligé d'exercer une action économique, d'où sa volonté d'implanter et d'administrer des plans conjoints, parce qu'il juge que les agriculteurs sont plus sensibles aux grandes déclarations si elles s'accompagnent de gestes ayant une signification économique plus immédiate.

Conclusion

Comme nous l'avons dit au début de cet exposé, il s'agit là des premiers éléments d'une problématique pour expliquer les tensions entre la coopération et le syndicalisme agricoles. Nous avons construit ces éléments à partir d'un premier survol du problème, en dépouillant rapidement la documentation disponible, en effectuant quelques entrevues et en faisant un peu d'observation. Nous en sommes donc encore à la phase exploratoire, mais nous croyons utile de livrer les premiers fruits de cette recherche, ne serait-ce que pour aider à comprendre un peu mieux ce qui se passe entre les associations agricoles.

Claude Beauchamp

Département de sociologie
Université Laval

Notes

[1] Lettre du ministre Caron au président du comité des congrès, reproduite dans *Rapport de la fondation et de toutes les assemblées annuelles, 1924-1927*, Montréal, Union catholique des cultivateurs, 1928, p. 25-26.

[2] Pour plus de détails sur la période 1900-1930, voir ma thèse de doctorat de 3e cycle, *Coopération et syndicalisme agricoles au Québec (1900-1939)*, Paris, E.P.H.E., 1975.

[3] *L'Union catholique des cultivateurs et le Conseil supérieur de la coopération*, mémoire des aumôniers de l'U.C.C. aux archevêques et évêques du Québec, mai 1951.

[4] Le texte de ce mémoire est publié dans *Ensemble*, vol. XV, n° 7, août-septembre 1954, p. 2-9.

[5] Semaines sociales du Canada, *La Coopération*, Montréal, Secrétariat des Semaines sociales du Canada, École sociale populaire, 1937, p. 232.

[6] *La Terre de chez nous*, 9 janvier 1952, p. 15.

Syndicalisme et coopération en agriculture

Importance de l'agriculture

L'agriculture constitue l'une des activités fondamentales de la société québécoise.

Dans un monde où la crise alimentaire atteint une phase aiguë, la maîtrise de la capacité de se nourrir constitue un levier essentiel pour une société qui cherche à contrôler son destin. C'est à cet égard que la recherche d'un accroissement de l'autosuffisance alimentaire prend tout son sens. Heureusement, l'importante diminution du nombre de fermes et de la main-d'oeuvre agricole n'a pas entamé la capacité productive de notre agriculture. Par la mécanisation, l'amélioration des connaissances scientifiques et techniques et l'utilisation de méthodes de gestion améliorées, les agriculteurs ont réussi à maintenir et même à accroître les quantités de produits agricoles qu'ils fournissent à la société. De plus, d'importantes capacités productives sont encore inexploitées.

Sur le plan strictement économique, l'agriculture constitue encore aujourd'hui, comme ce fut le cas dans le passé, un important moteur de notre développement. Les effets d'entraînement de la production agricole ont leur impact à la fois sur les industries situées en amont et sur celles situées en aval dans la chaîne agro-alimentaire.

Pour réaliser une production agricole valant $ 1,8 milliard en 1978, les agriculteurs ont encouru des frais d'exploitation et de dépréciation de $ 1,2 milliard. En particulier, ils ont acheté cette année-là pour environ $ 465 millions d'aliments pour les animaux, le reste étant dépensé, entre autres, pour l'achat de machinerie agricole, d'engrais chimiques et de chaux, pour la réparation de bâtiments et le paiement d'intérêts sur les dettes.

Par ailleurs, plusieurs industries dépendent pour leur approvisionnement en matières premières de la production agricole. C'est le cas des abattoirs et salaisons, des usines de pasteurisation ou de transformation du lait, des conserveries de fruits et légumes, pour ne mentionner que les principaux sous-groupes du secteur des aliments et boissons. Les industries du sciage et des pâtes et papiers s'alimentent dans une proportion d'environ 25 % auprès des forêts privées, et plus de la moitié de ce bois est produit par des agriculteurs *.

De même, un grand nombre de services, publics et privés, ont un volume non négligeable de leurs activités qui desservent l'agriculture : c'est le cas, entre autres, du commerce de gros et de détail, du transport, de l'entreposage, de l'électricité, du téléphone, des assurances, des banques, des hôpitaux, des écoles, etc.

En bref, on estime à 200 000 le nombre des emplois générés par la production agricole, sa transformation et sa commercialisation. Ce chiffre serait considérablement plus élevé si l'on tenait compte des achats effectués par les agriculteurs et des divers services qu'ils utilisent.

De plus, l'agriculture et l'industrie agro-alimentaire exercent un heureux effet décentralisateur dans les économies modernes, où la concentration urbaine poussée à l'extrême engendre de plus en plus d'effets négatifs. Plusieurs régions seraient quasi désertiques si ce n'était de la vitalité qu'y amènent l'agriculture et les activités qui s'y greffent.

Les transformations de l'agriculture

Vers les années 1850-1867, l'agriculture québécoise était basée sur un système d'économie naturelle caractérisé par l'auto-consommation par l'agriculteur et sa famille de la majeure partie de la production agricole. Les céréales constituaient la principale

* Dans le texte, toute référence à l'agriculture inclut le bois produit par les agriculteurs

production marchande et elles représentaient une faible proportion de la production totale.

Cependant, d'importants marchés étaient en train de se former sur le territoire québécois et d'autres de l'extérieur devenaient accessibles à l'agriculture québécoise. Le développement des chemins de fer allait permettre d'acheminer les produits à des prix compétitifs vers leur nouvelle destination. La révolution des transports maritimes, par le passage du bateau de bois mû par la voile au bateau de fer actionné par la vapeur, a permis la pénétration sur le marché européen.

Successivement, le marché américain, lors de la guerre de Sécession, qui coïncide avec le traité de réciprocité, et le marché anglais allaient constituer les principaux débouchés extérieurs. L'urbanisation et le développement de l'exploitation forestière donnent son impulsion à la constitution du marché intérieur.

De plus, des disponibilités monétaires sont désormais acquises lors du travail en forêt. On assiste à la dissolution progressive de la production domestique de textiles, de vêtements et d'outils agricoles par la pénétration des produits manufacturés, moins coûteux en temps de travail. Ces divers facteurs impriment à l'agriculture d'une manière irréversible son caractère marchand. C'est alors que s'amorcent la mécanisation de l'agriculture (faucheuse et batteuse mécanique entre autres) et le développement des secteurs agro-alimentaires (beurreries et fromageries, conserveries, abattoirs, fabriques d'outils agricoles). À la même époque, la venue des céréales à bas prix, produites d'abord en Ontario et ensuite dans l'Ouest canadien, contribuera à éliminer cette production comme principale source de revenu monétaire. C'est alors que l'agriculture québécoise se spécialisa définitivement dans l'industrie laitière.

L'agriculture marchande (celle qui vend plus de 50 % de ses produits) connaîtra ultérieurement une évolution que l'on pourrait synthétiser en trois grandes tendances : la spécialisation, la pénétration en agriculture de la science et de la technique et l'accroissement de la taille des fermes.

La spécialisation comporte la dissolution du système poly-culture-élevage et son remplacement par des entreprises agricoles dorénavant orientées vers la monoculture ou la production d'un petit nombre de marchandises. On assiste même à la spécialisation à l'intérieur du processus de production d'une marchandise.

L'élevage du porc ou du boeuf comporte trois étapes qui sont bien souvent séparées l'une de l'autre et qui donnent lieu à la constitution d'un groupe d'éleveurs d'animaux de race destinés à la reproduction, d'un groupe spécialisé dans la reproduction comme telle, soit les naisseurs, qui vendent à leur tour les sujets aux finisseurs ou engraisseurs. La production d'oeufs comporte le producteur d'oeufs de consommation, l'éleveur de poulettes, le couvoirier et la ferme expérimentale, qui développe les nouvelles lignées.

Enfin, la spécialisation se traduit également sur une base spatiale.

Du point de vue scientifique et technique, la productivité en agriculture a connu des bonds phénoménaux. L'élevage s'est développé par le biais de l'amélioration des lignées, qui met à profit les connaissances génétiques les plus avancées. De même, l'alimentation animale est effectuée sur une base susceptible de donner lieu à une amélioration continuelle du taux de conversion entre le volume des aliments absorbés et le nombre de livres de chair obtenues. De plus, la durée de l'élevage est continuellement raccourcie. Dans la production d'oeufs, on a connu un accroissement considérable de la quantité d'oeufs produits annuellement par une poule pondeuse. Les productions végétales illustrent également l'augmentation considérable de la productivité en agriculture.

Les travaux liés à l'élevage ou à la culture ont également été bouleversés par l'introduction de machines de plus en plus perfectionnées et par la transformation de l'ensemble des équipements agricoles.

Cette évolution a évidemment donné lieu à un accroissement considérable de la taille des fermes, leur actif moyen dépassant aujourd'hui au Québec les $ 100 000.

La coopération et le syndicalisme agricole

Les premiers contacts de l'agriculteur avec le marché s'effectuèrent sur la base d'un lien relativement direct entre l'agriculteur et le consommateur. Quand s'inséraient entre les deux des intermédiaires, leur taille n'était généralement pas disproportionnée comparativement à celle des agriculteurs.

Mais, peu à peu, à la fois du côté des intrants agricoles et des extrants, des entreprises capitalistes de plus en plus grandes et concentrées s'installèrent au sein du complexe agro-alimentaire en développement.

Dorénavant, les agriculteurs achetèrent de plus en plus de machines agricoles, d'aliments pour le bétail, de produits chimiques, et durent souvent financer ces achats par des emprunts auprès des institutions financières.

La mise en marché et le conditionnement des produits agricoles donnèrent lieu à la naissance de l'industrie des laiteries, beurreries et fromageriés, des abattoirs et salaisons, des conserveries. Les fabriques de cigarettes et de cigares achetèrent le tabac. Dans la sphère commerciale, les maquignons (commerçants de bétail), les grossistes et les détaillants se mirent à opérer sur une échelle grandissante qui les distingua de plus en plus des agriculteurs. C'est cette évolution, qui a mis les agriculteurs en contact économique avec l'environnement capitaliste, qui les a poussés à mettre sur pied des coopératives en vue de se donner une alternative lorsqu'ils durent acheter ou vendre des produits.

On situe généralement la naissance des coopératives agricoles au début du 20e siècle. On assiste d'abord à la naissance de coopératives locales et rapidement, à celle des coopératives à vocation nationale. Les premières furent la Coopérative centrale des agriculteurs de Québec, fondée en 1910, le Comptoir coopératif de Montréal, fondé en 1913, et la Coopérative des producteurs de semences, fondée en 1914. Une loi spéciale de l'Assemblée législative, adoptée en décembre 1922, allait forcer ces trois organismes à fusionner et donner naissance à la Coopérative fédérée de Québec.

Parallèlement avaient lieu diverses tentatives d'organisation des agriculteurs, qui devaient aboutir, en octobre 1924, à une réunion de 2 000 agriculteurs qui fondèrent l'Union catholique des cultivateurs (U.C.C.). Celle-ci deviendra, par l'adoption de la loi du syndicalisme agricole, en 1972, et le référendum en vue d'établir la représentativité de l'U.C.C., gagné à 75 %, l'Union des producteurs agricoles (U.P.A.).

Durant les premières décennies qui suivent la naissance de l'U.C.C., les rapports entre cet organisme et les coopératives agricoles sont harmonieux, étant donné un partage relativement clair des tâches entre les deux types d'organismes. L'action de l'U.C.C. consiste surtout à cette époque à représenter les agriculteurs auprès des pouvoirs publics et à promouvoir l'éducation de ses membres, particulièrement l'éducation coopérative. Quant à elles, les coopératives agricoles se voyaient confier la tâche d'intervenir en matière de mise en marché des produits agricoles.

Cependant, la présence des coopératives dans la sphère de la transformation et de la commercialisation ne réglait pas le problème du déséquilibre des forces existant entre les agriculteurs, nombreux et isolés, qui devaient continuer de transiger avec les entreprises privées géantes opérant à côté des coopératives. De plus, un problème crucial comme celui de la stabilisation du prix des produits agricoles n'aurait pu être réglé même si les coopératives s'étaient emparées de tout le secteur dans lequel elles opéraient, ce qui était loin d'être le cas.

C'est pour cette raison que, très tôt (en 1935), l'idée de l'action collective des agriculteurs dans la mise en marché de leurs produits commença à faire son chemin. Les « Marketing Schemes », qui étaient nés en Australie, que l'on retrouve en Angleterre en 1931 et qui se développaient dans plusieurs autres provinces du Canada, inspirent les agriculteurs du Québec. Les interventions répétées de l'U.C.C. revendiquant la mise en place d'un cadre législatif permettant à l'agriculture de s'organiser dans cette voie aboutissent à la création de la Commission Héon, qui siégea de 1952 à 1955, année où elle remettra son rapport. Elle recommanda l'adoption d'une législation permettant la mise en place de plans conjoints. Le gouvernement Duplessis adopta en 1956 le Bill 44, la Loi des marchés agricoles, qui faisait suite à cette recommandation, 10 ans après que l'Ontario eut adopté le « Farm Products Marketing Act ». Cette loi était cependant loin de satisfaire les agriculteurs, jusqu'à ce que des refontes successives, en 1963 et en 1965, la rendent plus conforme à ce qu'envisageait l'U.C.C.

Actuellement, les produits agricoles commercialisés conformément à une politique d'action collective sous le contrôle des agriculteurs peuvent comporter trois systèmes différents. Pour certains produits, il n'existe qu'un plan conjoint, ce qui signifie que les agriculteurs négocient collectivement les conditions de vente de leurs produits. En termes économiques, il s'agit d'*unifier l'offre* d'un produit agricole, jusque-là dispersée entre les mains de multiples agriculteurs. Pour d'autres, vient s'ajouter au plan conjoint le système de contingentement, les quotas, qui permet au syndicalisme agricole d'ajouter la *gestion de l'offre* à son unification en vue de stabiliser les prix. Finalement, là où l'organisation de la mise en marché est plus avancée, un organisme issu des producteurs se constitue en agence de vente, c'est-à-dire devient propriétaire du produit à la sortie de la ferme, paie les producteurs et tend à contrôler certaines opérations liées à la mise en marché : transport, emballage, mirage (pour les oeufs), etc.

L'enjeu du débat entre le syndicalisme agricole et les coopératives devient facile à identifier : alors que le syndicalisme agricole veut contrôler la mise en marché des produits au sortir de la ferme jusqu'à leur entrée dans le réseau de transformation et de commercialisation, y compris pour ceux qu'achètent les coopératives, celles-ci refusent de se considérer comme des acheteurs des produits agricoles et soutiennent que la coopérative constitue le prolongement des fermes de leurs membres et veulent échapper à l'application de l'action des plans conjoints et spécialement des agences de vente.

La tension existe entre les coopératives et le syndicalisme depuis qu'existent les plans conjoints. Cependant, elle s'est élevée d'un cran lorsque les coopératives agricoles, spécialement celle de Granby, sont entrées avec force dans le marché du lait nature, alors que jusque-là, les coopératives oeuvraient surtout dans le domaine du lait industriel. La Fédération des producteurs de lait industriel ne possède pas les pouvoirs d'une agence de vente comme c'est le cas de la Fédération des producteurs de lait nature. Le choc entre celle-ci et les coopératives fut beaucoup plus violent qu'avec les producteurs de lait industriel.

Actuellement, la tension est à un point tel que l'escalade s'est amorcée entre les deux organismes. De son côté, la Fédération des producteurs de lait nature a fondé une coopérative, la Québécoise, qu'elle contrôle et qui achète des laiteries privées que les coopératives traditionnelles envisageaient d'absorber. De leur côté, les coopératives ont interrompu la retenue des prélevés qui servent à financer les plans conjoints.

Comment se réglera ce conflit ? Il n'est pas facile de le prédire. Le syndicalisme agricole et les coopératives sont assez puissants pour se livrer une bataille susceptible de heurter très fort l'une ou l'autre partie. Mais les agriculteurs, qui oeuvrent dans les deux organismes, sauront sans doute forcer les deux structures à fumer le calumet de paix.

Mario Dumais

Service d'études et
de recherches de l'UPA

personnes il y a trois ans à un gain de 10 000 personnes l'année dernière, et ceci principalement grâce à une grande augmentation des entrées. Or, plus d'un tiers des entrées de l'Ontario provient du Québec.

En proportion de la population résidante, l'émigration interprovinciale est faible et au Québec et en Ontario. Mais elle montre une tendance opposée dans les deux provinces. Les années 1969, 1970, 1976 et 1977 ont vu une hausse au Québec et une baisse en Ontario. Entre 1975 et 1977, cette hausse a été de 56 % au Québec — c'est la plus forte depuis qu'il existe des statistiques acceptables (1961) sur la proportion des résidants qui quittent cette province pour une autre. (Tous les chiffres sont tirés du catalogue 91-208 de Statistique Canada.)

Nous sommes donc en présence de deux faits saillants. Premièrement, le Québec est touché par une émigration très forte, la plus forte depuis 1961. Deuxièmement, ce n'est pas un mouvement qui touche également la province voisine. L'Ontario en profite. Il s'agit donc d'un « exode » — si on veut employer ce terme un peu lourd — et c'est un mouvement spécifique au Québec[1].

L'analyse traditionnelle du problème

Il n'existe pas en ce moment de données qui permettraient de dire exactement qui quitte le Québec. L'étude longitudinale sur échantillon représentatif que nous poursuivrons en 1980 sera probablement la première à procurer l'information nécessaire pour répondre à cette question. À ce sujet, les autorités en sociologie ne se sont pas encore prononcées formellement. Cependant, la thèse que l'arrivée au pouvoir du Parti Québécois ait des effets négatifs dans les milieux d'affaires revient couramment dans la presse ; la crainte de la séparation entraînerait une baisse des investissements et une diminution de l'emploi. On fait aussi état de la loi 101, des déclarations anti McGill et de l'encouragement aux anglophones à quitter la province (énoncé par un membre du gouvernement actuel) pour parler d'un climat socio-politique négatif et pour interpréter comme un exode politique les départs du Québec. On associe pêle-mêle des facteurs macro-économiques (investissements, chômage, productivité) à des motivations et à des attitudes individuelles (crainte, discrimination, racisme) et on prétend connaître les causes et les effets du courant migratoire actuel[2].

Lacunes méthodologiques

La faute principale de cet argument ne se trouve pas dans sa substance ; climat économique, climat politique et migrations sont certainement liés. L'erreur réside plutôt dans la tendance à sauter des facteurs macro-économiques aux motivations individuelles. Plus spécifiquement, l'interprétation politique courante de l'exode suppose les deux points suivants. D'abord, que les anglophones sont poussés à quitter le Québec par une politique hostile ; ils partent en grand nombre et ce mouvement devrait être non sélectif. Ensuite, que ceux qui se sentent le plus touchés par cette politique hostile devraient être les premiers à partir.

Puisque les données de Statistique Canada [3] donnent seulement les entrées et les sorties, sans plus, elles sont inutiles pour l'analyse des causes de ces sorties. C'est là le vrai problème méthodologique. La question importante, la sélection, ne peut être analysée. On est donc facilement porté à des conclusions prématurées.

Le fait que l'exode comprenne certainement beaucoup de francophones pose un autre problème. Au cours de la période 1961-1971 le groupe francophone a subi de lourdes pertes. Dans son cas, la migration nette, tout compris, a été de – 114 000, tandis qu'elle n'était que de – 5 000 pour les anglophones et de + 100 000 pour les autres (les allophones). S'il s'avérait exact que le mouvement actuel comprenne beaucoup de francophones, l'argument politique mentionné plus haut deviendrait beaucoup moins convaincant. Jusqu'ici personne n'a vraiment les données nécessaires pour se prononcer avec certitude et il faut suivre une autre route pour arriver à une analyse acceptable.

Une nouvelle source de données

Une enquête par entrevues auprès de 332 anglophones de Montréal pris au hasard constitue notre source de données [4]. L'appellation d'anglophone est basée sur la langue parlée à la maison [5]. Malgré le nombre d'entrevues relativement restreint, la qualité de l'échantillon ne peut être mise en doute [6].

Notre questionnaire a couvert les variables socio-économiques habituelles. De plus, nous avons mesuré la distance sociale, à la fois en termes d'attitudes et en termes de comportement, les intentions de quitter le Québec, les préparatifs à cet égard, etc. Pour mesurer les migrations des anglophones, nous avons soigneusement recueilli tous les renseignements concernant les relations familiales du premier degré ; ceci nous a donné un ensemble de quelque 1 200 individus dont nous connaissons le comportement migratoire des cinq dernières années. Nous appelons cet ensemble le réseau migratoire du groupe.

D'ores et déjà, nos données montrent une émigration très forte du groupe. Bien que nous n'ayons pas encore complètement exploité cette partie des données, on constate qu'environ 16 % des anglophones de Montréal seraient partis au cours des cinq dernières années, tandis que 6 % seraient arrivés ou revenus ; la perte nette subie est donc de 10 %. Ceci est assez considérable [7].

Trois hypothèses

Hétérogénéité sociale

Il est mentionné de temps à autre que le groupe anglophone de Montréal n'est pas une classe dominante et bien circonscrite, mais plutôt un groupe composé de plusieurs factions, sans identité politique et culturelle précise — bien que le Parti Québécois lui rende le service de lui fournir un adversaire commun et donc une certaine identité commune. Nous avons déduit l'hypothèse suivante :

> Le groupe anglophone est hétérogène au point de vue de la composition ethnique et du statut économique. Ceci se reflète dans les intentions de quitter le Québec.

Distance sociale

L'hétérogénéité ethnique et économique devrait avoir un effet très prononcé sur la distance sociale. Par exemple, les attitudes des Juifs vis-à-vis des autres ethnies devraient être plus rigides et exclusives que celles des Italiens devenus anglophones. Plus précisément, si un groupe ethnique montre un haut degré d'endogamie, de ségrégation résidentielle et de différence religieuse, linguistique et économique par rapport au groupe majoritaire francophone, on pourrait s'attendre à ce que ce groupe soit aussi caractérisé par une distance sociale prononcée et par des intentions fermes de quitter le Québec. L'hypothèse est donc :

> L'hétérogénéité du groupe anglophone se manifeste dans les mesures de distance sociale. Ceci se reflète dans les intentions de quitter le Québec.

Liens structuraux

Les anglophones, comme les autres groupes de Montréal, ont des liens avec d'autres régions du Canada et d'ailleurs. Ces liens sont dans certains cas très forts et attirent aux anglophones l'hostilité et la jalousie de certains autres groupes (pour un bon exemple de ceci on pourra consulter le volume 1 de *La Politique québécoise du développement culturel*). Dans une situation de crise, un groupe tenterait certainement d'utiliser ses liens extérieurs à son avantage. Ceux qui ont le plus de liens peuvent émigrer plus facilement. En jargon de théorie des migrations, ces liens constituent un facteur « plus » à la destination, qui a tendance à augmenter à la fois le volume et l'efficacité du courant migratoire.

> Les liens structuraux qui lient les anglophones du Québec à d'autres régions influencent directement leurs intentions de quitter le Québec.

Vérification des hypothèses

Hétérogénéité ethnique et économique

La composition ethnique de notre échantillon apparaît au tableau 1.

TABLEAU 1

Origine ethnique des répondants

Origine	Nombre	Pourcentage
Américains	11	3,3
Antillais	13	3,9
Britanniques	55	16,6
Canadiens anglais	156	47,0
Canadiens français	7	2,1
Italiens	9	2,7
Juifs	49	14,8
Orientaux	2	0,6
Autres	30	9,0
	332	100

Si le tableau nous montre une certaine prédominance numérique relative des répondants qui se considèrent comme canadiens-anglais, il nous montre tout aussi bien qu'aucun groupe ne peut réclamer la majorité absolue. En plus, il ne faut pas oublier que plusieurs ethnies peuvent se cacher derrière une appellation telle que canadien-anglais, britannique ou américain. Il serait donc très difficile pour la plupart de nos répondants de s'identifier à une « ethnie anglophone » ou de sentir une loyauté envers ce groupe.

Le statut économique varie selon le groupe ethnique. Les chiffres qui suivent illustrent une différence caractéristique ; le revenu familial moyen se situe près de $ 25 000 pour les Juifs, près de $ 18 000 pour les Américains, les Britanniques et les Canadiens anglais, et près de $ 4 000 pour les autres. Le niveau de scolarité élevé des Juifs semble être récompensé. Pas une seule famille juive dont le répondant avait un diplôme supérieur au B.A. n'avait un revenu inférieur à $ 30 000.

Les intentions de quitter le Québec varient elles aussi d'un groupe à l'autre. Si on considère globalement tous ceux qui quitteront « sûrement » (« definitely ») ou « probablement » le Québec, on constate que plus de la moitié des personnes de la catégorie « autres » veut partir. Ce pourcentage est plus bas pour les Juifs (43,1 %) et tombe à 35,3 % pour les personnes d'origine britannique. Le fait important ici réside certainement dans la faiblesse de la corrélation. L'origine ethnique en soi n'explique pas beaucoup la variation dans les intentions de quitter le Québec.

Distance sociale

En appliquant une échelle de distance sociale de type Bogardus, on arrive à la conclusion que les anglophones sont des individus très tolérants, ouverts, bien intégrés et adaptés. 81,9 % d'entre eux se trouvent très bas sur cette échelle — qui a d'ailleurs fort bien fonctionné au point de vue méthodologique — et seulement 1 % d'entre eux a montré des attitudes de forte distance sociale. Même si on remanie l'échelle, l'effet reste le même. Au point de vue des *attitudes*, la distance sociale qui sépare les anglophones des francophones n'est pas importante. En général, les anglophones apparaissent comme des individus très tolérants.

On obtient cependant des résultats très différents si on considère le *comportement* social. Au lieu de mesurer les attitudes, on peut mesurer combien d'anglophones travaillent avec des francophones, vivent dans des quartiers mixtes, sont mariés à des non-anglophones, etc. On découvre soudainement le comportement typique d'une communauté close et autosuffisante. La distribution est exactement l'inverse de celle de l'échelle des attitudes. En fait, la corrélation entre les deux échelles est fort négative ; il semble que plus les anglophones sont en contact avec les francophones, moins ils sont libéraux. De façon plus imagée, il semble qu'on aime les francophones de loin et que de près, on les estime beaucoup moins.

La distance sociale est légèrement reliée aux intentions de quitter le Québec (gamma = 0,17), autant en ce qui a trait aux attitudes qu'en ce qui a trait au comportement. Mais il est encore une fois important de souligner la faiblesse de la corrélation. Il est certainement impossible de dire que ceux qui montrent un esprit et un comportement ouverts envers les francophones vont rester et que les autres vont émigrer. Il ne s'agit pas ici de causalité, et de plus, la corrélation est faible.

Liens structuraux

Parmi la multitude des liens structuraux qui pourraient jouer un rôle dans les migrations, nous ne mentionnons ici que les liens familiaux. Ce sont là les liens qui ont en général le plus d'importance dans le processus complexe de la motivation à la migration.

Nous constatons que seulement 13 % des anglophones qui ont tout leur réseau migratoire au Québec vont « sûrement » partir; 60 % vont « probablement » ou « sûrement » rester. Par contre, la moitié des anglophones qui ont toute leur famille proche ailleurs qu'au Québec veut y demeurer, alors que 26 % d'entre eux vont « sûrement » partir. Il y a donc une relation entre les liens familiaux et les intentions d'émigration. Mais cette relation n'apparaît que pour des cas biens spécifiques. Pour l'ensemble, elle ne se ressort pas du tout (gamma = 0,04).

Ce dernier point est important puisque l'introduction d'une variable témoin (control) change ce résultat de façon frappante (voir le tableau 2).

Le tableau 2 ne présente pas de différences significatives, à une exception près. Les trois quarts des Juifs veulent quitter le Québec si leur réseau migratoire est déjà bien installé. Ce n'est pas du tout le cas pour les autres groupes. L'explication est simple. Le groupe juif est un vrai groupe ethnique, tandis que les autres catégories ne le sont pas. Le réseau migratoire est une ressource qui communique de l'information, dirige les motivations, réduit le rapport coûts/bénéfices de la migration et facilite l'adaptation au point d'arrivée. Plus la loyauté ethnique est forte, plus cette ressource sera mobilisée. Les Juifs constituant un groupe ethnique, il est plus probable qu'ils mobilisent ce réseau que les autres groupes qui connaissent moins de ségrégation et de loyauté ethniques.

TABLEAU 2
Pourcentage d'anglophones qui quitteront « sûrement » (« definitely ») ou « probablement » le Québec, par groupe ethnique, en fonction du réseau migratoire

	Réseau migratoire	
Groupe ethnique	Moins de 50 % des parents proches au Québec	50 % ou plus des parents proches au Québec
Britanniques	39,6	33,5
Juifs	75,0	39,5
Autres	45,1	37,5

Conclusion

1. Il ne peut y avoir de doute qu'il y a présentement une forte émigration au Québec. En tenant compte des proportions démographiques, l'émigration a toujours touché davantage les anglophones que les francophones. Le mouvement actuel est très prononcé, il s'est récemment accéléré, et il a déjà commencé à transformer le groupe anglophone de façon significative. Le pourcentage des anglophones dont les liens familiaux sont en totalité ou en partie en dehors du Québec a augmenté (de 30 % à 40 %). Les anglophones de Montréal sont en diminution rapide — en valeurs absolues et en proportion de la population.

2. Les variables de caractère politique n'ont qu'une influence indirecte sur les intentions de quitter le Québec. La distance sociale, la discrimination perçue et le mécontentement face au gouvernement provincial ont tous des effets directs de faible importance. Cet effet est quand même réel : en fait, la très grande majorité des anglophones se comporte de façon ségrégationniste, se dit victime de discrimination (1978 était l'année de la loi 101) et est mécontente du gouvernement québécois actuel. Ces facteurs n'influencent cependant pas très fortement les décisions de quitter le Québec.

3. Les variables démographiques, par contre, ont un effet fort et direct sur les intentions d'émigrer. Six fois plus de jeunes (18-25 ans : 18,6 %) que de plus âgés (49-65 ans : 2,9 %) quitteront « sûrement » le Québec. Ceux qui sont mariés hésitent beaucoup plus à partir que ceux qui ne le sont pas. Ceux qui sont nés au Canada anglais ou aux États-Unis prennent la décision de partir cinq fois plus souvent que ceux qui sont nés au Québec et que les Néo-Québécois. Finalement, ceux qui n'ont passé que quelques années à Montréal sont beaucoup plus prêts à faire leurs valises que ceux qui ont des racines ici.

4. L'appartenance à un groupe ethnique non francophone ne constitue pas en soi une raison de quitter le Québec. Mais le groupe juif montre combien l'appartenance à une ethnie peut affecter les intentions de migration. Ce groupe est le plus cohérent en termes d'attitudes et de comportement de distance sociale (attitudes et comportement ségrégationnistes à l'égard des francophones). Ceci ne veut pas dire que tous les Juifs partent. Mais ceux dont le réseau migratoire est installé ailleurs qu'au Québec vont le faire, du moins dans la plupart des cas. La morphologie du réseau migratoire d'un groupe ethnique peut donc déterminer si, dans une situation de crise, il y aura encapsulation ethnique ou émigration.

5. Dans l'ensemble donc, nous arrivons à la conclusion que l'exode des anglophones de Montréal a tous les aspects d'une migration qu'en pays industrialisé on considérerait comme « normale », c'est-à-dire déterminée par les opportunités économiques, les cycles de vie et les liens structuraux. Ceux qui sont jeunes, mobiles, moins attachés vont émigrer. Il est clair qu'il n'y a pas de fuite générale, bien au contraire. La plupart des anglophones ont le désir et l'intention de demeurer au Québec. Si c'est là un « exode politique », le facteur politique a une influence bien indirecte [8]. Nous aurons l'occasion, lors de la deuxième série d'entrevues, de vérifier si notre interprétation tient bon, non seulement face aux intentions d'émigrer, mais aussi face aux départs déjà effectués.

Uli Locher

Département de sociologie
Université McGill

Notes

[1] Le débat des démographes à ce sujet continue. Voir par exemple les articles de Richard J. Joy et de Louis Duchesne dans *Le Devoir* (27 juillet 1979 et 13 août 1979). Statistique Canada (91-208) contribue à la confusion par un

texte peu adéquat comparant les tendances récentes au Québec et en Ontario.

[2] Dans la presse anglophone, cette association trouve une expression presque quotidienne. Même pour le cas spécifique de la loi 101, les liens entre législation et émigration sont difficiles à prouver. M. Duchesne a donc raison de soulever ce point contre M. Joy dans *Le Devoir*.

[3] Nous omettons ici la discussion de la validité de ces données, mais nous espérons que des travaux en cours au département de démographie de l'Université de Montréal permettront les ajustements nécessaires dans un avenir proche.

[4] Cette étude a été réalisée dans le cadre d'un projet de recherche intitulé « Migrations et multi-culturalisme au Québec ».

[5] Nous avons aussi inclus les immigrants dont la langue maternelle est l'anglais. Par contre, nous avons exclu les personnes vivant dans un ménage anglophone mais qui n'ont pas l'anglais comme langue maternelle.

[6] Pour une description de la méthodologie de cette enquête, voir la thèse de maîtrise de Melanie Lange, qui sera soumise au département de sociologie de l'Université McGill.

[7] Il est fort probable que le taux actuel soit en fait légèrement supérieur à 10 %.

[8] Une deuxième série d'entrevues auprès de tous les répondants est prévue pour l'hiver 1979-1980.

La contre-culture, une idéologie de l'apolitisme

Remarques préliminaires

La contre-culture a représenté trop de significations à divers niveaux du vécu pour un grand nombre de personnes pour qu'il soit facile d'en parler sans entraîner une certaine confusion des termes. Il me semble donc nécessaire de commencer par certaines remarques visant à clarifier les diverses notions qui sont utilisées couramment pour aborder cette question et à expliquer la perspective dans laquelle je me situe.

Les notions de mouvement, de contre-culture et de pouvoir

Le titre de l'atelier : « Le *mouvement* de la *contre-culture* face au *pouvoir* » introduit trois notions qu'il faut interroger pour éviter d'être prisonniers de représentations, sinon spontanées, du moins semi-construites et de reproduire d'une certaine façon — à un second degré — un discours autojustificateur. D'abord, quel est le sens de la notion de « mouvement » lorsqu'on l'associe à la contre-culture. On doit noter que dans les années 60, le terme « mouvement » s'est souvent substitué à celui de contre-culture pour désigner cette expérience qui se voulait une alternative globale à la société. Cette notion inscrite à l'intérieur du discours contre-culturel visait à identifier l'aspect dynamique de la contre-culture, sa dimension de projet, mais aussi le caractère supposé de son irrémédiabilité. Le « mouvement » était donc un opérateur idéologique, principe de ralliement, facteur de mobilisation. Lorsqu'on parle ici de mouvement, ne s'en réfère-t-on pas plutôt à un concept sociologique construit, celui de mouvement social? Dans ce cas, il apparaît nécessaire de changer de terrain. Il faudra plutôt se demander quels sont le moment, les conditions et les formes de son émergence et de son épanouissement.

De la même manière la notion de contre-culture pose un problème. Le texte de présentation de l'atelier parle de pratiques et de valeurs nouvelles. Ceci est vrai à un premier niveau descriptif. Mais, comme je le disais plus haut, c'est en plus un projet élaboré à travers ces pratiques visant une transformation, du moins dans la mesure de la définition que se donne la contre-culture d'elle-même. Elle se définit comme projet. Paradoxalement — vu le titre de mon exposé — je dirais qu'elle se donne comme projet politique. Cependant, si l'on change de terrain, on peut s'interroger sur la signifiation de ce néologisme, la contre-culture. À un premier niveau, il renvoie à la notion de culture, ce qui n'a pas pour effet de diminuer son ambiguïté. En effet, la notion de culture me semble être démunie de sens à force d'être investie d'une multitude de significations. À l'origine, la culture désignait le travail — à travers des formes spécifiques et un procès déterminé — mis en oeuvre pour extirper la subsistance de la terre. De façon imagée, la culture a aussi désigné le travail produit au niveau de « l'esprit ». Il s'agit alors de la culture « cultivée ». Puis, une certaine « démocratisation » de la notion se produit avec l'extension du sens de la culture dans l'acception anthropologique. La culture y désigne un ensemble de manières d'être, de penser et d'agir. Enfin, avec la constitution d'une théorie sociologique — le structuro-fonctionnalisme — la notion de culture ne sert plus seulement à décrire les caractéristiques diverses des sociétés, mais devient principe d'explication en dernière analyse. La culture comme consensus devient l'explication de la pérennité relative des structures sociales. Dans cette acception même, la culture prend des contours imprécis. On ne sait trop ce qu'elle est, mais elle permet d'expliquer sur un mode globaliste et non conflictuel l'ensemble de la réalité sociale.

De quoi s'agit-il alors lorsque l'on parle de contre-culture ? Si la culture est consensus, peut-on parler de la contre-culture comme rupture de consensus ? D'une certaine façon, elle se propose comme alternative au consensus. Mais cette notion ne quitte pas le terrain d'une explication consensuelle — globalisante et non conflictuelle. À la limite, la notion de contre-culture s'appuie sur le relativisme des analyses culturalistes. Elle permet par ailleurs de laisser transparaître la nécessité de l'analyse dynamique. Mais elle retombe dans les mêmes travers que l'analyse culturaliste en ce qu'elle recherche un principe explicatif globaliste à travers une nouvelle forme consensuelle. Qu'il suffise d'indiquer dans ces remarques préliminaires qu'autant la notion de culture que celle de contre-culture présentent d'un côté une grande part d'ambiguïté et d'un autre côté s'appuient sur un postulat de consensualité. En contrepartie, il me semble pertinent de proposer le concept de pratique idéologique — discursive ou non discursive — pour rendre compte du mouvement de la contre-culture des années 60. J'y reviendrai.

Le troisième terme du titre de l'atelier concerne le pouvoir. La définition de l'atelier distingue deux niveaux de pouvoir, soit le niveau interindividuel et le niveau sociétal. Je trouve acceptable cette distinction pour définir le niveau de l'approche. Cependant, encore une fois, il est possible de distinguer la définition spontanée du pouvoir d'une définition construite théoriquement. Que l'on pose le problème du pouvoir comme principe d'opposition politique ou comme « objet idéologique » à travailler — on peut, par exemple, repenser les rapports de pouvoir dans une commune — il me semble nécessaire de définir ce qu'on entend par pouvoir sur le plan théorique. Une opposition — nécessairement réductrice — indiquera l'insuffisance de cette définition. D'un côté, on définit le premier comme un universel. Il s'agit d'une essence plus ou moins philosophique ou psychologique qui traverse l'ensemble du « corps social » — du microcosme au macrocosme. Cette représentation d'un enjeu universel détermine souvent une position anarchiste sur le plan politique et un point de vue microsocial par rapport au champ d'intervention. D'un autre côté, on lie le pouvoir à l'exercice d'une exploitation et d'une domination spécifique dans des rapports sociaux historiquement déterminés. Cette représentation pose le problème du pouvoir à travers une théorie de l'État comme lieu de rapports de force et de luttes. Cette représentation entraîne une position politique axée sur l'analyse des contradictions et des luttes et une perspective plus macroscopique au niveau de l'intervention.

Le sens de ces premières remarques vise à établir que bien que le discours idéologique et le discours théorique ne soient pas totalement indépendants — et, au contraire, ils sont inextricablement articulés — il faut savoir établir une distance minimale entre les pratiques et discours analysés et le discours de l'analyse.

Comment aborder le phénomène de la contre-culture

La seconde remarque concerne le niveau de l'approche que je suggérerai plus loin du phénomène de la contre-culture. Ce niveau est dépendant des définitions théoriques que je donne, des pratiques idéologiques, des mouvements sociaux et de l'État. Dans tous les cas, ces définitions se rapportent à l'ensemble des rapports sociaux. Pour moi, les pratiques idéologiques doivent être comprises dans le cadre du fonctionnement idéologique général d'une formation sociale, laquelle contribue à la reproduction/transformation des rapports sociaux (cette dernière devant être comprise dans le cadre d'un rapport de force entre classes sociales). Les mouvements sociaux représentent la forme active que prennent ces luttes aux divers points de friction des formations sociales. Enfin, l'État est la condensation de l'ensemble de ces rapports de force et de ces luttes. De ce point de vue, l'approche du phénomène de la contre-culture est fixée à un niveau général d'explication. Cela ne veut pas dire que ces concepts excluent un niveau d'analyse plus microscopique. Il faudrait cependant qu'ils soient remodelés en fonction d'une approche du micro-social et que les articulations entre ce niveau et le niveau de l'analyse plus général soient élaborées. Il ne sera donc pas question ici d'expériences particulières (écoles libres, communes, nouvelle agriculture, production artisanale, etc.). De plus j'exclus de mon analyse, ici, le cas de mouvements politiques plus spécifiques — et relativement marginaux — qui ont tenté de faire le pont entre l'idéologie contre-culturelle et le politique (mouvements libertaires ou anarchistes). Je préfère aborder la question dans la perspective du développement historique du capitalisme dans sa présente phase monopoliste. Celui-ci se manifeste par une profonde transformation de l'État, une modification de la structure des classes et une réorganisation de la configuration idéologique d'ensemble. Je m'appuierai pour développer mes thèses sur les mouvements sociaux des années 60 et sur le discours idéologique explicite de ceux qui se sont réclamés de la contre-culture.

Apolitisme et idéologie de l'apolitisme

Le titre de ma communication, « la contre-culture, une idéologie de l'apolitisme », demande quelques explications. Il me semble nécessaire de souligner qu'il n'y a pas à proprement parler d'idéologie apolitique. Ce n'est pas la même chose que de parler d'une idéologie de l'apolitisme. En effet, de larges secteurs du mouvement contre-culturel des années 60 se sont explicitement réclamés de l'apolitisme. Il n'en demeure pas moins que ce mouvement fut politique dans ses effets. J'ajoute que les mouvements plus contemporains qui puisent largement leur inspiration dans l'idéologie contre-culturelle des années soixante, tout en voulant réintroduire le politique dans leur plate-forme, continuent à produire l'effet politique à travers le mécanisme de l'apolitisme. Cela implique que je définisse l'apolitisme. Celui-ci est une pratique idéologique dont l'effet politique est produit à travers une décentration de l'action politique hors du lieu où les rapports de force se nouent et se dénouent ordinairement. L'apolitisme nie le caractère politique de son intervention en prétendant désinvestir le lieu traditionnel de son exercice et en visant le rapport d'articulation entre les contradictions secondaires où il se concentre et les contradictions principales autour du pouvoir de l'État.

La contre-culture est une idéologie

Il faut préciser dès le départ que la contre-culture ne saurait être considérée comme mouvement social unifié, pas plus que comme idéologie unifiée. L'autodéfinition qu'elle donne d'elle-même tend en effet à la représenter sous une forme unifiée. Je crois plutôt qu'il faut considérer toutes les manifestations de ce mouvement dans leur multiplicité même et sous l'angle de leur émergence historique. Il n'en demeure pas moins que certaines convergences peuvent être observées au niveau d'un discours idéologique en marge de ces manifestations. Je propose de nommer cette convergence tendance idéologique contre-culturelle.

Une seconde précision s'avère utile. Il est souvent dit que la contre-culture a été récupérée socialement. Si cette notion de récupération permet, d'une certaine manière, d'indiquer la puissance d'un système qui sait assimiler les moindres parcelles de critique, elle est intéressante. Par contre, cette notion a le désavantage de laisser croire en la virginité supposée de ce qui est récupéré. En effet, dans cette perspective, la contre-culture est considérée en dehors des conditions sociales de son émergence dans un premier temps et comme détournée par ces mêmes conditions dans un second temps. Il me semble plus utile d'en analyser l'émergence au coeur même des rapports sociaux, ce qui n'empêche pas d'en saisir les aspects critiques.

Ceci m'amène à indiquer que le discours contre-culturel n'émerge pas isolé dans l'ensemble de la configuration idéologique d'une formation sociale. Il est intéressant de noter que certaines catégories d'analyse du social se développent à divers niveaux de la structure sociale. Dans le domaine des sciences sociales, le développement d'une sous-discipline de la sociologie (la sociologie de la jeunesse) et d'une certaine perspective théorique pour l'explication des sociétés (théorie de la société post-industrielle) s'articule aussi très bien avec les catégories discursives centrales de l'idéologie contre-culturelle [1].

Formation idéologique d'ensemble

Dire que la contre-culture est une idéologie nécessite que l'on précise ce que l'on entend par idéologie. Cela impose un certain détour par une théorie plus générale des formations idéologiques. La fameuse distinction établie par Louis Althusser, entre l'idéologie en général et les idéologies concrètes [2], demeure pertinente pour indiquer la nécessité de poser le problème du *fonctionnement* de l'idéologie dans nos formations sociales. Le problème des idéologies concrètes est nécessairement articulé à ce niveau fondamental, mais les contraintes de l'exposition autorisent à introduire cette question dans un deuxième temps.

Le fonctionnement idéologique dans les formations sociales capitalistes avancées peut être pensé à deux niveaux. De façon générale, il assure la reproduction/transformation des rapports sociaux. Il est aussi matérialisation — à travers des formes spécifiques — d'un rapport de force qui se manifeste dans des luttes pour la défense des intérêts de classe. Deuxièmement, au niveau de la pratique des agents, le fonctionnement idéologique constitue les individus en agents sociaux dont la forme d'assujettissement est marquée par leur place dans la lutte des classes. En ce sens, il n'existe pas d'individus qui ne soient marqués par un rapport social et donc constitués en agents sociaux. Dans le mode de production capitaliste, cette constitution est produite à travers l'interpellation des individus en sujets [3]. Le travail d'interpellation est largement produit à travers l'appareil de la famille, qui véhicule l'idéologie de la distinction entre vie privée et vie publique. La vie privée devient le lieu de développement de l'individualité. La vie publique permet de représenter les rapports sociaux sous une forme idéologique. Ce bref rappel sur le fonctionnement idéologique permet d'indiquer comment s'exécutent les fonctions et le procès de reproduction/transformation dans nos formations sociales. Il faut cependant recourir à des notions complémentaires pour analyser de plus près les rapports sociaux. J'examinerai dans ce sens quelle est la tendance idéologique qui domine dans la présente phase du développement capitaliste et quelle est la place d'une autre tendance idéologique qui s'articule à la première.

Le développement de l'État dans la phase proprement monopoliste du capitalisme implique une croissance de son interventionnisme et, par voie de conséquence, une multiplication des points de friction (multiplication des contradictions secondaires, multiplication des lieux de lutte sociale). Le développement de l'État s'accompagne aussi d'une restructuration des rapports de classe. Le développement de ce qu'il est convenu d'appeler la nouvelle petite bourgeoisie en est une des conséquences principales[4]. Enfin, le progrès scientifique marque la troisième caractéristique de cette transformation. La tendance idéologique dominante que je qualifie de technocratique se construit sur ces trois tendances. L'idéologie de la distinction entre vie privée et vie publique, bien qu'encore opérationnelle, se voit de plus en plus contredite par les faits. La tendance technocratique m'apparaît susceptible de fournir la justification de l'envahissement du privé par le public. Elle le fait par le mode d'un triptyque idéologique : elle se fonde d'abord sur le progrès scientifique et technologique pour proposer la nécessité de la *modernisation*, elle prend assise sur la complexité croissante des mécanismes de régulation et de gestion du social pour imposer la *rationalité* comme unique mode de fonctionnement, enfin elle déduit de ce qui précède que le besoin de *planification* implique des pouvoirs accrus pour les « experts ». Il y a donc déplacement de la représentation « libérale » du bien commun vers une représentation de l'État interventionniste. Cette tendance idéologique permet de constater à un certain niveau l'importance de certaines pratiques de la nouvelle petite bourgeoisie dans la régulation des rapports sociaux.

La contre-culture peut être considérée comme étant une contre-tendance à cette tendance dominante dans les formations capitalistes avancées. Le premier élément pertinent me semble être la base de classe de cette idéologie. Les mouvements sociaux des années 60 ont surtout recruté leurs membres parmi les couches de la nouvelle petite bourgeoisie. (Ces mouvements ont souvent été articulés aux milieux étudiants, soit directement au niveau de la contestation dans les universités, soit indirectement par la clientèle des étudiants ou des drop-out.) Les produits contre-culturels (revues, création, artisanat) et les pratiques contre-culturelles (modes vestimentaires, habitudes de consommation, drogue, communes, manifestations) ont fait appel aux même couches sociales. Il est donc intéressant de noter que les éléments de l'idéologie contre-culturelle s'élaborent en s'appuyant sur la même base sociale. Le deuxième élément d'intérêt est le fait que, comme nous le verrons, la critique du discours contre-culturel ou des mouvements contre-culturels identifie leur principe d'opposition sous la figure du discours et du pouvoir technocratiques. À un premier niveau d'analyse, il apparaît clairement que les credos de cette tendance technocratique sont remis en question. Cependant, un troisième élément vient atténuer la portée des deux premiers. Si, du point de vue des positions idéologiques élaborées et des oppositions sur le terrain, la tendance contre-culturelle se présente comme contre-tendance de l'idéologie technocratique, il faut observer en même temps que cette idéologie contre-culturelle continue à renforcer l'idéologie du sujet. De là, il me semble possible de proposer qu'en dernière analyse cette tendance, bien que présentant des aspects critiques vis-à-vis des rapports sociaux, favorise plus généralement leur reproduction. Un examen des aspects critiques et intégristes de cette idéologie permettra de comprendre.

Aspects critiques et intégristes

L'analyse détaillée d'un discours idéologique contre-culturel [5] m'a permis d'identifier un ensemble d'éléments critiques directement ou indirectement reliés à la tendance technocratique. À un premier niveau, cette critique s'articule autour d'une remise en question du phénomène bureaucratique, du recours généralisé aux technologies dures, du gaspillage de l'énergie, d'un certain modèle de développement scientifique et technologique et de la tendance à la centralisation. Plus indirectement, la critique vise des institutions qui assurent le fonctionnement idéologique élémentaire. La famille, les rapports sexuels, l'école sont remis en question dans leur mode de fonctionnement actuel.

Cette critique présente l'avantage de se situer au niveau d'un ensemble de contradictions secondaires, aux points de friction où les luttes sociales ont tendance à se multiplier. Cependant, la critique demeure le plus souvent au niveau des effets manifestes de ces contradictions plutôt qu'au niveau de leur intégration dans un modèle explicatif d'ensemble. L'ensemble de ces critiques est faiblement articulé, sinon à travers une explication totalisante qui déplace les contradictions du niveau des rapports sociaux vers une opposition idéaliste entre *l'individu* et une société où il est opprimé.

Faute d'un modèle permettant l'analyse dynamique des diverses contradictions, le discours contre-culturel se rabat sur une survalorisation de l'individu-sujet. Les institutions sociales sont représentées comme une force plus ou moins homogène qui est en opposition avec l'individu, lequel devient le centre et la condition même de toute transformation. En effet, il n'est question de transformation sociale que médiatisée par une transformation culturelle, elle-même devant être précédée par une transformation de la conscience individuelle. À la critique des institutions, on oppose la nécessité de renforcer la liberté humaine, de retrouver la richesse de l'individu, de faire renaître les capacités créatrices du sujet. Ce n'est qu'à travers cette révolution des consciences que la critique sociale pourra devenir opérante. À mon point de vue, ce décentrement des contradictions sociales vers le primat de la conscience individuelle tend à renforcer — à l'encontre même du projet critique contre-culturel — l'interpellation du sujet comme catégorie centrale du fonctionnement idéologique.

Un second aspect intégriste de cette idéologie est la contrepartie de ce qui précède. Le discours contre-culturel favorise très explicitement l'apolitisme. À quelques exceptions près [6], les mouvements sociaux contre-culturels rejettent toute forme d'action politique. De la même manière, le discours contre-culturel s'exclut du terrain des luttes politiques telles qu'elles peuvent se définir traditionnellement ou à travers des modèles révolutionnaires. Cette idéologie est justement caractérisée par cette position qui consiste à remettre en question la pertinence de l'action politique pour les transformations sociales. À la limite, toute forme sociale est oppressive pour l'individu, si celui-ci ne retrouve pas sa propre autonomie.

Si l'on observe dans l'état actuel des formations capitalistes avancées un ensemble de phénomènes qui tendent à renforcer les mécanismes de contrôle : concentration du pouvoir aux niveaux exécutifs, concentration du pouvoir dans des centres géographiques, confusion des pouvoirs exécutifs, législatifs et judiciaires, politisation du personnel d'État, couple réforme/répression, il est paradoxal de proposer un désinvestissement de la lutte sur le terrain de l'affrontement proprement politique — non pas seulement pour le porter aux niveaux des diverses contradictions secondaires — mais pour ramener le tout au niveau de la conscience individuelle.

Il me semble, d'une part, que la contre-tendance idéologique est contre-tendance au point de vue de son lieu d'intervention et de la base sur laquelle elle s'appuie, mais elle s'inscrit, à un point de vue plus général, dans l'ensemble des dispositifs qui tendent à renforcer et l'assujettissement des individus et la concentration du pouvoir dans les formations capitalistes avancées.

La contre-culture est un mouvement social

Il n'est pas question pour moi d'entrer, dans le cadre de cette courte intervention, dans le fond du problème de l'analyse des mouvements sociaux au cours des années soixante. Je tiens seulement à faire quelques remarques visant à replacer le phénomène de la contre-culture dans le contexte du développement de ces mouvements. Comme je l'ai dit plus haut, la multiplication des contradictions secondaires, le déplacement du terrain de la lutte des rapports de production vers un ensemble de points de friction à tous les niveaux du vécu, entraîne par le fait même une multiplication des mouvements sociaux. Ceux-ci passent de l'affrontement au niveau des rapports de production et des rapports de force autour de l'enjeu du pouvoir vers des terrains de lutte et des enjeux sectoriels. Un tableau très incomplet donne une idée de ces mouvements selon leur type.

Mouvements sociaux des années soixante (non exhaustif)

Situation historique	Objectifs	
	Larges	Restreints
Conjoncturelle	Mouvement pour les droits civiques Mouvement anti-guerre Mouvement étudiant Mouvement de libération des Indiens	Mouvement de libération des prisonniers Mouvements urbains
Structurelle	Mouvement contre-culturel Mouvements féministes	Mouvement de libération homosexuelle Mouvements idéologiques Mouvements de sectes religieuses

Ce qui est spécifique du mouvement contre-culturel, c'est sa prétention au cours des années 60 à unifier l'ensemble de ces mouvements. À un certain point de vue, c'est un mouvement qui répond à une contrainte structurelle d'ensemble (développement du capitalisme dans sa phase monopoliste) et qui offre un discours alternatif sur l'ensemble des dimensions du social. Il propose, comme je l'ai dit plus haut, un projet d'unification idéologique autour de l'idée d'une transformation globale de la société, mais à travers la révolution préalable des consciences. Enfin, dans une certaine mesure, c'est le mouvement qui a généré le discours idéologique le plus élaboré et le plus complet. L'idéologie de la contre-culture a, dans ce sens, largement dépassé le lieu de sa production. Elle a véhiculé ses éléments dans de larges couches de la petite bourgeoisie, voire même du prolétariat, qui n'ont par ailleurs pas participé de près à quelque mouvement concret que ce soit.

Par contre, cette prétention à fournir un principe unificateur à l'ensemble des mouvements sociaux s'est fondée sur l'opposition entre la conscience individuelle et la société opprimante. L'idéologie de la contre-culture représente en elle-même une stratégie de dispersion. Elle favorise la multiplicité des perspectives, des objectifs et des tactiques, refusant la lutte sur le terrain directement politique. En même temps qu'elle représente l'effet de dispersion réel produit par le régime général de la lutte des classes dans l'état actuel de développement du capitalisme, elle le renforce à défaut de pouvoir permettre l'articulation des luttes et une manière de les recentrer pour permettre une transformation. Cette incapacité de jouer un rôle unificateur se reflète depuis les années 70 dans la décrépitude du mouvement contre-culturel (fuites dans la drogue, vers le sectarisme, la réintégration, etc.). Il est indéniable que les conditions objectives qui prévalent dans les sociétés capitalistes ne sont plus les mêmes qu'à la fin des années soixante. Une crise profonde est larvaire depuis cette époque et entraîne des conséquences nouvelles au niveau de l'organisation du pouvoir. Les mouvements sociaux à objectifs larges semblent perdre du terrain par rapport aux mouvements ayant des objectifs plus restreints. L'effet de dispersion est d'autant plus grand. Compte tenu de cette réalité, il n'en demeure pas moins que le mouvement contre-culturel était trop largement fondé sur une perspective idéaliste, visant la dispersion des conflits et se réfugiant dans un resserrement de l'idéologie subjectiviste.

Conclusion

Les questions soulevées dans la description de cet atelier par rapport à la contre-culture et au pouvoir trouvent leur réponse essentielle dans le fait que la contre-culture, en même temps qu'elle n'est pas le fruit d'un hasard historique et que sa forme première est d'abord critique, propose un modèle illusoire (utopique) de transformation sociale. Le primat de la révolution des consciences sur la transformation culturelle et sociale déplace non seulement l'analyse, mais la pratique politique du terrain des luttes concrètes vers un espace imaginaire qui, en dernière analyse, sera réinséré dans les rapports sociaux d'exploitation et de domination.

Les critiques de la contre-culture, justes à un premier niveau, ne trouvent pas alors le moyen de leur articulation et l'effet produit est la dispersion. Au contraire, la tendance actuelle à la centralisation du pouvoir se trouve renforcée par l'ignorance volontaire du terrain politique des luttes. Enfin, la révolution des consciences renforce la catégorie première du fonctionnement idéologique dans les formations sociales, celle du sujet.

Jules Duchastel

Département de sociologie
Université du Québec à Montréal

Notes

[1]Voir Jules Duchastel, *Théorie ou idéologie de la jeunesse : discours et mouvement social*, Université de Montréal, 1978, thèse de doctorat. Voir également *Idem*, « The Sociology of Youth as the Theoretical Basis for Ideologies of the Counter-Culture », Uppsala, Association internationale de sociologie, 1978.

[2] Louis Althusser, « Idéologie et appareils idéologiques d'État », *in La Pensée*, n° 51, Paris, juin 1970.

[3] Il ne s'agit pas, selon moi, d'une interpellation universelle comme c'est le cas pour Althusser, mais de la forme spécifique que revêt la constitution des agents sociaux dans le mode de production capitaliste.

[4] La notion de nouvelle petite bourgeoisie est trop large pour être satisfaisante. Elle est définie négativement dans la mesure où elle regroupe les couches sociales qui ne se placent pas dans les rapports de production du point de vue des critères de la propriété ou du travail productif. Elle est donc multiple. Les fractions qui nous intéressent ici sont plutôt celles qui sont définies par leur fonction idéologico-politique dans les rapports sociaux et risquent par le fait même d'être davantage polarisées vers la bourgeoisie.

[5] Jules Duchastel, thèse de doctorat, *op. cit.*

[6] Par exemple, les Yippies de Gerry Rubin.

Nouvelle culture, utopie et non-pouvoir

« *Par rapport à ce qui n'est plus que du vide, je fais le vide. J'évalue froidement l'étendue des ruines. Je pars. Je n'aurai pas un regard en arrière. Entre ce qui bientôt ne sera plus et ce qui n'est pas encore, en ce cruel hiatus d'à-présent, je veux un partage net. J'apprends à trancher. Au plus dense de la nuit, j'affûte le couperet de l'aube. J'ai gagné la lisière du désert grandissant. Je suis un étranger. Mon visage s'imprègne de couleurs inconnues, des lueurs du temps d'****après****. Je peux me dire saisi et possédé par la vision. Je sais comment je renaîtrai* ***là-bas****, et accueilli par quels peuples, associé à quel recommencement du monde* » (Paul Chamberland, « La dégradation de la vie », *Possibles*, vol. 3, n° 2, 1979, p. 96).

La nouvelle culture ne peut être cernée par une définition et n'a pas avantage à l'être; on s'y est d'ailleurs toujours méfié des définitions et des classements. Pour situer les idées, disons qu'il s'agit d'un ensemble d'expériences : communes et villages communautaires, groupes de thérapies nouvelles ou de croissance (*gestalt*, bio-énergie, etc.), techniques d'expansion de la conscience (drogues psychédéliques, méditation, bio-feedback, hypnose, etc.), techniques de développement des facultés *psi* (télépathie et télékinésie). Depuis une vingtaine d'années, des produits culturels de toutes sortes — en musique, en littérature, en arts picturaux et graphiques — expriment les principales valeurs et représentations rattachées à ces pratiques nouvelles. Nous les résumons brièvement en guise d'introduction (Racine et Sarrazin, 1972; Racine, 1977b).

Il y a d'abord un rejet radical de la domination de la nature et de son pillage par la technologie des sociétés actuelles. Il y a aussi rejet de toutes les formes de domination d'un individu ou d'un groupe sur un autre. L'être humain n'est pas considéré comme extérieur et supérieur au monde naturel, mais comme faisant partie de ce dernier et devant y jouer le rôle d'un gardien. Au sein de l'humanité, l'homme et la femme, l'enfant et l'adulte, sont considérés comme différents mais égaux : une attitude qui ne transforme pas les différences en inégalités est assez représentative de la nouvelle culture (Fabre, Moukhtar et Racine, 1977).

Par ailleurs, la science et la technologie « lourde » (de grande dimension, et grande consommatrice d'énergie, polluante, etc.) sont perçues comme outils de la domination de la nature, liées intimement à un système social qui vit de la production pour la production, de la croissance pour la croissance, engendrant ainsi les pires inégalités, pillant le monde naturel et entraînant la crise écologique actuelle (épuisement des ressources non renouvelables, perturbation des cycles écologiques, accroissement de l'écart entre riches et pauvres, croissance surexponentielle des populations). De là toutes les tentatives visant à mettre sur pied un nouveau mode de vie : petites communautés autosuffisantes où tendent à disparaître le salariat, la division spécialisée du travail, l'exploitation, les inégalités socio-économiques aussi bien que celles fondées sur l'âge et sur le sexe; communautés dont le rapport à la nature se fait par l'intermédiaire d'une technologie « légère » excluant le pillage, la pollution, par le respect des cycles écologiques et leur connaissance approfondie (énergie éolienne et solaire, agriculture biologique, etc.).

Enfin, culminant dans la science analytique et dans la technologie lourde qui s'y rattache, la pensée rationnelle est considérée comme intimement reliée à toutes les formes de domination et d'inégalités sociales. En conséquence, tout sera fait pour favoriser le développement des facultés non rationnelles : affinement général de tous les sens et développement des capacités *psi*. Sur le plan rationnel, on préférera les spéculations des philosophies orientales et ésotériques à la pensée scientifique ou philosophique occidentale (Racine, 1977a et 1977b).

Dans les pages qui suivent, nous tenterons de faire une rétrospective de la courte histoire de la nouvelle culture, en insistant sur l'attitude de celle-ci face au pouvoir et aux institutions, et aussi face à l'éventualité d'un passage imminent à une société nouvelle. Après avoir caractérisé le mouvement néo-culturel comme utopie moderne, se distinguant radicalement des projets socialiste et communiste, nous ferons un bref historique des événements et des étapes majeurs du mouvement, ce qui aidera à mieux comprendre les difficultés qui s'y sont posées lors de la réalisation du projet communautaire, les rapports de ce dernier avec le projet écologique et la question du développement des pouvoirs psychiques.

Nouvelle culture et utopie : vers une redéfinition du politique

Les années soixante-dix s'achèvent et, à la veille des années 80, nous nous penchons sur le phénomène de la « nouvelle culture » pour en faire le bilan.

« Nouvelle culture » ou « contre-culture » sont les termes qu'ont employés les spécialistes de la théorisation pour étiqueter la vaste explosion politique et sociale qui ébranle et fait frissonner le monde occidental entre 1960 et le début des années 70.

Pour nous, ces concepts sociologiques, bien que très pertinents quant à l'identification de quelques aspects du phénomène des années soixante, n'en recouvrent pas l'essentiel, dans le sens que même si la contestation de l'ordre établi semble se faire au niveau culturel, elle est avant tout axée vers la reconstruction de l'ensemble des dimensions sociales et politiques des sociétés occidentales. Ceci dit, nous allons cependant continuer à employer dans notre analyse le terme de « nouvelle culture ».

Vouloir aujourd'hui faire le bilan de ce qui s'est passé pendant les années soixante est à notre avis une tentative problématique et compliquée. D'un côté, il nous est difficile de prendre vraiment de la distance face à ce phénomène, parce qu'à plusieurs égards, l'impact du mouvement fait partie intégrante des années soixante-dix. D'un autre côté, l'effervescence, le dynamisme et la force des années soixante contrastent tellement avec l'état actuel des sociétés occidentales retombées aujourd'hui dans le narcissisme rédempteur des sectes religieuses et de la culture physique, des crises institutionnelles et du discours rationnel, qu'on est très souvent tenté de considérer la « nouvelle culture » comme étant dépassée, morte, appartenant à une époque historique révolue.

À cet état de fait contradictoire correspondent aujourd'hui deux genres d'analyse du phénomène néo-culturel, qui malheureusement nous semblent tous les deux erronés. D'un côté, on retrouve le discours de ceux qui, dès son apparition, ont essayé de minimiser l'importance politique et sociale du mouvement néo-culturel en l'identifiant uniquement à ses manifestations les plus épiphénoménales et les plus exotiques : la tenue vestimentaire des hippies et des yippies, les cheveux longs, la drogue et l'encens. Ceux-ci se placent maintenant à l'intérieur du nouveau discours moralisateur du pouvoir, en considérant la nouvelle culture comme un accident de parcours, la crise d'adolescence d'une génération de jeunes mal élevés, trop gâtés, etc., qui, après s'être complus dans un « trip » d'irresponsabilité et de fuite face au réel, se sont fort heureusement assagis, lavés, rangés, et ont, en vieillissant, repris leur place à l'intérieur de la société « normale ».

Il va de soi que les capacités de tolérance, de sagesse et d'équilibre du pouvoir établi ressortent exaltées de ce genre d'analyse. Il est évident aussi que cette vision de la nouvelle culture ne rend pas compte des faits tels qu'ils ont eu lieu, et escamote et nie toute la signification politique des années soixante.

Parallèlement à ce discours, on retrouve une autre lecture actuelle des événements des années soixante, qui est aussi répandue que celle qu'on a mentionnée ci-dessus. Celle-ci est typique des cercles d'une certaine intelligentsia de gauche, qui, tout en affirmant qu'il y a eu « contre-culture » et « tentative révolutionnaire » pendant les années soixante, place l'analyse du phénomène sous l'égide de la défaite, de l'échec et de la récupération. De nouveau dans ce genre de discours, le pouvoir établi, institutionnel et bureaucratique ressort inaltéré, victorieux et intouchable. Certains vont déplorer le « manque d'organisation » de la contestation des années soixante, d'autres vont attribuer « l'échec » de la nouvelle culture au manque de « maturité révolutionnaire » et à la « naïveté politique » des néo-culturels, d'autres finalement vont axer leur explication de la prétendue défaite sur les capacités d'intégration et de récupération du système tout-puissant.

Nous nous opposons à ces deux genres de perspectives, qui de toute façon, indépendamment de leurs postulats de départ, se ressemblent étrangement quant à leurs conclusions : d'un côté la négation, et de l'autre l'échec et la disparition du phénomène néo-culturel.

Nous nous proposons de mettre en lumière la continuité qui existe entre « l'hier » et « l'aujourd'hui » du mouvement, entre les premiers moments de son émergence, le projet initial et les différentes étapes de son évolution.

Nous choisissons donc de parler de la nouvelle culture en termes de mutation et de changement de forme, en nous interrogeant sur les erreurs stratégiques, les victoires remportées et les batailles perdues par les néo-culturels dans leur confrontation avec l'Institution sociale. Ceci pour démontrer que, dans l'espace d'une vingtaine d'années, aussi bien sur le plan théorique (nouvelles approches du pouvoir, du changement social, de la maladie mentale, etc.) que sur le plan pratique (mouvement écologique, revendications des femmes, légitimisation de l'homosexualité, écoles et pédagogies nouvelles, villages communautaires, etc.), le mouvement néo-culturel des années soixante ouvre des brèches énormes dans l'ordre bourgeois technocratique établi, dans l'imaginaire social des sociétés occidentales contemporaines (Fabre, Moukhtar, Racine, 1977).

Pour nous l'héritage des années soixante est encore actif et présent dans le mode d'être et de penser des années 70 et 80.

L'utopie moderne

Envers et contre tous les déterminismes de son époque, le mouvement néo-culturel émerge dans la spontanéité et fonde petit à petit toute une nouvelle tradition de lutte politique et existentielle.

Son originalité découle du fait qu'après avoir essayé, en un premier temps, d'opposer au pouvoir établi des critiques institutionnelles partielles (remise en question des institutions éducationnelles et de leur rôle répressif dans le processus de la reproduction sociale, rejet de l'enfermement familial, de l'institution psychiatrique et pénitentiaire et de l'État), le mouvement se constitue très vite comme contestation et subversion de l'ensemble de l'ordre social et politique de l'Occident capitaliste contemporain.

En tant que vaste mouvement de négation des acquis de l'ordre rationnel et technologique, la nouvelle culture dénonce et démasque les coûts du « Progrès » en dévoilant les coulisses de la machine scientifico-technologique : l'autorité, le pillage, les inégalités et la répression (Fabre, Moukhtar, Racine, 1977).

Dans son élan de prise de conscience de la corruption du domaine politique, le mouvement néo-culturel prend une attitude révolutionnaire qui le différencie de tous les autres mouvements d'opposition au pouvoir de son époque. La nouvelle culture se constitue graduellement comme « utopie moderne » :

> Qu'il y ait eu rencontre avec l'esprit du temps, la « brèche » de 1968 en témoigne, où peut se lire un affrontement entre la résurgence anonyme de l'utopie, utopie plurielle, polymorphe, « insensée », à la recherche d'elle-même et l'impérialisme de la tradition révolutionnaire qui n'eut de cesse de donner une traduction politique classique du nouveau, de ramener l'inconnu de l'excès dans les limites du connu (Abensour, 1978, p. 210).

Au nom d'une humanité nouvelle, les années soixante vont ébranler les dogmes, les orthodoxies et les croyances de notre époque. Elles deviennent une utopie en actes qui nargue et mine le règne de la maison politique et civile.

La réalisation du rêve

Les valeurs véhiculées par le mouvement néo-culturel sont particulières, dans le sens qu'elles n'émanent ni d'un parti politique, ni d'une idéologie, ni d'un maître à penser ; dans un mouvement de critique et d'auto-critique, elles émergent de partout et à tous les niveaux. Intellectuels désabusés, femmes, ouvriers, collégiens, musiciens, cinéastes, étudiants, artistes, etc., se mobilisent en se déconnectant du circuit rationnel pour prendre part au processus de création de nouvelles conditions « d'être ensemble » des humains.

Avec, comme fil conducteur, le désir de réaliser un mode de vie respectant la « VIE », le mot d'ordre contre l'autoritarisme, les inégalités et la répression fait dans l'espace de quelques mois tache d'huile dans l'imaginaire de toute une génération. Au sein du mouvement des années 60, les noyaux néo-culturels prenaient souvent la forme de laboratoires sociaux où s'expérimentaient différentes façons d'être, de vivre avec autrui et avec soi-même.

Le mouvement néo-culturel est apparu comme un message lancé par une frange de la société, la plus sensible et la plus consciente, message dénonçant le danger qu'une certaine idéologie faisait courir au reste du monde.

Sans programme défini et sans stratégie précise, les néo-culturels ont voulu défier le statu quo du bonheur technologique, de la standardisation et de la destruction mentale, sociale et écologique.

La pratique des néo-culturels apparaît donc comme une tentative pour résoudre les contradictions de leur personnalité sociale, reflet de l'idéologie dominante, afin de pouvoir trouver une alternative commune et un autre mode de vie.

Les pratiques, le vécu quotidien et les productions symboliques de la nouvelle culture varient dans leur forme et leur expression selon le milieu d'où elles émergent.

Au fur et à mesure que les différentes expériences s'élargissent à des niveaux rarement atteints dans le contexte de nos sociétés actuelles, l'utopie prend forme, le rêve se réalise temporairement dans les marges de la société qu'il rejette.

Exposée à toutes les tactiques répressives de la société établie, la nouvelle culture, en expérimentant des échecs, change de forme et de stratégie au fur et à mesure que les obstacles se présentent.

N'étant pas un mouvement organisé, et se refusant à l'institutionnalisation, le phénomène néo-culturel possède une souplesse qui lui permet d'introduire dans le mode de vie qui le caractérise de nouveaux éléments, tout en en rejetant d'autres qui semblent empiéter sur les conditions spécifiques du moment.

La recherche des paramètres d'un mode de vie alternatif culmine dans les multiples expériences que vivent les néo-culturels (Racine, 1977b). En se plaçant aux interstices de la société qui les engendre, ils deviennent marginaux, nomades, mutants... Leur mutation est vécue à travers un spectre de moyens très variés qui coïncident quant au but : démolir en soi et autour de soi la perpétuation de l'autorité qui constitue la base de la société qu'ils combattent.

Le défi du non-pouvoir

> *L'être du non-pouvoir est de dissoudre le Pouvoir établi. L'être du non-pouvoir c'est l'être* (Baynac, 1978, p. 196).

Nous considérons la nouvelle culture comme une utopie moderne parce que dans son orientation critique, elle adopte une attitude qui la place à l'avant-garde de tous les mouvements actuels dit « révolutionnaires ». Utopie, parce que sa démarche relève plus d'une « science-fiction-politique » que des idéologies matérialistes revendicatrices de pouvoir qui caractérisent les « métaphysiques classiques » de la révolution moderne.

Alors que les idéologies révolutionnaires traditionnelles capitalisent sur la prise de pouvoir et raisonnent en termes d'organisation, d'avoir et de quantités, la nouvelle culture, en se détachant du jeu traditionnel « pouvoir/contre-pouvoir », rejoint la tradition utopique subversive du « moins d'État possible ».

L'option révolutionnaire de la nouvelle culture est subversive dans le sens qu'en tant qu'utopie, elle rompt l'équilibre du dialogue entre les détenteurs du pouvoir et ceux qui le revendiquent. À la place des pourparlers, des coalitions de classe, des grèves et des revendications salariales, la nouvelle culture engendre le refus radical de toute lutte sur le terrain politique traditionnel. En faisant ceci, elle atteint son expression la plus subversive, elle devient « non-pouvoir » (Baynac, 1978).

Son refus de dialoguer dans les termes établis par le système et de se battre à l'intérieur des frontières tracées par le pouvoir politique la rend insaisissable, incontrôlable, dangeureuse. Pour la première fois, le système désemparé se trouve à faire face à un mouvement dont les attentes échappent à sa compréhension.

Des hordes de techniciens du savoir se sont déployées pour identifier les racines du mouvement, son orientation, ses leaders. Mais comment traquer le rêve ? La nouvelle culture, ne relevant pas du même ordre de logique, polarise la raison et l'utopie.

Dans quelques pays, les réactions du pouvoir établi se font parfois violentes, mais inefficaces. Comment contrôler sans comprendre ?

En transgressant les règles du jeu et le langage du savoir-faire politique, le mouvement néo-culturel échappe complètement à la compréhension des magistrats du savoir et du pouvoir établi.

Dans la spontanéité et dans le jeu, l'histoire du monde occidental des années soixante devient création de l'utopie moderne.

> Décentralisation, multiplication des lieux de socialisation (l'association domestique et agricole, la cuisine, la sexualité, le travail, la danse, l'éducation, le jeu), invitation à la pluralité, dissémination, appel à une communication entre les groupes, les séries se faisant et se défaisant en permanence, prolifération sur un même territoire de micro-communautés expérimentales « dans le dos » de l'unification étatique, telles sont les voies de l'utopie pour laisser s'instituer un nouveau « vivre ensemble » des hommes. Comme si peu à peu une « société des sociétés » venait se substituer spontanément à l'extériorité du pouvoir, à la violence de l'État. Jusqu'au point de le confronter à son inutilité. Former et informer, tisser un nouveau lien social, libérer une effervescence sociale aux effets inconnus (Abensour, 1978, p. 226).

La double spécificité de la nouvelle culture (mouvement spontané utopique d'un côté, et stratégie du non-pouvoir d'un autre), en plus de déranger les structures sociales et politiques de la société établie, rend aussi urgente la nécessité de remettre en cause les fondements mêmes de l'option que suit l'Occident capitaliste depuis le 19e siècle.

Dans son désir de créer un monde nouveau, la nouvelle culture identifie les racines de l'aliénation collective au système philosophico-moral qui gère les faits et les gestes du monde occidental depuis le 18-19e siècle : le Rationalisme.

Elle devient l'antithèse du positif, du rationnel, de l'objectif, du scientifique et de l'efficace définis par les standards du rationalisme.

Née dans l'abondance, au paroxysme du progrès scientifique et technologique, au coeur des métropoles occidentales, dans les universités, dans les ateliers et dans les rues des capitales, la nouvelle culture rejette et combat les prémisses mêmes du mode de fonctionnement des sociétés d'où elle a émergé, c'est-à-dire l'éthique de la productivité, de l'efficience, du travail-consommation, du plein emploi, du rationalisme, de la conscience objective et de la scientificité à outrance.

> La critique mettait en cause le « point de vue de l'organisation », sous lequel tend à s'ordonner notre monde, le quadrillage de chaque secteur du champ social, l'étiquetage des individus, tout un système de discrimination des disciplines et des compétences, de mensuration des aptitudes, d'exclusion des déviants de la norme, de quantification du travail, de programmation des connaissances. Et ainsi s'attaquait-elle à la représentation régnante de la Science dont l'Organisation tire sa légitimité. À quoi s'opposait une revendication qui ne s'épuisait en aucune formule, mais se signifiait dans cette double affirmation insolite du Je en réponse à l'anonymat bureaucratique et du collectif en réponse à l'atomisation des individus dans l'exercice d'une parole sauvage et d'une communication sauvage, dans la prise de possession d'un espace ici et là cloisonné et surveillé (Lefort, 1977, p. 16).

Même si la nouvelle culture dans son évolution, n'a jamais pris la forme d'une idéologie, et même si elle s'est toujours présentée comme un ensemble de pratiques émancipatoires, à travers les expériences mystiques, psychédéliques et artistiques des agents néo-culturels, elle a élargi les frontières théoriques, le cadre de référence et le système de représentation sur lesquels le savoir de l'Occident se fonde depuis le 19e siècle pour discourir sur le réel, sur le rapport de l'homme avec lui-même, avec ses semblables et avec son environnement.

En effet, selon nous (et ceci, entre autres, va à l'actif du bilan sur les années soixante), la nouvelle culture, par la spécificité de son caractère révolutionnaire avant-gardiste et par le défi que son existence pose aux magistrats du savoir traditionnel quant à la compréhension de ses paramètres, donne le coup d'envoi d'une nouvelle approche critique et émancipatoire des sociétés capitalistes actuelles. En tant qu'utopie moderne, et par son refus de se battre selon les termes des luttes révolutionnaires classiques, elle souligne l'inaptitude des idéologies dites révolutionnaires, qui s'alimentent aux même postulats positifs et scientifiques que le système qu'elles combattent, à créer les conditions d'émergence d'un nouveau mode de vie.

La réaction des groupes traditionnels de gauche à l'égard de la nouvelle culture, qui fut tout aussi violente que celle du pouvoir, souligne de façon saisissante l'insécurité que fait subir l'émergence de cette nouvelle forme de contestation aux idéologies de la gauche traditionnelle.

Désemparés, eux aussi, en un premier temps, ils nient le phénomène avec des arguments à peu près semblables à ceux qu'emploient les garants de l'ordre du système. Petite bourgeoisie en crise, nous disent-ils ! Le mouvement prend de l'ampleur et le jeu, la fête, la subversion utopique qu'irradie la nouvelle culture rongent et font craquer les vieux cadres de référence. Comment faire tenir ensemble les fondements de la vieille bâtisse théorique ?

Les « sit-ins », les « be-ins » et les « strip-ins » comme pratiques révolutionnaires ? Ce n'est pas raisonnable...

Des communes où cohabitent et oeuvrent ensemble des membres du Black Power, des Weathermen, des hippies, du Gay Liberation Movement, des yippies ? Ce n'est pas sérieux.

Bob Dylan, Timothy Leary, Ken-Kesey, Allen Ginsberg, le Swami Vivekananda, Sri Rama-Krishna, Jésus-Christ, Marx, Mao et le Che apparaissant tous comme des symboles de la libération ? C'est le délire...

Atteinte totale à la pureté doctrinale des dogmes révolutionnaires, la nouvelle culture est aux yeux des détenteurs du savoir et du pouvoir révolutionnaire d'autant plus scabreuse qu'elle diverge, quant à ses buts, de ceux de toute révolution respectable. Elle est la révolution pour l'être et non plus pour l'avoir (Baynac, 1978).

> Contrairement à toutes les révolutions passées, Mai 1968 n'a pas été provoqué par la pénurie, mais par l'abondance. Aussi l'événement n'entre-t-il dans aucun schéma théorique connu et, depuis lors, toutes les stratégies réformistes et révolutionnaires connues sont déclassées. La risible impuissance des politiciens de tout poil les accule donc à se nier eux-mêmes en se rabattant sur le social. De ce dérapage incontrôlé rien jamais ne sortira. Tout est à repenser. Tout est à réinventer. Tout est à refaire... en Mai, la radicale nouveauté de

la motivation révolutionnaire a engendré une stratégie radicalement nouvelle (Baynac, 1978, p. 193).

À la lumière des événements des années 60, les concepts de « praxis », de « révolution », de « sujet révolutionnaire » se voient altérés de façon radicale, même si encore aujourd'hui les héritiers des vieux schémas positivistes s'acharnent à nier les faits et sacrifient l'histoire au temple de leur rigidité dogmatique.

Rétrospective *

Aussi bien en Europe qu'aux États-Unis et au Québec, le mouvement néo-culturel a pris à plusieurs reprises le devant de la scène politique : manifestations étudiantes (Berkeley, Mai 68, etc.), manifestations contre la condition des Noirs américains et contre la guerre du Vietnam, festivals de musique *pop* (Île de White, Woodstock, etc.). Le mouvement a aussi fait parler de lui à cause des désertions massives face au service militaire (*draft-dodgers* américains), à cause de l'emploi généralisé des psychotropes (interdiction du L.S.D. et arrestation de Leary : voir Leary, Allpert et Metzner, 1964 ; Leary, 1973), à cause du décrochage (« dropping-out ») des jeunes. Par leurs vêtements et leurs manières (*peace and love*) les enfants fleurs de Californie, comme les *provos* ou les *Kabouters* (elfes) d'Amsterdam, se sont aussi acquis une certaine notoriété.

Puis, au début des années 70, il y a l'éclatement des Beatles, les suicides de Morrison, Hendrix et Joplin ; on commence alors à sentir le reflux, les débris, le lendemain des fêtes ; le chemin sera long et parsemé d'embûches. On entend beaucoup moins parler du mouvement. Il est de moins en moins question des communes et de la libération sexuelle, il y a baisse considérable de la consommation de la plupart des grandes drogues psychédéliques, et détérioration de leur qualité. Beaucoup des « drop-out » des années 60 s'intègrent doucement au système qui, pour sa part, récupère (commercialise) une bonne partie des traits les plus apparents du comportement néo-culturel : musique rock, groupes de thérapies nouvelles et de croissance, marijuana, habitudes vestimentaires et décoratives (jeans, posters, etc.).

Aujourd'hui, le mouvement ne tient plus le devant de la scène politique ; on entend parfois parler à la T.V. des excentricités de tel ou tel groupe mystique, rien de plus. Pour un observateur extérieur, il

* Voir Lazure, 1972 ; Empain, 1975 ; Valabrèque, 1975 ; Obst et Kingsbury, 1977.

est facile de dire que tout cela a été récupéré par le système, comme s'envolent les rêves d'enfance et les espoirs adolescents, que la génération des enfants fleurs a passé sa crise de jeunesse petite-bourgeoise pour s'intégrer sagement à la société capitaliste. Tout serait ainsi réglé, on pourrait alors revenir aux choses sérieuses comme les réformes sociales ou la dictature du prolétariat. Mais ce n'est pas si simple, comme on le verra un peu plus loin.

Des manifestations étudiantes au mouvement communautaire

Revenons maintenant sur les événements dont nous venons de faire la rétrospective et tentons d'en dégager la portée en ce qui concerne l'attitude de la nouvelle culture face au pouvoir.

Les manifestations étudiantes

Après une première phase de protestation contre la bureaucratisation de l'enseignement et la brutalité de la réforme technocratique de l'Université, une bonne partie de ces manifestations s'est centrée sur la dénonciation vigoureuse de la collusion entre Science, Technique, Université et Capital. Le « dropping-out » généralisé qui a accompagné la période où eurent lieu les plus importantes de ces manifestations (Berkeley aux États-Unis, Mai 68 en France, dernières manifestations organisées par l'U.G.E.Q. au Québec, etc.) permet de saisir un des points centraux de la démarche politique de la jeunesse contre-culturelle de l'époque : on dénonce le système sans chercher à obtenir de réponses ni à faire la révolution. On décroche (« drop ») plutôt, on se marginalise, on vit d'expédients et on tente des formes de relations sociales nouvelles (communes). Comme le « dropping-out » a accompagné les manifestations anti-universitaires, la désertion a accompagné les manifestations contre la guerre du Vietnam : on exige la fin de la guerre (« make love, not war ») et on prend la seule mesure concrète et personnelle susceptible de l'entraver (la désertion, si l'on est conscrit). Comme le décrochage, la désertion est le moyen de se mettre suffisamment en marge du système pour pouvoir expérimenter une vie nouvelle.

Ces phénomènes de décrochage, de désertion et de marginalisation montrent à quel point la démarche politique de la contre-culture diffère alors de celle des mouvements socialistes traditionnels. Au lieu de vouloir réformer l'État et ses appareils, ou s'en emparer, on les dénonce et on tente ensuite de faire les premiers pas vers une société nouvelle, sans chercher à convaincre et à organiser les larges masses avant de bouger soi-même. En ce qui concerne la question de l'État, la contre-culture est beaucoup plus proche de la position anarchiste (« le désordre, c'est l'ordre moins le pouvoir », Léo Ferré) que du socialisme ou du « communisme » (Calvo, 1977 ; Bookchin, 1971 ; Friedmann, 1975).

On comprend ainsi que le mouvement ne se soit jamais organisé et n'ait jamais produit d'institutions comme les partis et les syndicats. Quand on ne veut ni réformes ni prise du pouvoir, toute organisation de ce type perd sa signification. La spontanéité de la nouvelle culture n'est pas un défaut ou une immaturité politique, c'est la conséquence directe de son anti-étatisme. La seule tentative sérieuse d'organisation politique au sein de la nouvelle culture fut celle des hippies, qui, à la Convention de 1968, à Chicago, se fixaient pour but d'assurer l'appui de la jeunesse à la frange progressiste du parti démocrate : ce fut un échec (Rubin, 1971).

En mai 1968, en France (Labro, 1968 ; Morin et Halter, 1978), par contre, on a une parfaite illustration de la démarche politique dont nous parlons. À la suite de brimades administratives de la part de l'Université Technocratique, le mouvement étend sa protestation en manifestant contre le lien entre l'Université et les forces de répression. Tout s'arrête, à l'échelle de la société, grâce à l'appui inattendu et spontané de la classe ouvrière. Alors, loin de s'intéresser à l'organisation en vue de la prise du pouvoir, ou de résister à la répression, on se met à parler et à chanter dans les rues, à faire l'amour, à écrire des poèmes et des dessins sur les murs (« sous les pavés, la plage », « l'imagination au pouvoir », etc.). Puis, en dehors de toute institution, on met sur pied les services essentiels (approvisionnement, etc.) dans les quartiers, les petites villes et villages. De Gaulle s'était très bien rendu compte de la portée de cette attitude, en déclarant que la nation était au bord du chaos, *parce que personne ne semblait plus croire en l'autorité de l'État*. Si la société française ne s'est pas alors profondément transformée, c'est sans doute beaucoup plus parce que la majorité de la population n'adhérait pas à l'idéal du mouvement de mai que parce qu'il faudrait absolument s'emparer de l'État avant de songer à vivre la vie nouvelle. Un État qui n'intéresse plus personne n'existe plus. C'est pourquoi De Gaulle a tout fait pour amener les « représentants » de la classe ouvrière à négocier, c'est-à-dire à reconnaître l'autorité de l'État. C'est sans doute aussi pourquoi l'intervention militaire aurait été justifiée face à une organisation qui aurait tenté de s'emparer de l'État, en reconnaissant du même coup l'importance.

À l'époque, on retrouve partout la même démarche. En Allemagne, les vastes manifestations du S.D.S. contre le trust Springer s'achèvent par le démembrement du mouvement étudiant, suivi de plusieurs expériences de vie communautaire (Dutschke, 1968; Commune 2, 1972). À Amsterdam, après s'être servis de l'élection de l'un des leurs au conseil de ville pour faire une vaste propagande en faveur de la vie communautaire, les *provos* disparaissent de la ville pour mener à bien leur projet. Au Québec, l'Union générale des étudiants (U.G.E.Q.) se saborde après avoir organisé une série de manifestations sous le signe du refus de négocier et de la nécessité de l'auto-organisation à la base. Au même moment, le mouvement d'animation sociale dans les quartiers défavorisés, qui avait un temps attiré une part non négligeable des militants étudiants, se dissout et donne naissance à divers projets communautaires. Ce mouvement avait aussi évolué précédemment vers le principe de la non-négociation et de l'auto-organisation à la base.

Ainsi, pendant les années 60, la plupart des organisations étudiantes ont évolué en suivant une même ligne générale. Partant des positions socialistes traditionnelles, on attaque d'abord de façon plus ou moins réformiste ou révolutionnaire l'Université bourgeoise et technocratique; après une phase revendicative assez brève, on passe des revendications révolutionnaires (changer l'Université et la société) au refus de négocier. Suit alors la poussée vers l'auto-organisation à la base, accompagnée de manifestations qui dénoncent globalement le système. Vient enfin la dissolution des organisations, justifiées par des principes anti-étatiques et anti-bureaucratiques, ce qui ouvre la voie aux expériences communautaires.

Les manifestations dont nous venons de parler représentent une transition entre l'ancienne démarche socialiste et la démarche propre à la nouvelle culture. Refuser toute négociation avec les institutions d'un système que l'on condamne radicalement laisse, en effet, la voie ouverte à plusieurs politiques : organisations révolutionnaires terroristes, ou vouées à la fondation du parti prolétarien, organisations populistes visant à l'auto-organisation des masses laborieuses, marginalisation et expérimentation de formes de vie nouvelle. Seule cette dernière attitude caractérise la nouvelle culture. Au Québec, ce ne sont pas tous les militants étudiants qui, vers la fin des années 60, ont suivi cette voie; plusieurs s'orientent dans un sens réformiste (fonctionnaires des partis, des syndicats ou des institutions étatiques) ou révolutionnaire (divers groupuscules).

Décrochage et communes

Qu'ils se trouvent à ce moment au secondaire, au cegep ou à l'université, beaucoup de ceux et de celles qui ont décidé d'interrompre leurs études et de ne pas travailler sur une base stable n'avaient jamais fait de politique au sens habituel. Il n'en reste pas moins que le fait même de « dropper » avait alors des implications socio-politiques considérables. Ce geste veut dire que l'on aime mieux vivre d'expédients — bien-être social, travail à la pige, vente de drogues psychédéliques, etc. — que de faire au système la concession de poursuivre des études en vue d'entrer sur le marché du travail

Le « drop-out » ne peut pas être assimilé au chômeur ou à l'assisté social, qui subissent leur condition sans l'avoir choisie. Il ne peut non plus être confondu avec un membre de la petite pègre, qui parasite le système tout en en jouant admirablement le jeu. Le fait de vivre d'expédients ne suffit pas à circonscrire la nouvelle culture et il est évident qu'il ne s'agissait alors que d'une phase temporaire. Beaucoup d'anciens « drop-out » sont revenus aux études ou sur le marché du travail sans pour autant cesser d'appartenir à la nouvelle culture ; et, par contre, beaucoup de « drop-out » n'ont été que des bohèmes individualistes plutôt que des expérimentateurs d'un nouveau mode de vie.

Le décrochage n'avait un sens politique que dans la mesure où il s'intégrait, à un moment donné, en un ensemble de comportements gravitant autour de l'expérience de la vie communale. De toute façon, ce ne fut jamais un geste de puriste : s'il était préférable de « dropper » pour vivre en commune, on le faisait ; quand il est devenu préférable de travailler, on l'a fait aussi.

Compte tenu de ces réserves, force est toutefois de constater que, pendant les années 60 et au début des années 70, le geste de « dropper » était une mise en marge volontaire, conséquence évidente des positions non revendicatrices auxquelles avaient abouti les mouvements étudiants. Le système que l'on refuse, face auquel on ne veut plus négocier quoi que ce soit, et surtout pas le pouvoir d'État, on cherche alors à en dépendre le moins possible dans la vie quotidienne. Ce qui est remarquable c'est que, contrairement aux activités individualistes des marginaux de tout temps, on profite alors du retrait relatif que l'on a choisi pour expérimenter de nouvelles formes de vie sociale.

L'attitude que suppose le décrochage conduisant à l'expérience communale est ainsi très différente de la démarche des militants politiques habituels. Le militant, qu'il soit conservateur ou libéral, réformiste ou révolutionnaire, doit convaincre une certaine catégorie de gens qu'il est dans leur intérêt d'appuyer son parti et ses idées :

d'où publicité et propagande, organisation et stratégie, pressions et combines, etc. Celui qui décroche n'a personne à convaincre, il n'a qu'à trouver ses frères et à vivre avec eux tout en s'isolant le plus possible du système.

Psychotropes, musique pop, enfants fleurs

La mise en marge — décrochage et vie communale — ne suppose toutefois pas que l'on se retire dans le désert. Après avoir participé à des manifestations rejetant globalement le système, le mouvement a eu soin de poser des gestes politiques visant à *témoigner* de la possibilité concrète et immédiate d'une vie nouvelle. Aussi bien les festivals de musique pop, que la consommation des drogues psychotropes, l'habillement, les gestes d'amour et de fantaisie des enfants fleurs californiens ou des elfes (*Kabouters*) d'Amsterdam répondent à ce souci d'afficher, au coeur même de l'ancienne société, l'aspiration de la jeunesse à un nouveau mode de vie communautaire et fraternel, fondé sur la libération du corps, du sexe, des sens, de l'imagination, etc.

Ces témoignages ont parfois eu une très grande ampleur, comme à Woodstock, où les participants ont retrouvé le geste symbolique d'allumer des chandelles dans la nuit, geste qui, dans la liturgie chrétienne orthodoxe, évoque la préparation au passage vers la terre promise, la fin de l'exil et l'attente du Royaume. À cette époque, la nouvelle culture a renoué avec les thèmes les plus profonds de la civilisation occidentale et judéo-chrétienne. Le symbole christique était très fort, même dans la mode vestimentaire des jeunes : visage mince, barbe et cheveux longs, robe, etc. Le symbole christique était celui de l'Homme nouveau, du passage intérieur à une nouvelle vie. À cette époque, dans le mouvement, on sentait comme imminente la venue d'une vie nouvelle. Et, lorsqu'il est devenu clair que ce ne serait pas si simple et si rapide, le caractère immolatoire du symbole christique est apparu (dans *Easy Rider*, dans *Hair*, etc.). On se rendait compte qu'il n'y aurait pas de Résurrection sans Passion, et que la route vers le Royaume serait longue et difficile (« The road is long... that leads us to who knows where », *He Ain't Heavy, He's my Brother*, The Hollies). Même récemment, l'image du Christ comme prophète immolé d'une Vie nouvelle tend à prévaloir, comme dans la récente *Vie de Jésus* du cinéaste Zefirelli. Le passage au monde meilleur est vu de manière de plus en plus apocalyptique : « au sommet abyssal de la hiérarchie du Pouvoir/règne un Androïde somnambule/qui shake/de tous ses circuits imprimés/sous la touche sans impatience/ de l'Ange exterminateur » (Chamberland, 1978).

Communes ou villages communautaires

On voit que, contrairement au courant révolutionnaire ou réformiste et à leurs organisations, la nouvelle culture n'a jamais envisagé de s'organiser pour obtenir le soutien et aider à la prise de conscience d'une classe quelconque, dont l'intérêt ultime serait de prendre le pouvoir d'État et d'établir à partir de là une dictature permettant l'avènement d'une société sans classes, caractérisée par la démocratie des producteurs (Bon et Burnier, 1971). Plutôt, la nouvelle culture procède par dénonciations et rejet global du système, puis recourt à une marginalisation qui permet d'expérimenter dès maintenant une forme nouvelle de vie sociale et d'en témoigner. Bien qu'il se soit souvent identifié à la jeunesse étudiante, le mouvement n'a jamais prétendu que cette couche sociale était la seule à vouloir un nouveau mode de vie, son attitude étant plutôt « qui m'aime me suive ».

Abordons maintenant un autre aspect de la démarche de la nouvelle culture face au pouvoir, moins spectaculaire que le premier mais tout aussi important : comment supprimer les rapports de domination et l'autorité au sein de la vie communale ? C'est cette démarche qui a conduit au débat entre socialistes et néo-culturels, la position de ces derniers étant « il faut d'abord se changer soi-même plutôt que de vouloir changer les autres ». Les socialistes ont tout de suite classé cette attitude comme individualiste et petite-bourgeoise, sans comprendre qu'elle était intimement liée aux difficultés de l'expérience communautaire et à ses objectifs fondamentaux (Commune 2, 1972; Racine, 1977b).

Dès le départ, et sans doute plus ou moins consciemment, les communes ont visé à fonder un mode de vie sans hiérarchie et sans pouvoir, respectant les différences entre les sexes et entre les âges sans les transformer en sources d'inégalités diverses (Moscovici, 1976).

L'expérience a été très difficile, comme une Passion au bout de laquelle Pâques ne semble plus assuré, et le bilan provisoire n'est pas très enthousiasmant. Bien que les laissant assez libres dans le jeune âge, de nombreuses communes ont fini par envoyer leurs enfants plus vieux à l'école. La tentative d'assurer la répartition égalitaire des tâches de toutes sortes a souvent mené à l'éclatement du groupe ou au retour à une organisation codifiée et au leadership. Les tentatives de dépasser le couple hétérosexuel stable ont abouti, après une période d'« amour libre » plus ou moins longue, à la reconstitution de couples conservateurs. La division du travail, entre les sexes, n'a guère été modifiée, malgré beaucoup de bonne volonté (les femmes continuant à s'occuper des enfants et de la plupart des travaux domestiques). Bien des essais de dépasser les tabous sexuels majeurs (homosexualité, rapports avec les enfants et les vieilles personnes), bien des tentatives pour élargir la conscience, et pour développer les capacités *psi* à l'aide des drogues psychotropes, se sont achevées par des *bad trips* ou par la soumission au gourou d'une religion orientale ou au thérapeute d'une mode plus ou moins passagère.

C'est dire qu'il n'a pas été aussi facile qu'on aurait pu le croire au départ de mettre sur pied un fonctionnement social nouveau et de dépasser, même entre gens qui s'aiment et se connaissent bien, les inégalités fondées sur l'âge, le sexe ou les rapports de travail (Fabre, Moukhtar et Racine, 1977 ; Racine, 1977a). S'il est relativement facile de se mettre en marge des principales institutions du système (travail salarié, famille nucléaire, etc.), il est beaucoup moins aisé d'extirper de soi les conditionnements que ce système a implantés en chacun dès le plus jeune âge (Reich, 1972b ; Mendel, 1971). Chacun considère son moi comme un centre de contrôle individuel analogue à ce que représente l'État sur le plan social, un facteur de domination et de division (Calvo, 1977 ; Guillaume, 1978). Chacun a un flic dans la tête et dans le coeur.

Quiconque tente de faire disparaître le résultat de ces conditionnements, d'effacer la programmation que le système a inscrite en lui par l'intermédiaire de ses agents de socialisation (famille, T.V., garderies, écoles), se heurte à des difficultés considérables, à des angoisses et à des insécurités profondes (Reich, 1972b ; Mendel, 1971). C'est dans ce contexte qu'il faut comprendre la devise « change-toi toi-même avant de prétendre changer les autres », et le recours aux nouvelles thérapies de groupes et aux techniques de croissance personnelle et d'expansion de la conscience (religieuses ou pas), prises comme moyen de déprogrammation des conditionnements effectués par le système en chacun, et comme moyen de reprogrammation indispensable à quiconque veut fonctionner au sein d'une nouvelle forme de vie sociale, communautaire et égalitaire (Liley, 1967 ; Racine, 1977b).

Il est indéniable que toutes ces thérapies et ces techniques ont rapidement été mises à la mode et commercialisées (Ruitenbeck, 1973), ce qui les a vite vidées de tout contenu, chaque thérapeute ou gourou se faisant son petit cocktail, aussi original qu'insipide, pour suivre la mode et gagner ses sous. Très vite, les clients de ces groupes ont cessé d'appartenir à la nouvelle culture, pour devenir des petits bourgeois fortunés dont les névroses et le désarroi ont conduit à une « culture du narcissisme » s'accommodant aussi bien du massage du petit orteil que de la danse devant un miroir comme moyen de « libération ». Loin d'aller dans le sens de la formation de personnes suffisamment autonomes pour vivre une vie communautaire et égalitaire, ces groupes ont exploité à fond les réflexes de soumission à l'autorité chez leurs clients.

Cette évolution de la nouvelle culture a servi de preuve à certains penseurs marxistes, dans leur analyse voulant qu'il s'agisse là d'un mouvement petit-bourgeois devant nécessairement sombrer dans l'utopisme, l'individualisme et le mysticisme. Mais il est à la charge de ces gens d'établir qu'ils peuvent faire mieux, et en particulier de prouver qu'une organisation politique dont les militants vivent sans cesse entre eux des rapports de domination pourrait, une fois au pouvoir, établir une société où la domination aurait disparu, et surtout dans le cas où la prise du pouvoir se serait faite par la force (Racine et Sarrazin, 1972). Si on juge par ailleurs impossible de dépasser les rapports de domination entre l'homme et la femme et entre l'adulte et l'enfant, qu'on ne parle plus de communisme. Si, enfin, on croit que la suppression des inégalités économiques entraînera celle des autres formes de domination, qu'on nous explique pourquoi, dans l'histoire de l'humanité, les inégalités fondées sur l'âge et le sexe sont apparues avant les inégalités économiques, et semblent relativement indépendantes de ces dernières (Fabre, Moukhtar et Racine, 1977).

Indépendamment de toute polémique, force est toutefois de constater que la tentative communale pour fonder un mode de vie sociale libéré de toutes les formes de domination n'a pas réussi jusqu'à aujourd'hui. Les rapports sociaux fondamentaux — soumission à un leader pour le partage et la coordination des tâches, subordination de la femme à l'homme et de l'enfant à l'adulte — n'ont pas encore été vraiment dépassés de façon nette.

Il n'en va pas de même en ce qui concerne l'établissement d'un nouveau rapport avec la nature, ce qui est lié au fait que le projet communal soit mis pour l'instant en veilleuse au profit du projet « écologique » des villages communautaires. Paradoxalement, c'est dans le domaine de l'instauration d'un nouveau rapport technique à la nature que la nouvelle culture a obtenu depuis quelques années ses plus impressionnantes réussites (Favreau et Bédard, 1978 ; Hawken, 1975 ; *Mainmise*, 1977), et qu'elle risque sans doute bientôt de reprendre le devant de la scène politique en présentant le résultat de ses expérimentations comme témoignage de la possibilité d'un fonctionnement social permettant de passer à travers la crise écologique générale qui se fait de plus en plus imminente (Goldsmith *et al.*, 1972 ; Lappé et Collins, 1978 ; Meyer, 1974 ; Montbrial, 1978 ; Picht, 1970).

Contrairement aux membres d'une commune, les membres d'un village communautaire ne se préoccupent pas dans l'immédiat de l'abolition de tous les rapports *sociaux* de domination. On laisse leur place à la division du travail entre les sexes, à la vie de couple et à la famille nucléaire, à une certaine domination des adultes sur les enfants, à un certain leadership et à une certaine codification dans les rapports de travail. On s'attaque principalement au rapport à la nature, par le biais de la technologie et de l'économie. Le salariat, l'exploitation, la division spécialisée du travail sont réduits au maximum, on tend à l'autosuffisance qui permettrait éventuellement de ne plus du tout dépendre des rapports marchands du système. Quoique encore marginales, peu répandues, ces expériences ont été assez poussées pour démontrer qu'une technologie « douce » (utilisation des énergies éolienne et solaire, agriculture biologique, etc.), qui n'épuise aucune ressource et ne pollue pas, peut permettre, à l'échelle de petits groupes, de satisfaire la plupart des besoins de nourriture, d'habillement, de logement, etc. (Favreau et Bédard, 1978 ; Hawken, 1975 ; *Mainmise*, 1977a ; Audiberti, 1978).

Nouvelle culture et écologie

Cette orientation récente de la nouvelle culture ne l'assimile pas pour autant au mouvement écologique (Bookchin, 1971 ; Colli, 1979 ; Commoner, 1969 et 1972 ; Dumont, 1975 ; Ehrlich et Ehrlich, 1972 ; Gorz, 1978 ; Samuel, 1973 ; Schumacher, 1978). Une bonne partie de ce dernier est essentiellement vouée à la lutte contre la pollution et contre l'implantation des centrales nucléaires, champs où il obtient d'ailleurs des résultats appréciables. Mais il faut bien noter que ceux qui appuient ce genre de luttes n'aspirent pas nécessairement en majeure partie à plus qu'un simple ralentissement de la croissance industrielle et démographique, dans un système dont les structures seraient le moins altérées possible, par ailleurs (Colli, 1979 ; Montbrial, 1978 ; Picht, 1970 ; Schumacher, 1978) : l'État demeurerait, de même que les rapports d'exploitation et de domination à tous les niveaux. La question reste toutefois ouverte de savoir si un type de société fondé sur le gigantisme industriel et urbain permis par la croissance économique valorisée pour elle-même est, à la limite, compatible avec une technologie qui ne pille pas les ressources non renouvelables et qui ne perturbe pas les cycles écologiques (par les pollutions diverses) (Commoner, 1972 ; Goldsmith *et al.*, 1972 ; Bookchin, 1971 ; Gorz, 1978).

Ce qui est sûr, néanmoins, c'est que le modèle social élaboré par les villages communautaires représente l'une des issues possibles à une crise sociale et écologique qui approche rapidement de sa phase culminante (Montbrial, 1978 ; Meyer, 1974). Mais il ne suffit pas qu'un type de société soit en crise profonde et qu'existe de façon marginale en son sein l'ébauche d'une nouvelle société pour que tous adhèrent à cette dernière, comme l'indique le nombre encore négligeable des villages communautaires. Aux yeux de la majorité des gens, l'ancienne société n'a sans doute pas fait encore clairement la preuve de son échec, de sa non-viabilité pour l'avenir. Il est d'ailleurs possible que le type de société qui succédera à celui que nous connaissons aujourd'hui ne soit pas décentralisé ni relativement égalitaire du point de vue économique : il ne faut pas oublier que les sociétés féodales, par exemple, n'étaient pas axées sur la croissance économique, tout en étant profondément inégalitaires du point de vue politique et socio-économique.

Ainsi, les sociétés d'aujourd'hui pourraient évoluer vers un fonctionnement où l'on renoncerait à un constant accroissement du surplus économique, où l'industrie prendrait alors une orientation peu polluante et n'épuiserait plus des ressources non renouvelables. Au lieu de distribuer inégalitairement des biens dont la quantité va sans cesse croissant, on distribuerait alors de façon tout aussi inégalitaire (et peut-être même plus) une quantité fixe de biens. C'est sans doute ce qui fonde l'idéologie de la « croissance zéro », véhiculée par le Club de Rome. La grande industrie limiterait ainsi ses appétits pour survivre et conserver ses privilèges (Schumacher, 1978 ; Montbrial, 1978 ; Picht, 1970 ; Colli, 1979).

On peut même concevoir qu'une telle situation entraîne suffisamment de mécontentement chez les moins bien nantis pour pousser un peu partout, par voie réformiste ou révolutionnaire, vers un type de société où des biens produits en quantité stable seraient distribués égalitairement (mélange planification-autogestion (Attali, 1975 ; Gorz, 1978) avec maintien de la grande industrie et des villes). Dans une situation où le surplus économique est sans cesse croissant, on peut concevoir que les privilèges économiques des classes dominantes s'élargissent sans que le niveau de vie des classes dominées diminue (il peut même augmenter légèrement). Cela est à peu près impossible à réaliser si le surplus ne croît plus, si ce qui va aux uns est retiré aux autres : l'application de la « croissance zéro » reviendrait à bloquer définitivement toute augmentation du niveau de vie des masses non obtenu par prélèvement sur la part des riches, éventualité qui engendrerait facilement le mécontentement dont nous parlions plus haut, et ses conséquences réformistes ou révolutionnaires.

Les deux issues que nous venons de décrire — la libérale (croissance zéro) et la socialiste (planification-autogestion) — ont toutefois en commun de conserver aux États nationaux un rôle considérable, et sans doute aussi de ne pouvoir se réaliser sans la mise sur pied d'un gouvernement mondial (Picht, 1970 ; Goldsmith *et al.*, 1972), qui ne ferait que poursuivre le processus de renforcement de l'État que l'on constate partout depuis quelque temps (Guillaume, 1978 ; Dupuy et Robert, 1976).

Il est difficile de prévoir quelle tendance l'emportera à mesure que s'amplifieront la crise écologique et ses diverses répercussions (Racine et Sarrazin, 1972). Jusqu'à aujourd'hui, on est tenté de croire que, conditionnée à dépendre de l'État et des spécialistes dans des domaines de plus en plus nombreux de la vie quotidienne (santé, éducation, loisirs, etc.) (Dupuy et Robert, 1976), la majorité adoptera face à la crise la même attitude que pour d'autres questions : que l'État et les spécialistes s'en occupent. Renforçant l'impuissance, la dépendance et la soumission à l'autorité, l'aggravation de la crise risque ainsi de faire apparaître l'État comme le seul sauveur possible (Reich, 1972b). Et justement, il est plus que probable que, dans les prochaines années, l'imminence de la crise et l'incurie présente conduisent ce « sauveur » à commettre des erreurs aux conséquences assez graves pour provoquer la panique et la désaffection éperdue de ceux et celles qui auront placé en lui toute leur confiance.

L'erreur la plus importante, à ce point de vue, a de fortes chances de concerner la mise en marche précipitée d'un emploi généralisé de l'énergie nucléaire, pour pallier l'épuisement de plus en plus rapide des ressources en pétrole à prix abordable. La conversion du pétrole au charbon et au nucléaire devra se faire d'autant plus rapidement que rien n'est encore mis sur pied concrètement à ce point de vue et que tous les rapports d'experts annoncent que le prix du pétrole deviendra prohibitif entre les années 1990 et 2000 (Montbrial, 1978 ; *Québec Science*, 1979). Dans le domaine nucléaire, cette rapidité aura évidemment des conséquences beaucoup plus importantes que dans le cas du charbon, où toutefois l'accentuation de la pollution « classique » sera énorme. Dans le cas du nucléaire, la rapidité dans l'implantation d'une multitude de centrales pourra conduire à diminuer des seuils de sécurité déjà contestés, augmentant les risques d'irradiation et d'explosion. Même sans baisse des seuils de sécurité, la multiplication des centrales rendra de toute façon plus probables les accidents et plus difficile l'élimination des déchets. Il se peut que ce dernier problème, lié au fait que les réserves de produits nucléaires classiques s'épuisent très vite, pousse à expérimenter très rapidement dans le secteur de la fusion nucléaire, procédé moins connu et dont les dangers sont incalculables. Enfin, indépendamment de ce qui précède, la multiplication des centrales et l'accès de plus en plus aisé aux engins nucléaires tactiques miniaturisés (bombes à « neutrons ») rendront de plus en plus probables des assauts « réussis » contre les centrales, par les fous désespérés de toutes sortes que l'aggravation de la crise ne manquera pas de faire proliférer.

On comprend maintenant pourquoi le mode de vie sociale nouveau représenté par les communautés écologiques opte pour la décentralisation et la disparition de l'État, de l'exploitation, de la division spécialisée du travail et des inégalités socio-économiques. En effet, si les États sont conduits à prendre à grande vitesse les mesures que nous venons de discuter, comme seule façon de sauver l'essentiel du système (Montbrial, 1978; *Québec-Science*, 1979), seules de petites communautés autosuffisantes, dans un réseau décentralisé, auront certaines chances de survivre et de favoriser la généralisation d'un mode de vie supérieur à celui que nous connaissons aujourd'hui (Racine et Sarrazin, 1972; Friedman, 1975; Bookchin, 1971; Schumacher, 1978).

Le développement des pouvoirs psychiques

Au début des années 70, lorsqu'il est devenu évident que l'expérience communale était un échec, parce que le fondement d'une vie sociale nouvelle suppose le regroupement d'individus ayant suivi une longue démarche de déconditionnement par rapport aux modèles rationnels et autoritaires inculqués en chacun lors du processus de socialisation, une réorientation s'est produite chez la plupart des personnes impliquées dans le mouvement :
- une bonne partie s'est carrément découragée et intégrée au système (Jerry Rubin devenant conseiller matrimonial)
- une autre partie est revenue à une action politique réformiste ou révolutionnaire antérieure au mouvement étudiant des années 60 (travail auprès de la classe ouvrière, parti, syndicat, etc.)
- d'autres se sont engagés dans l'expérience communautaire à la campagne, qui devait aboutir au projet écologique et au développement des villages communautaires
- certains ont continué dans la voie du déconditionnement personnel, envisagé comme préalable à toute vie sociale nouvelle. Un nombre considérable de ceux-là s'est retrouvé dans les groupes religieux, de thérapie ou de croissance, auprès de personnes individualistes et narcissiques n'ayant jamais eu grand rapport avec la nouvelle culture.

Il y a toutefois un courant de la nouvelle culture qui existe aujourd'hui et poursuit la recherche dans le domaine de l'expansion de la conscience, du développement des capacités psi et, en général, des facultés non rationnelles. La plupart de ces gens ne se retrouvent pas dans les villages communautaires, sans pour autant cesser d'appartenir à la nouvelle culture, dont ils conservent le premier idéal communautaire global d'abolition de *tous* les rapports de domination. Ceux et celles qui appartiennent à ce courant trouvent trop étriquée la vie sociale dans les villages communautaires, et sont peu sensibles à la perspective d'Arche de Noé écologique qui s'y développe souvent (Kemp, 1979). Pour ces gens, la priorité n'est pas de trouver une solution à la crise écologique avant tout, mais de réunir les conditions qui pourraient permettre éventuellement de dépasser les inégalités liées au sexe et à l'âge, le système familial où les relations entre personnes sont des relations de propriété (« ma femme, mon enfant, ma maison, etc. »), la sexualité où prime encore la modèle mâle et génital.

Dans cette perspective, le courant écologique semble trop rester sur le terrain du système actuel, en tentant de trouver une solution technique et économique à un problème beaucoup plus global (généralisation de l'inégalité et du schème dépendance/soumission, atrophie des facultés non rationnelles). On ne considère pas comme sans importance le succès des villages communautaires en ce qui a trait à la modification du rapport avec la nature, mais on reste insatisfait de son caractère partiel et de ses motivations eschatologiques un peu naïves.

Pour l'instant, aucune expérience aussi visible que celle des villages communautaires ne vient illustrer les tentatives de ceux qui aspirent à faire disparaître tout rapport de domination et à élargir les facultés non rationnelles de l'homme. Il serait pourtant illusoire de croire que ces tentatives n'existent pas, ou qu'elles se réduisent à l'occultisme et au mysticisme. Il existe encore beaucoup de gens qui tentent de vivre entre adultes une expérience d'amour qui ne soit pas de la dépendance et de l'appropriation mutuelle, de l'enfermement à deux ; qui tentent d'entrer en contact avec les enfants autrement qu'en tant que parents, éducateurs ou autre flics du jeune âge (pédiatres, pédagogues et psychologues, etc.) ; qui tentent de développer leurs capacités psychiques et d'élargir leur conscience sans tomber dans la mystification des gourous et des occultistes de tout crin. Ces gens circulent dans un réseau informel aux multiples ramifications, bien qu'ils ne vivent en général pas (ou plus) ensemble de manière prolongée. En effet, la vie commune est considérée ici comme un piège, une trappe à dépendance, tant que chacun n'a pas acquis, à travers une vie solitaire, une autonomie suffisante. Pour établir un mode de vie social sans pouvoir, dépendance, soumission et inégalités diverses, il faut avoir dépassé l'insécurité et le besoin d'autorité inculqués en chacun, et sur lesquels toute raison et tout pouvoir se greffent et prospèrent comme un cancer (Reich, 1972b; Mendel, 1971).

Comme le montrent aujourd'hui aussi bien les expériences et observations des parapsychologues que l'expérience quotidienne de beaucoup de personnes liées à la nouvelle culture, le chemin qui mène à l'autonomie est aussi celui qui conduit aux états supérieurs de la conscience et au développement des pouvoirs psychiques (Leary *et al.*, 1964; Liley, 1967; Mitchell, 1977; Tart, 1969). Sur ce plan, la nouvelle culture et certains hommes de science retrouvent ainsi le savoir millénaire des doctrines ésotériques occidentales ou orientales (alchimie, tarot, yoga, etc.) (Leary *et al.*, 1964; Metzner, 1971; Tart, 1975; Ten Houten et Kaplan, 1973).

Depuis quelques années, les observations très rigoureuses des parapsychologues, auxquels se joignent de plus en plus de physiciens et biologistes, observations conduites dans des conditions expérimentales qui excluent autant que faire se peut les fraudes et les illusions, mettent en évidence chez des personnes nullement exceptionnelles, et à des degrés de développement divers, l'existence de capacités psychiques inexplicables par la science actuelle. Les exemples s'accumulent : guérisons de maladies incurables (Stelter, 1975) et accélération de la croissance des végétaux (Pérot, 1977; Ostrander et Schroeder, 1977) par imposition des mains, vision à distance ou extériorisation de la conscience permettant de retrouver des personnes disparues ou de retracer les coupables d'un crime (Browning, 1977; Pollack, 1977; Tanous et Hardmann, 1977; Targ et Puthoff, 1978), prémonition et prévision d'événements précis (Pollack, 1977), torsion de métaux (Pérot, 1977; Taylor, 1975) et impression d'images sur des plaques photographiques (Tanous et Hardmann, 1977; Pérot, 1977) sans recours à des énergies connues, communication télépathique par le rêve, l'hypnose ou la méditation (Ullman *et al.*, 1977), etc.

La démarche expérimentale de la pensée scientifique la force ainsi à admettre l'existence de phénomènes qu'elle ne peut expliquer et qui parfois remettent en question des axiomes fondamentaux de notre conception rationaliste de l'univers (dans le cas de la prémonition, par exemple, il s'agit de la notion de causalité et d'irréversibilité du temps : le même genre de problème se pose en microphysique lorsqu'on suppose l'existence de particules allant plus vite que la lumière, ce qui explique sans doute pourquoi certains physiciens s'intéressent maintenant aux phénomènes psi — voir Targ et Puthoff, 1978; Taylor, 1975).

Une semblable situation ouvre une crise dans le noyau dur de la culture occidentale, qui est le rationalisme scientifique moderne : on est forcé d'admettre l'existence de phénomènes qui ne s'expliquent pas par les lois connues de la matière. Il serait étonnant qu'une telle crise n'ait pas rapidement des répercussions sociales. On a, en effet, de fortes raisons de croire que c'est le primat de la démarche rationnelle, lié à la répression des formes non génitales de la sexualité, qui inhibe dès l'enfance le développement des facultés psi (Bourre, 1978 ; Racine, 1977b). Il est alors plus que probable que la crise du rationalisme scientifique, en pleine période d'incertitude sociale et écologique, desserrera assez cet étau pour que se généralise l'apparition des phénomènes psi dans diverses couches de la population. Cette généralisation aidera sans doute à faire le partage entre les charlatans et les sujets réellement doués. Elle aidera sans doute aussi à mieux comprendre le phénomène d'apprentissage des facultés psi (Ostrander et Schroeder, 1977; Master et Houston, 1972 ;Ryzl, 1976) (encore aujourd'hui, on en ignore à peu près tout : même les sujets très doués ne semblent pas capables d'expliquer comment ils procèdent et d'initier d'autres personnes).

Ce détour par la question des facultés psi nous reconduit à l'idéal de ce courant de la nouvelle culture qui centre encore aujourd'hui ses efforts sur l'abolition de tous les rapports de domination. Ceux et celles qui ont recouru aux techniques de déprogrammation des schèmes autoritaires inculqués par la socialisation ne s'attendaient pas nécessairement à rencontrer sur ce chemin des états de conscience analogues à ceux décrits il y a longtemps, par les mystiques, ni à voir apparaître des facultés psychiques décrites elles aussi depuis longtemps par les traditions ésotériques ou occultes. Ces découvertes ont d'abord créé pas mal de trouble et de confusion. Puis, depuis peu, on s'aperçoit du sens de ce cheminement. Pour fonder une vie communautaire nouvelle libérée de tous les rapports de domination, il ne suffit ni de changer le rapport à la nature, ni de se défaire lentement des schèmes autoritaires inculqués en chacun. Car la déprogrammation de ces schèmes conduit à faire apparaître dans la nature même de l'être humain, et non plus simplement dans ses rapports avec le reste de la nature, la possibilité d'une *mutation psychique* rendant enfin possible une vie sociale nouvelle.

L'inculcation du schème autoritaire (domination/soumission) se fonde évidemment sur la dépendance du petit enfant, et toute société inégalitaire se sert de cette dépendance biologique temporaire pour apprendre à chacun que, dans la vie, on doit dominer ou se soumettre (Reich, 1972b; Mendel, 1971). Mais il est une autre dépendance, moins visible : celle de l'être humain par rapport aux outils matériels qui lui permettent de s'adapter à la nature, et puis de la dominer. Un des sens de la crise écologique d'aujourd'hui, c'est que nous risquons d'être détruits pas les effets sur l'environnement planétaire de la gigantesque prothèse technique que l'humanité a engendrée et dont elle semble avoir de plus en plus dépendu, jusqu'à en perdre le contrôle (Meyer, 1974). De ce point de vue, la dépendance généralisée face à la technologie va main dans la main avec la dépendance face à l'État.

La reconnaissance de l'ampleur des facultés psychiques latentes en tout être humain, et des possibilités de leur développement, permet aujourd'hui d'envisager une relation au monde social et naturel qui ne soit plus sous la coupe de la dépendance technologique. À partir d'un certain degré de développement, certaines facultés psi pourraient facilement réduire considérablement le recours à certains produits techniques dans les rapports sociaux et dans les rapports avec la nature. Prenons quelques exemples : guérison et accélération de la croissance des plantes, pour ce qui est des techniques médicales et agricoles ; télékinésie, c'est-à-dire action sur la structure de la matière sans support énergétique connu (déplacement, lévitation, torsion de métaux, etc.), pour ce qui est des techniques artisanales ou industrielles ; télépathie et vision à distance, pour ce qui concerne les techniques de communication sociale des informations. Au niveau des rapports sociaux, il est évident qu'un bouleversement aurait lieu avec la télépathie, la vision à distance et la précognition : altération de l'individualité et de la privauté, des rapports entre la personne et le groupe, de l'attitude devant la mort (Moody, 1977), de la transmission des connaissances entre l'adulte et l'enfant, des relations amoureuses, etc.

En permettant un rapport à la nature qui n'est ni de soumission et de dépendance (comme dans les communautés primitives), ni de domination et de pillage (comme dans les sociétés industrielles), on voit que le développement de certaines facultés psi irait dans le même sens que la technologie « douce » et l'agriculture biologique. Mais l'effet du développement de ces capacités et de leur généralisation aurait sans doute une plus grande importance encore sur le plan social.

La dépendance face aux produits techniques (et aux connaissances nécessaires pour pouvoir les manipuler) est sans conteste l'un des fondements de l'inégalité socio-économique (accès différentiel aux moyens de production et à ce qu'ils permettent de produire). À partir d'un certain point, la domination étatique et économique s'instaure par le biais d'une monopolisation de produits matériels indispensables à la survie. Il semble plus facile d'empêcher une certaine classe de gens d'accéder à des ressources indispensables (logement, vêtement, nourriture, etc.) que de les empêcher de voir, d'entendre, de se tenir en équilibre. Ces capacités sensorielles, contrairement aux produits techniques, font partie intégrante de chacun et ne fondent pas une bien grande inégalité. Or, il en irait justement de même pour les capacités psi, selon toute vraisemblance (toutes ces capacités fonctionnent de façon analogue aux autres sens, d'après ce que l'on peut en savoir actuellement — Ostrander et Schroeder, 1977; Ryzl, 1976). Entre les membres d'un groupe qui possèdent des capacités relativement efficaces d'action directe sur la matière, l'inégalité économique est peu probable, et la fonctionnalité du pouvoir (répartition et contrôle des tâches et des produits) devient assez obscure.

L'autre grande dépendance source de domination est la dépendance infantile. Toutes les sociétés ne l'ont pas utilisée comme la nôtre, à des fins d'inculcation du schème autoritaire (Reich, 1972a). Même si les sociétés primitives ont malgré cela connu des formes plus ou moins marquées d'inégalités fondées sur l'âge et sur le sexe (Moscovici, 1974) — sans inégalité socio-économique, ni État, ni classes, ni exploitation, ni division spécialisée du travail, toutefois (Clastres, 1972) — il ne semble pas nécessairement chimérique de croire que l'on puisse aller plus loin dans ce sens, et réduire encore les inégalités fondées sur l'âge et le sexe (à moins de les croire innées, mais il faudrait alors établir clairement leur valeur adaptative et leur rigidité), la généralisation possible de la communication télépathique modifiant profondément les conditions des rapports entre les sexes et les âges.

La mutation psychique que l'établissement d'une société égalitaire semble ainsi supposer peut paraître à certains absolument improbable. Soulignons toutefois que la crise que nous allons traverser sera aussi sans précédent : jamais auparavant, dans l'évolution biologique, une espèce n'avait menacé l'équilibre écologique de la planète; et, au sein de cette espèce, ce n'est qu'une société apparue tardivement qui est allée à cet extrême (Meyer, 1974). De plus, la crise est essentiellement une crise d'inégalité : dans les rapports sociaux, on observe l'élargissement constant de l'écart entre riches et pauvres, et l'extrême centralisation du pouvoir conduit à diviser l'humanité entre une minorité de dirigeants et une majorité de « suiveux », les deux catégories ayant chacune leur forme spécifique d'irresponsabilité (infantile ou bureaucratique); dans les rapports avec la nature, on assiste à une intervention déséquilibrant les cycles naturels et épuisant les ressources essentielles du système industriel (ce qui revient à scier la branche sur laquelle on est assis).

Dans un tel contexte, il n'est pas surprenant que la solution se présente comme une société égalitaire à la fois quant aux rapports sociaux et quant aux rapports avec le reste de la nature. Il n'est pas surprenant non plus que le relais relatif de la technologie par les facultés psi apparaisse comme indispensable (si on exclut un pur et simple retour aux communautés de type primitif, ou la découverte rapide d'une source d'énergie à haut rendement et éventuellement inépuisable, cette dernière éventualité étant caractéristique du culte technologique envers le progrès technique indéfini). Dans le domaine de l'action psychique sur la matière, on a affaire à une forme d'énergie qui, dans l'état actuel de notre connaissance, paraît être à la fois non perturbatrice des cycles naturels et peu susceptible d'épuiser des ressources essentielles. Son efficacité probable, avec le support des techniques légères, est probablement suffisante pour assurer la subsistance de petites communautés, mais sûrement pas celle d'une humanité à taux de croissance démographique galopant et concentrée dans des complexes industriels et urbains gigantesques.

Sur le plan du fonctionnement social, enfin, le fait que ces capacités psi apparaissent à la suite d'un cheminement vers l'autonomie, qui suppose l'abandon progressif du schème dépendance/soumission, porte à douter de leur compatibilité avec des rapports sociaux fondés sur l'autorité, la domination et la dépendance.

Utopie, dira-t-on sans doute, prophétie délirante ! Peut-être bien. Mais cette utopie en est-elle vraiment une ? Puisque certains l'imaginent et en vivent des bribes, elle est peut-être déjà parmi nous. Bien sûr, nul ne prophétisera avec certitude quel rêve l'emportera, celui des tendres ou celui des déments...

Pourtant, la description de notre mode de vie actuel aurait sans doute passé pour folie dangereuse aux yeux d'une personne d'il y a quelques siècles. La prétendue « utopie » de la nouvelle culture a au moins en sa faveur de ne pas être un délire de pouvoir, de pillage et de destruction, et ce n'est pas parce qu'on n'en parle plus à la T.V. qu'elle est morte dans le coeur de tous.

Si la crise écologique se déroule de telle manière que les États et les experts ne puissent plus contrôler la panique des sujets qu'ils ont si savamment dressés à la dépendance et à la soumission en envahissant tous les domaines de leur vie, il est clair que ce seront ces brebis et leurs maîtres qui auront le moins de possibilités de survivre aux pollutions bactériologiques ou radioactives, à l'épuisement des ressources et à la famine. Ceux qui auront prévu cette issue, et qui auront expérimenté des rapports sociaux et de nouveaux rapports avec la nature, même de façon marginale, ceux-là auront leur chance, si limitée soit-elle (si l'on exclut la possibilité que les Maîtres aient pris des mesures dont les conséquences ultimes seraient de rendre la planète inhabitable, c'est-à-dire si on exclut la fin du monde).

Par contre, si les Maîtres sont assez chanceux et habiles pour passer avec leur troupeau à travers la crise, sans affoler ni révolter les brebis, l'avenir sera sans doute aux robots, aux androïdes et aux clones.

Diane Moukhtar

Département de sociologie
Université d'Ottawa

Luc Racine

Département de sociologie
Université de Montréal

Bibliographie

1. Abensour, M., « Le procès des Maîtres Rêveurs », *Libre*, 4, 1978, p. 207-230.

2 Attali, J., *La Parole et l'outil*, Paris, P.U.F., 1975.

3 Audibert, P., *Les Énergies du soleil*, Paris, Seuil, 1978.

4. Baynac, J., « Mai 68 : une hypothèse sur la stratégie, le temps, la révolution », *Libre*, 4, 1978, p. 193-206.

5. Bookchin, M., *Post-scarcity Anarquism*, Berkeley, 1971.

6. Bon, F. et A. Burnier, *Classe ouvrière et révolution*, Paris, Seuil, 1971.

7. Bourre, J.-P., *Les Enfants extra-sensoriels et leurs pouvoirs*, Paris, Tchou, 1978.

8. Browning, N.L., *Peter Hurkos : qui suis-je ?*, Montréal, Québec-Amérique, 1977.

9. Calvo, A.G., *Qué es el Estado ?*, Barcelone, Gaya Ciencia, 1977.

10. Chamberland, P., *Extrême survivance, extrême poésie*, Montréal, Parti-pris, 1978.

11. Chamberland, P., « La dégradation de la vie », *Possibles*, vol. 3, n° 2, 1979, p. 69-97.

12. Clastres, P., *La Société contre l'État*, Paris, Minuit, 1972.

13. Colli, J.-C., *Les Énergies nouvelles*, Paris, Fayard, 1979.

14. Commoner, B., *Quelle terre laisserons-nous à nos enfants ?*, Paris, Seuil, 1969.

15. Commoner, B., *L'Encerclement*, Paris, Seuil, 1972.

16. Commune 2, *Commune 2*, Paris, Champ libre, 1972.

17. Dumont, R., *La Croissance... de la famine*, Paris, Seuil, 1975.

18. Dupuy, J.-P. et J. Robert, *La Trahison de l'opulence*, Paris, P.U.F., 1976.

19. Dutschke, R., *Écrits politiques*, Paris, Christian Bourgeois, 1968.

20. Ehrlich, P. et A. Ehrlich, *Population, ressources, environnement*, Paris, Fayard, 1972.

21. Empain, L., *Jeunesse, contestation, communauté*, Bruxelles, Art, Vie, Esprit, 1975.

22. Fabre, J.-B., D. Moukhtar et L. Racine, « Vers une société égalitaire », *Possibles*, vol. 1, n° 3/4, 1977, p. 213-249.

23. Favreau, M. et P. Bédard, *Le Manifeste alternatif*, Montréal, Éd. Alternatives, 1978.

24. Friedmann, Y., *Utopies réalisables*, Paris, U.G.E. (10/18), 1975.

25. Goldsmith, E. et *al.*, *Changer ou disparaître*, Paris, Fayard, 1972.

26. Guillaume, M., *Éloge du désordre*, Paris, Gallimard, 1978.

27. Gorz, A. (M. Bosquet), *Écologie et politique*, Paris, Seuil, 1978.

28. Hawken, P., *The Magic of Findhorn*, New-York, Harper and Row, 1975.

29. Kemp, D., *Envol*, Montréal, Éd. de l'Homme, 1979.

30. Labro, Ph., *Ce n'est qu'un début*, Paris, Publications premières, 1968.

31. Lappé, F.M. et J. Collins, *L'Industrie de la faim*, Montréal, L'Étincelle, 1978.

32. Lazure, J., *L'Asociété des jeunes Québécois*, Montréal, Les Presses de l'Université du Québec, 1972.

33. Leary, T., *La Politique de l'extase*, Paris, Fayard, 1973.

34. Leary, T., R. Allpert et R. Metzner, *The Psychedelic Experience*, New-York, University Books, 1964.

35. Lefort, C., « Maintenant », *Libre*, 1, 1977, p. 3-28.

36. Liley, J.C., *Programming and Metaprogramming in the Human Biocomputer*, New-York, Bantam, 1967.

37. Mainmise, *Le Répertoire québécois des outils planétaires*, Montréal, Éd. Alternatives, 1977.

38. Masters, R. et J. Houston, *Mind Games*, New-York, Dell Publishing, 1972.

39. Mendel, G., *Pour décoloniser l'enfant*, Paris, Payot, 1971.

40. Metzner, R., *Maps of Consciousness*, New-York, Collier, 1971.

41. Meyer, F., *La Surchauffe de la croissance*, Paris, Fayard, 1974.

42. Mitchell, E.D. et J. White (éd.), *Psychic Exploration*, New-York, Putnam, 1974.

43. Moody, R., *La Vie après la vie*, Paris, Laffont, 1977.

44. Montbrial, Th., *L'Énergie : le compte à rebours* (Rapport présenté au Club de Rome), Paris, J.-C. Lattès, 1978.

45, Morin, E. et M. Halter, *Mais*, Paris, Néo, 1978.

46. Moscovici, S., *La Société contre nature*, Paris, U.G.E. (10/18), 1974.

47. Moscovici, S., *Hommes domestiques et hommes sauvages*, Paris, U.G.E. (10/18), 1976.

48. Obst, L.R. et R. Kingsbury (éd.), *The Sixties*, New-York, Random House/Rolling Stone, 1977.

49. Ostrander, S. et L. Schroeder, *Nouvelles Recherches sur les phénomènes psi*, Paris, Laffont, 1977.

50. Perot, R., *L'Effet PK*, Paris, Tchou, 1977.

51. Picht, G., *Réflexions au bord du gouffre*, Paris, Laffont, 1970.

52. Pollack, J.H., *La Clairvoyance prouvée*, Paris, Retz, 1977.

53. Québec Science, *Face au nucléaire*, Les Presses de l'Université du Québec, 1979.

54. Racine, L., « La sociobiologie : nouvelle conception du social », *Possibles*, vol. 2, n° 1, 1977a, p. 36-60.

55. Racine, L., « Nouvelles thérapies et nouvelle culture », *Sociologie et sociétés*, vol. 9, n° 2, 1977b, p. 34-54.

56. Racine, L. et G. Sarrazin, *Pour changer la vie*, Montréal, Éditions du Jour, 1972.

57. Reich, W., *L'Irruption de la morale sexuelle*, Paris, Payot, 1972a.

58. Reich, W., *La Psychologie de masse du fascisme*, Paris, Payot, 1972b.

59. Rubin, J., *Do It*, Paris, Seuil, 1971.

60. Ruitenbeck, H.M., *Les Nouveaux Groupes de thérapie*, Paris, EPI, 1973.

61. Rỳzl, M., *Hypnotisme et ESP*, Montréal, Québec-Amérique, 1976.

62. Samuel, P., *Écologie, détente ou cycle infernal*, Paris, U.G.E. (10/18), 1973.

63. Schumacher, E.F., *Small Is Beautiful*, Paris, Seuil, 1978.

64. Stelter, A., *Guérisons psi*, Paris, Laffont, 1975.

65. Tanous, A et H. Ardman, *Au-delà du hasard*, Montréal, Québec-Amérique, 1977.

66. Targ, R. et H. Puthoff, *Aux confins de l'esprit*, Paris, Albin Michel, 1978.

67. Tart, C.T. (éd.), *Altered States of Consciousness*, New-York, Wiley, 1969.

68. Tart, C.T. (éd.), *Transpersonal Psychologies*, New-York, Harper and Row, 1975.

69. Taylor, J., *Superminds*, Londres, McMillan, 1975.

70. Ten Houten, W.D. et C.D. Kaplan, *Science and its Mirror Image*, New-York, Harper and Row, 1973.

71. Ullman, M., S. Krippner et A. Vaughan, *La Télépathie par le rêve*, Paris, Tchou, 1977.

72. Valabrègue, C., *Le Droit de vivre autrement*, Paris, Denoël-Gonthier, 1975.

La Radio-télédiffusion, un appareil idéologique divisé-unifié « travaillant » en conjonction avec la Famille et l'École dans la reproduction sociale : le cas du Québec et du Canada

Introduction *

Depuis son « apparition », la radio (et par la suite la télévision) a été l'objet de conflits qui se sont succédé quasiment sans interruption jusqu'à nos jours. Austin Weir, un des pionniers de la radio au Canada, n'a pas trouvé de titre plus approprié pour qualifier cette histoire que celui de *The Struggle for National Broadcasting in Canada*[1]. Témoignent également de ces conflits plusieurs commissions royales d'enquête, dix-huit comités parlementaires sur la radiodiffusion et la plupart des sessions du Parlement canadien depuis 1929, où « le sujet a donné lieu à nombre de questions, de débats et de discussions[2] ». Ces conflits, qui relèvent de la lutte des classes, nous interrogent sur les rapports existant entre les formes spécifiques du pouvoir de classe au Canada et au Québec et la structure spécifique des appareils idéologiques.

Les mass media sont un des objets privilégiés de la sociologie américaine. Cependant cet éléphant n'a jamais réussi autre chose qu'à enfanter une souris. Il n'est donc pas question de s'aventurer dans un sentier qui ne mène nulle part ailleurs que dans le lobby des agences de publicité, comme l'a montré Tood Gitlin[3] à propos des

* Cet article ne constitue qu'une partie d'un texte plus élaboré que nous avons produit en avril-mai 1979 et qui s'intitule : *Appareils idéologiques et pouvoir au Canada et au Québec : le cas de la radio-télédiffusion,* Québec-Rimouski, 124 p.

recherches de Paul Lazarsfeld et cie. Selon nous, seul le matérialisme historique peut fonder une étude critique des mass media. Nous tenons cependant à nous démarquer d'un pseudo-marxisme qui a cours d'autant plus facilement que les mass media sont un domaine où la recherche critique est quasi inexistante.

Pour plusieurs, l'approche marxiste des mass media se limite à la théorie du reflet et aux mass media-opium. Appliquée mécaniquement, la théorie du reflet sous-estime entre autres la matérialité de la superstructure et laisse dans l'ombre une dimension aussi importante que la marchandisation de l'information et du produit culturel.

De même, si la définition des mass media comme opium révèle bien la reproduction simple de la force de travail par l'évasion et l'abêtissement, elle ignore la reproduction élargie, où la reproduction de cette force de travail n'est pas seulement reproduction de ce qui est mais aussi reproduction-changement. Selon nous, il est en effet nécessaire d'encadrer l'analyse de la reproduction de la force de travail en la situant dans le mouvement d'élargissement de la mise en valeur du capital, mouvement qui est celui de la reproduction élargie du capital, et donc dans l'extension des rapports capitalistes. Pour autant que cet encadrement est fait, on peut comprendre que la « mobilité sociale » si chère aux techno-structuristes (aux fonctionnalistes de tout acabit — y compris les tourainiens) est en réalité partie intégrante de la reproduction élargie des rapports capitalistes. Autrement dit, c'est la reproduction de la Bourgeoisie et du Prolétariat qui s'effectue à travers les appareils, mais ce n'est jamais la même Bourgeoisie et les mêmes bourgeois, et il en va de même pour le prolétariat. Ainsi, au fil des affrontements de classes dans le mode de production capitaliste, les postes de travail changent, les secteurs de mise en valeur du capital changent, etc., mais à travers ces changements, c'est toujours l'antagonisme capital-travail salarié qui fonde la société se reproduisant dans/par ces « changements ». La reproduction est donc la reproduction de la division sociale ; ce sont les dimensions « nationales », sexuelles et de classes qui sont reproduites dans et par les appareils.

Ajoutons que notre contribution s'inspire des acquis de la recherche sur les appareils idéologiques, ce qui ne l'empêche pas de fournir un apport original à cette théorie : nous pensons entre autres à l'unité fragmentée et divisée de ces appareils et à leur conjonction hiérarchisée. De plus, appliquée au cas canadien et québécois, cette problématique permet une lecture nouvelle des mass media où il apparaît que l'histoire de cet appareil s'est faite selon la logique même de l'histoire de la formation sociale canadienne au cours des cinquante dernières années, soit la dépendance à l'égard des États-

Unis, la continentalisation nord-américaine et la désarticulation de « l'unité canadienne ».

Les appareils idéologiques : conjonction, hiérarchisation et reproduction élargie.

La conjonction des AI

Autant Althusser que Poulantzas font état de la multiplicité, de la pluralité[4] des appareils idéologiques. Autant pour l'un que pour l'autre, *il semble que les différents éléments de cette multiplicité*, malgré leur unification par l'idéologie dominante et l'assujettissement des appareils idéologiques à l'État via le contrôle qu'exerce la fraction hégémonique sur/dans les appareils répressifs, *demeurent inarticulés, juxtaposés.*

Althusser dira que chacun de ces appareils concourt de façon propre à un unique résultat[5], laissant ainsi implicitement entendre que chaque appareil a un fonctionnement autonome par rapport aux autres ou tout au plus un fonctionnement couplé dans le cas de l'École et de la Famille.

Il n'est pas dans notre intention de nier que ces appareils aient un fonctionnement spécifique. Cependant *nous voulons faire remarquer que ce fonctionnement, bien que spécifique, se fait en interrelation, en interpénétration, en conjonction.* À ce titre, *la conjonction Famille-École-Religion a été particulièrement déterminante* dans la constitution des sujets québécois francophones et ce, pendant très longtemps. *Aujourd'hui la conjonction Famille-École-Télévision-Organisation de l'information-Sport l'est également.*

Le concept de conjonction des appareils nous permet d'interroger et de développer un aspect très important du discours althussérien sur les appareils, c'est-à-dire la principalisation d'un des appareils. En effet, Althusser avance que pour la féodalité la Religion fut cet appareil dominant, essentiel à la reproduction du pouvoir de classe féodal, et que dans le capitalisme cet appareil dominant principal, c'est l'École. De plus, Althusser oriente la réflexion vers l'interaction-conjonction des appareils en soulignant que l'Église sous la féodalité et l'École dans le capitalisme forment un couple avec la Famille[6].

D'autres chercheurs avancent également la principalisation d'un appareil comme élément de la conception des appareils idéologiques. Ainsi, pour Bertaux, cet appareil principal c'est la Famille[7], les résultats scolaires étant secondaires dans la détermination de la place de l'individu dans le rapport de classes. Pour d'autres, il semble que cet appareil soit l'appareil de production culturel, plus spécifiquement l'audio-visuel électronique [8] ou encore l'organisation-diffusion de l'information... encore là électronique [9].

L'organisation hiérarchisée des AI

Nous pensons qu'il faut *compléter la conception de la multiplicité unifiée par l'idéologie dominante et principalement d'un appareil, par une conception de conjonction-organisation-hiérarchisation des appareils*. En effet la conception de la multiplicité unifiée, en ne précisant pas le principe d'organisation de cette unité, « tend à concevoir » les appareils comme « autonomes » les uns par rapport aux autres, comme juxtaposés les uns aux autres ou tout au plus comme fonctionnant par couple. Ainsi, en ne précisant pas comment l'unité se construit dans la conjonction-interpénétration du fonctionnement des appareils, on tend à concevoir l'organisation de l'unité comme au dessus, comme un extérieur aux appareils. Finalement cela tend à privilégier « a priori » l'unité, à concevoir celle-ci comme à l'abri de la pénétration d'idéologies non dominantes et même antagoniques. Alors on privilégie a priori l'unification dans le procès d'unification-fragmentation [10] des appareils ce qui rend incapable de saisir le rôle de ces appareils, de certains appareils et (ou) de certains paliers d'appareils dans le processus révolutionnaire [11].

Par contre, la conjonction-organisation-hiérarchisation renvoie à l'étude de l'importance relative et réciproque des appareils dans leur ensemble organisé et ce, dans le procès de reproduction de la totalité sociale. Il est évident que certains appareils sont plus importants que d'autres selon la conjoncture, l'état du rapport de classes, le niveau de développement du procès de travail, la fragmentation-unification de l'État, etc. Le problème est alors de saisir comment s'interpénètrent et donc s'organisent et se hiérarchisent les divers paliers des appareils et les divers appareils entre eux.

Gramsci donne un indice de ce processus lorsqu'il affirme que la presse est (du moins pour son temps) la partie la plus dynamique de la structure idéologique, qu'elle a même eu un effet de révolutionnarisation du monde culturel [12]. La dynamique dont il est question doit être rattachée au développement des forces productives selon le degré d'insertion des sciences et de la technique dans le procès de reproduction du rapport de production [13]. La dynamique d'un appareil va donc être fonction de l'insertion dans l'appareil de la science et de la technique, insertion liée au procès de reproduction du rapport de production et au procès de reproduction des rapports sociaux. La structure matérielle d'un appareil doit donc être reliée à la reproduction beaucoup plus qu'à la production. *Le dynamisme d'un appareil est ainsi à attribuer non pas à sa « matérialité » « en soi »,* au degré d'insertion de la technique, *mais au rapport entre ce degré d'insertion lié au niveau de développement du procès de travail*[14] *et les nécessités de la reproduction des rapports de classes.* C'est donc l'appareil le plus intimement lié au développement du procès de travail qui pénètre les autres, qui organise la hiérarchisation entre ces appareils. Ainsi l'appareil Famille fut pendant des millénaires celui qui organisait, hiérarchisait, puis ce fut la Religion, puis l'École, puis la Presse, et aujourd'hui il nous semble que ce soit l'Organisation-Traitement-Diffusion de l'information... plus particulièrement électronique[15]. C'est à ce titre que notre attention, dans l'étude des appareils idéologiques, s'est principalement portée sur la radio-télévision en tant qu'un des éléments de l'appareil idéologique d'Organisation-Traitement-Diffusion de l'information.

Au titre de la conjonction et de l'organisation-hiérarchisation, il est fondamental de constater *l'importance de la pénétration faite par la radio-télévision sur et dans la Famille et l'École. La télé-diffusion pénètre la famille* non seulement comme « loisir et opium » mais bien comme s'adressant à l'unité économique de consommation qu'elle est, la reliant ainsi au marché via la publicité, etc. Elle la pénètre comme unité de production, la reliant ainsi aux autres appareils (entre autres l'école)[16]. Cette pénétration articulante de la famille provoque l'isolement et le repli des individus sur/dans la famille, coupant ainsi les liens qui s'élaboraient dans des pratiques culturelles communes (on n'a qu'à se rappeler les veillées de famille, de village). Cette pénétration renforce, inculque des informations et des connaissances dont l'élaboration est strictement contrôlée[17].

La télévision pénètre également l'École, autant de bas âge qu'intermédiaire et qu'universitaire, y compris le palier de la recherche. Pour la pénétration du palier bas-âge de l'apprentissage scolaire, cela semble évident. Ce n'est pas le cas des paliers universitaire et recherche. Pour illustrer cette pénétration, rappelons le développement du traitement informatique de l'information, le développement de banques de données, le lien électronique entre les lieux du « haut-savoir », la progression de l'utilisation de l'audio-visuel dans ces milieux (comme lieux d'implantation des nouvelles techniques)[18], le développement de la télé-université, etc. Mais plus, cette pénétration est également visible dans le développement de « certaines connaissances », de certaines théories. En effet, Tood

Gitlin[19] montre comment la théorie de l'écoute de Katz-Lazarsfeld[20] est déterminée par de la commandite, entre autres de la corporation CBS. Il souligne comment cette théorie détourne l'attention du pouvoir qu'ont les media de définir le normal et de centrer l'attention. Gitlin fait également remarquer comment l'accent est mis sur la résistance et non la dépendance du récepteur... on sait qui cela peut servir. Bref, Gitlin montre comment cette théorie cautionne, normalise la pratique actuelle de la télévision.

La commandite et plus directement l'industrie de production culturelle commande également la production de « soft-ware », laquelle est indispensable à l'utilisation « courante » des appareils audio-visuels qu'on s'apprête à commercialiser[21]. Mais là nous entrons dans la marchandisation du culturel.

La reproduction élargie

Les appareils idéologiques ont comme fonction de structurer la conscience sociale que les individus acquièrent à travers leurs pratiques quotidiennes dans ces appareils. Ces appareils constituent donc les individus en sujets interpellables avec efficacité dans un rapport social et ce, en fonction de la place qu'ils occupent dans le procès social de production. Cela veut dire que les sujets seront interpellés selon la place de classe qu'ils occupent dans le rapport social. Alors l'interrogation concernant la reproduction concerne les mécanismes et causes faisant que des individus sont constitués de façon différente, sélectionnés, orientés, puis distribués dans le rapport social, la structure sociale.

Nous savons que la reproduction est la fonction des appareils idéologiques, que ces appareils fonctionnent en conjonction. Nous savons également par de nombreuses études[22] que la constitution des individus est différentielle selon la classe sociale d'où ils proviennent. Cela veut dire que de façon générale les individus d'une classe retournent à la classe d'où ils viennent. Il y a donc reproduction sociale du rapport de classes. Mais cela n'est valable qu'en général car nous devons prendre en compte la mobilité des individus. Aussi dirons-nous qu'il y a une mobilité des individus dans la reproduction sociale des rapports de classes.

La reproduction

L'action combinée, conjuguée des appareils idéologiques a comme résultante de produire des individus différents et cela en fonction des places du procès de production. Ils reproduisent donc une force de travail qualifiée de façon différente [23] selon les divisions techniques et sociales du travail. Cette production-reproduction différenciée de la force-travail se fait à travers/par l'acquisition de qualifications (savoir-faire), de règles (bon usage et respect de la hiérarchie). Bref, ce qu'on nomme la socialisation des individus, le processus de production culturelle et idéologique des individus [24], et qu'Althusser appelle la constitution des individus en sujets interpellables [25], se fait à travers toutes sortes de pratiques par lesquelles les individus se produisent culturellement et idéologiquement comme différents selon les pratiques spécifiques différentes, c'est-à-dire la consommation différente des « biens » culturels et idéologiques. C'est donc dans le procès de production culturel des individus qu'est déterminée la place que l'individu prend dans le procès de production, dans le rapport de classe. Autrement dit, *la distribution des sujets dans les places, distribution qui fixe les individus dans une place de classe, se fait selon la production culturelle des individus, laquelle est,* autant au niveau de l'école que de la famille, que de l'écoute de la télé, que de la lecture, etc., *fonction de l'appartenance de classe.*

L'interrogation sur la reproduction doit donc tenir compte du fait qu'en fonction des conditions de production culturelle et idéologique des individus, selon les classes d'appartenance, les appareils idéologiques fonctionnent de façon diversifiée et c'est cette diversification discriminante et conjuguée des appareils qui reproduit la structure sociale, le rapport de classe. Ainsi, selon la classe des familles, les individus des différentes familles auront des pratiques culturelles différentes [26] (dont l'écoute de la télé [27]), ce qui détermine un accès différentiel à l'école [28], une orientation-sélection différente [29] et donc une place différente dans la structure de classe qui est ainsi reproduite.

La reproduction-changement : la question de la mobilité sociale

La reproduction des classes et, à travers cette reproduction, la reproduction des rapports de classes ont été démontrées par de nombreuses recherches. Baudelot et Establet montrent que l'enfant ouvrier a 54 chances sur 100 d'être scolarisé en professionnel et 14 sur 100 en supérieur alors que c'est l'inverse pour l'enfant de bourgeois [30]. Michel Tort montre que les résultats aux tests d'évaluation du quotient intellectuel (Q.I.), tests servant à orienter, sélectionner, varient en fonction de l'origine sociale [31], tests d'ailleurs que *La Maîtresse d'école* qualifie de mesure de l'inégalité des hommes[32]. La Centrale de l'enseignement du Québec (C.E.Q.) montre que les inadaptés scolaires proviennent à 83,2 % des classes subalternes, qu'à 64 % les enfants de ces classes s'orientent vers le professionnel-technique et que bien que constituant 67,5 % des effectifs du primaire, ils ne sont plus que 5,9 % au collégial et 0,2 % à l'université[33]. Escande montre qu'au cegep, 87,3 % des enfants dont le père est de profession libérale ou de la haute administration se dirigent vers le général, alors que 40,3 % des enfants dont le père est manoeuvre ou ouvrier semi-spécialisé vont au professionnel-technique[34]. À travers toutes ces études, *le fait social que la provenance de classe détermine* l'état de préparation à l'école, l'accès à l'école, l'orientation-sélection dans le processus de scolarisation et finalement *la distribution dans une place dans la division du travail et ainsi l'appartenance de classe* s'affirme avec la force de l'évidence.

Cette évidence sociale a toutefois ses exceptions. S'il n'y a que 0,2 % et 5,9 % d'enfants des classes subalternes qui atteignent l'université et le collège, il demeure qu'il y a une certaine mobilité sociale, même si elle n'est que résiduelle (l'atteinte du niveau universitaire) et faible (l'atteinte du niveau collégial). Il y a donc des individus des classes subalternes qui atteignent des places plus « élevées » et qui appartiennent ainsi à une classe plus « élevée » que celle d'où ils proviennent. Malgré que la mobilité sociale soit *résiduelle et réelle*, marquant ainsi un changement de camp dans l'antagonisme de classe, qu'elle soit *faible et qu'apparente*, marquant alors un changement de poste de travail, de fraction de classe sans qu'il y ait pour autant modification de l'appartenance de camp dans l'antagonisme de classe... elle est toutefois apparue suffisante à tout un courant en sociologie pour qu'il affirme que ce processus marquait le déclin de l'affrontement de classes, le déclin numérique et qualitatif de la classe ouvrière et son absorption dans l'éponge informe de la classe moyenne.

Quant à nous, nous rejetons la conception généralisant la mobilité sociale à toute la structure sociale. *Nous rejetons également la mobilité sociale entendue comme fondement de la distribution des individus dans la division technique et sociale du travail.* Nous rejetons cette conception parce qu'elle confine l'explication à la description d'un phénomène qui n'est somme toute que résiduel et qu'apparence, parce qu'elle réduit alors l'explication de l'ensemble de la reproduction sociale à un seul de ses éléments, parce que finalement elle masque ainsi la nature profonde de cette reproduction.

Pour nous, *l'explication de la reproduction sociale ne peut venir que de la reproduction des rapports de classes par la reproduction des classes. Cependant nous concevons cette reproduction dans le procès de reproduction élargie du capital*[35]. C'est dire que la reproduction sociale n'est pas une reproduction simple, une copie « de-ce-qui-est-là » mais une reproduction-changement, reproduction dans laquelle l'organisation des postes de travail s'étend et se complexifie. Bref, il s'agit d'une reproduction sociale dans laquelle la totalité sociale s'étend mais dans laquelle la place des camps dans l'antagonisme de classes demeure. Dans ce processus d'élargissement et d'extension de la mise en valeur du capital, de nouveaux marchés sont ouverts (industrialisation de la périphérie), de nouvelles branches se développent (approfondissement du marché au centre et création d'une technologie de pointe : informatique, télécommunications [36], loisirs, publicité, santé, etc., atteignant même le culturel).

Dans ce processus d'élargissement, les rapports de classes capitalistes s'étendent à la totalité sociale tout entière rendant ainsi nécessaires l'extension et la modernisation de l'État et de ses appareils. Cette extension-modernisation qui conduit à multiplier les postes dans les appareils avec le gonflement des effectifs et le changement « qualitatif » des agents de ces appareils [37], nous l'avons connu au Québec avec la Révolution tranquille.

Une part importante de ce qu'on nomme mobilité des classes inférieures vers la classe moyenne est réalisée à travers ce développement-changement des postes d'encadrement dans les appareils d'État. Cela a semblé suffisant aux techno-structuristes pour affirmer l'émergence-généralisation de la classe moyenne, d'un nouveau pouvoir, celui des techniciens. Leur empirisme les a donc encore une fois condamnés à ne voir que la pointe de l'iceberg, puisque cette mobilité ne concerne qu'une faible partie des classes subalternes et ne marque en rien une modification de la place des camps dans l'antagonisme de classes.

Une autre partie de cette mobilité concerne la mobilité vers de nouveaux postes de travail dans de nouveaux secteurs industriels ; elle est due à l'extension de la mise en valeur du capital, donc à la reproduction élargie du capital. En tant que telle, elle marque donc l'extension des rapports de classes capitalistes et donc du pouvoir de cette classe et non pas son dépassement par évolution comme le voudraient bien les techno-structuristes et les tourainiens.

S'il y a une certaine mobilité ascensionnelle pour certains individus des classes subalternes, elle est toutefois réduite en nombre et n'a que peu de portée dans la reproduction des camps dans l'antagonisme travail salarié et capital... au contraire cette mobilité ne marque que rarement la sortie de la salarisation, qui progresse inexorablement. Par contre, il y a peu de mobilité « descensionnelle ». Les enfants de professionnels, de professeurs, de grands commerçants, d'industriels sont en effet assurés de façon quasi absolue de ne pas connaître l'enfer de l'ouvriérisation [38].

Dans l'ensemble, on peut donc conclure que malgré une certaine mobilité sociale, il y a bel et bien reproduction du rapport de classes, des classes. On peut de plus ajouter que cette mobilité est partie intégrante de la reproduction élargie des rapports de classes capitalistes. En effet, elle correspond à l'extension dans la totalité sociale tout entière des rapports capitalistes, à l'extension de la mise en valeur du capital à des secteurs, à des produits auparavant non marchandisés, tel le culturel. Ce qui ne va pas sans « bouleverser » l'organisation hiérarchisée des appareils idéologiques, l'organisation de la reproduction, la capacité de contrôle des appareils d'hégémonie et donc le pouvoir de classe.

L'appareil de radio-télédiffusion : division-unification et conjonction avec la famille et l'école

L'appareil de radiodiffusion est l'objet de luttes de classes aussi bien entre la bourgeoisie et les masses qu'entre les diverses fractions de la bourgeoisie. Comme nous l'avons vu, ces luttes ont pour résultat de fragmenter (voir note 10) cet appareil, qui n'en demeure pas moins tendanciellement unifié par la domination qu'exerce la fraction hégémonique de la bourgeoisie (cette hégémonie dans la conjoncture présente se fonde sur l'appareil de contrôle et de réglementation).

L'unification de cet appareil est indispensable pour la reproduction des rapports de production. Cependant, la diffusion de l'idéologie dominante ne se fait pas sous une seule forme, puisqu'elle s'adresse à des classes antagonistes. Dans un cas, elle visera à reproduire la domination et, dans l'autre, la sujétion. Dans la pratique, unification et division sont inséparables. De même, la fragmentation n'est pas non plus indépendante de la division : ainsi, la division de l'appareil en réseaux contribue à reproduire la division en classes.

Dans cette perspective, il apparaît clairement que les mass media ne produisent pas une culture de masse qui « contribuerait » à la disparition des différences de classes. Les défenseurs mêmes de ce concept sont contraints de l'abandonner pour parler de crise et d'éclatement[39]. Si les divisions jeunes/adultes, femmes/hommes, campagne/ville, etc., sont généralement bien décrites, elles sont plutôt rarement analysées en termes de classe et de reproduction sociale. Pour nous, la fonction sociale des mass media ne se réduit pas à celle de *reproduction simple* — évasion et réparation de la force de travail — mais comporte aussi celle de *reproduction élargie*, soit la reproduction des rapports de production capitalistes, la division de la société en classes à travers toutes les différences qui fondent la domination de la bourgeoisie sur le prolétariat.

Cette problématique des mass media a été quelque peu explorée par Armand Mattelart[40] au cours des dernières années. Sans s'y engager, Lyne Ross avait laissé entrevoir l'intérêt d'une approche marxiste des mass media comme « appareil de reproduction idéologique »[41]. La pertinence de cette thèse était indirectement révélée par les recherches américaines sur les effets, selon lesquelles l'effet principal des mass media est le renforcement[42]. Évidemment, ces recherches cantonnées dans le plus pur empirisme n'ont pas su profiter de ces résultats partiels pour élaborer une problématique.

Ce que *nous proposons dans cette partie n'est rien d'autre qu'une première esquisse d'une telle théorie des mass media comme appareil idéologique de reproduction sociale.* Cette reproduction s'opère à partir d'un certain nombre de divisions dont les principales pourraient être celles que réalisent les réseaux, le temps et les genres. Simultanément, cette reproduction s'opère par la *conjonction organisée et hiérarchisée des différents paliers des appareils* (division d'un même appareil) et *des différents appareils* (multiplicité des appareils). Dans le cadre de la présente analyse, nous avons réduit cette conjonction à la Famille, à l'École (palier collégial) et à la Radio-télédiffusion.

La division en réseaux : produit de la division sociale et appareil de reproduction de cette division

La télévision

Très peu de recherches empiriques portant sur l'écoute des divers réseaux de télévision ont été faites en termes de classes (des résultats seront prochainement disponibles sur ce sujet grâce à une recherche menée auprès de 1600 téléspectateurs québécois par un groupe de sociologues de l'UQAR[43]). En l'absence de recherches spécifiques et dans l'attente des résultats de la recherche des sociologues de l'UQAR, nous avons utilisé, afin de montrer que la division en réseaux recouvre bien et reproduit la division sociale, les données d'une recherche portant sur la provenance sociale des étudiants du niveau collégial de la région métropolitaine de Québec[44].

Cette recherche porte sur le niveau collégial, c'est-à-dire sur un niveau auquel une grande partie de la sélection-orientation a déjà été réalisée. Cela implique que l'écoute qu'on y retrouve est plus massivement élitiste, haute-culturiste, radio-canadienne que celle qu'on retrouverait dans la population en général, ce que montrera la recherche des sociologues de l'UQAR. Toutefois et malgré ce biais, la reproduction de la division sociale à travers l'écoute de réseaux différents ressort avec suffisamment de force pour nous permettre d'affirmer que cette hypothèse correspond bel et bien à la réalité.

En effet et même si les étudiants écoutent Radio-Canada à 66,5 % et Télé-Capitale à 14,7 % (tableau 1), que leurs parents écoutent Radio-Canada à 55,9 % et Télé-Capitale à 33,2 % (tableau 2), en comparant l'écoute selon la provenance de classe on s'aperçoit que celle-ci est tributaire de la place sociale et du niveau culturel des familles. Ainsi, les professionnels n'écoutent Télé-Capitale qu'à 11,6 % alors que les manoeuvres le font à 46,5 % (tableau 1), et les enfants de professionnels n'écoutent Télé-Capitale qu'à 7,4 % alors que les enfants de manoeuvres le font à 22,1 % (tableau 2). De plus, le tableau 4 nous permet de constater que parmi les étudiants écoutant Télé-Capitale, 71,3 % sont du professionnel-technique et 28,7 % du général ; par contre, l'écoute de Radio-Canada est constituée de 54,5 % d'étudiants du général et de 45,5 % du professionnel-technique.

TABLEAU 1

Écoute de la télé par les étudiants selon la classe

Profession du père / Réseaux	Télé-Capitale	Radio-Canada	Aucun
Propriétaire et directeur	16,8 %	65,8 %	8,8 %
Professionnel	7,4 %	66,8 %	13,1 %
Ouvrier	17,1 %	65,8 %	11,3 %
Manoeuvre	22,1 %	65,8 %	9,2 %
Total	14,7 %	66,5 %	10,4 %

TABLEAU 2

Écoute de la télé par les parents selon la classe

Profession du père / Réseaux	Télé-Capitale	Radio-Canada	Aucun
Propriétaire et directeur	39,7 %	52,7 %	0,7 %
Professionnel	11,6 %	69,8 %	4,0 %
Ouvrier	39,6 %	52,6 %	2,3 %
Manoeuvre	46,5 %	45,0 %	2,3 %
Total	33,2 %	55,9 %	

TABLEAU 3

Écoute de la télé par les parents selon l'orientation de leur enfant

Orientation / Réseaux	Télé-Capitale	Radio-Canada
Professionnel	41,2 %	49,2 %
Général	25,7 %	62,3 %
Total	33,1 %	56,0 %

TABLEAU 4

Écoute d'un réseau par les étudiants selon leur orientation

Réseaux / Orientation	Professionnel	Général	Total
Télé-Capitale	71,3 %	28,7 %	100 %
Radio-Canada	45,5 %	54,5 %	100 %

Ces données, bien que mitigées (compte tenu du niveau scolaire des étudiants interrogés), sont toutefois suffisantes pour vérifier la tendance à l'écoute différentielle des réseaux selon la place de classe. Ces données montrent également *la conjonction des divisions des différents appareils, celle de la télé renvoyant à celle de l'école, qui, à son tour, renvoie à celle de la classe de la famille*. De plus elles constituent un indice sûr de la tendance des réseaux à se spécialiser (division de l'appareil) et à refléter-reproduire avec efficacité les classes.

Les indices laissant supposer que les réseaux s'adressent à des classes ou fractions de classes différentes ne manquent pas, tant du point de vue du téléspectateur que de celui de la programmation. À partir de quelques entrevues menées en 1971, Lyne Ross conclut que « dans les classes supérieures, on hésite à regarder les émissions de Télé-Métropole et encore plus de l'avouer ; dans des milieux ouvriers, c'est souvent l'inverse, et il arrive que de fortes pressions sociales s'exercent contre celui qui voudrait capter une émission de Radio-Canada, réseau perçu comme réservé aux bourgeois, aux intellectuels et aux snobs[45] ».

De même, le profil de l'auditoire de Radio-Québec réalisé en 1975 révèle que les auditeurs de ce réseau occupent des « positions privilégiées », qu'ils possèdent deux appareils de télévision, qu'ils « ont un revenu annuel supérieur à $ 10 000 par année » (en 1975). « Lorsqu'ils ne regardent pas Radio-Québec, ils regardent le canal 2 ; ils aiment beaucoup les émissions d'information car ils trouvent que la télévision est avant tout un moyen d'apprendre des choses nouvelles ». Enfin, ces mêmes téléspectateurs « trouvent que Radio-Québec est assez près de leurs préoccupations quotidiennes »[46]. Radio-Québec a évolué quelque peu au cours des dernières années, mais en 1978 la moyenne hebdomadaire n'excédait pas « 1 %, c'est-à-dire 27 691 spectateurs[47] ». On peut donc supposer que ce réseau atteint principalement les classes favorisées et que les classes populaires (subalternes et dominées) ne le syntonisent à peu près jamais si l'on excepte le cinéma.

La situation est beaucoup moins tranchée entre les réseaux français de Radio-Canada et de TVA. Selon les sondages BBM réalisés au cours des deux ou trois dernières années, il apparaît que le réseau TVA décroche habituellement les trois premières places parmi les émissions les plus populaires et obtient toujours plus de la moitié des quinze premières places[48]. De plus, le réseau TVA élargit constamment son auditoire au détriment de celui de Radio-Canada. Une première conclusion s'impose : le réseau TVA est actuellement le réseau le plus populaire au Québec. Mais, cela ne nous permet pas de dire que Radio-Canada n'est actuellement que le réseau de la bourgeoisie et de la petite bourgeoisie. Chose certaine, une telle conclusion appelle des réserves et des précisions.

Autant le réseau TVA vise à faire populaire pour atteindre l'auditoire le plus large possible, autant la direction de Radio-Canada ne veut pas produire et diffuser que des émissions populaires. Depuis au moins les années 50 (et sans doute depuis sa fondation), Radio-Canada comme unique réseau vise deux clientèles et produit deux types d'émissions : des émissions populaires et des émissions spécialisées. La loi de la radiodiffusion de 1968 indique que « le service national de radiodiffusion devrait être un service équilibré qui renseigne, éclaire et divertisse des personnes de *tous âges, aux intérêts et aux goûts divers*, et qui offre une répartition équitable de toute la gamme de la programmation [49] ». En raison de ce mandat, la télévision d'État est présentement constituée de deux sections : « une section *populaire* conçue pour les auditoires de masse (les variétés, les dramatiques, les comédies, l'information, les sports, les émissions pour enfants et les affaires publiques) et des *émissions plus spécialisées* visant des auditoires particuliers (théâtre, ballet, opéra, chronique artistique, musique, documentaires, histoire, biographie et sciences) [50] ».

Comme on le verra au point suivant, la segmentation du temps joue un rôle très important pour Radio-Canada dans la programmation d'émissions spécialisées et d'émissions populaires. Aux heures de faible écoute, on ne craint pas de présenter des émissions spécialisées comme *Musique miniature* le dimanche après-midi ou *Rencontres* en fin de soirée. Aux heures de pointe, Radio-Canada programme des émissions populaires qui peuvent concurrencer celles qu'offre le réseau TVA. Certaines émissions présentent de très fortes ressemblances. C'est le cas de *Terre humaine* et du *Clan Beaulieu*, de *Chez Denise* et de *Dominique*, de *La Femme bionique* et de *l'Homme de $ 6 millions*, du *Dr Welby* et de *Médecin d'aujourd'hui*, du *Travail à la chaîne* et de *Qui dit vrai ?*, etc. On pourrait sans doute longuement discuter pour savoir si *Dominique* fait plus populaire que *Denise* ou encore *l'Homme de $ 6 millions* plus populaire que *La Femme bionique*.

Cependant, un nombre d'émissions dites populaires des réseaux TVA et Radio-Canada atteignent des auditoires fort différents. Ainsi, *Les Tannants*, émission qui repose sur le jeu, l'imitation et la participation populaire (concours d'imitation d'Elvis Presley, concours de force physique, épreuve de la piscine, etc.), et *L'Heure de pointe*, émission de variétés qui propose des critiques d'art, de théâtre, de grands restaurants, sont bien deux émissions de divertissement, mais l'une s'adresse carrément aux classes subalternes et l'autre à la bourgeoisie et à la petite bourgeoisie cultivée. Les cotes d'écoute de ces deux émissions dites populaires le montrent bien.

La situation est moins claire en ce qui concerne les 10 % à 15 % de Québécois qui syntonisent directement les réseaux américains. La nécessité de s'abonner au câble pour le faire opère évidemment une discrimination en faveur des classes bourgeoises. Une pré-enquête [51] réalisée à Rimouski montre que la câblodistribution pénètre dans les milieux populaires et qu'une fraction importante de la petite bourgeoisie refuse le câble « par principe ». Il est alors apparu que certaines familles écoutaient le réseau américain alors que personne ne comprenait l'anglais : « le spectacle, disait-on, est meilleur ». En revanche, certains téléspectateurs appartenant à la bourgeoisie « cultivée » écoutaient l'information, entre autres, « pour comparer ». On peut donc supposer que l'écoute des réseaux américains n'est pas exclusive à une classe ou à l'autre mais que les émissions choisies ne sont pas les mêmes.

Que retenir sinon qu'à l'heure actuelle aucun réseau, si l'on excepte peut-être Radio-Québec, ne s'adresse qu'à une classe de la société. Cependant, aussi bien par sa programmation que par son auditoire, le réseau TVA *tend à devenir* le réseau de la masse des classes subalternes et Radio-Canada le réseau de la bourgeoisie et de la petite bourgeoisie cultivée [52]. Tout laisse supposer que Télé-2 sera un canal plus « bourgeois » que le canal actuel de Radio-Canada. Si tel est le cas, on peut supposer qu'on tentera alors de « populariser » l'autre canal afin de transmettre la vision canadienne à toutes les classes de la société.

Découvrir comment les divers réseaux de télévision se partagent les auditoires selon les classes et les fractions de classes n'est pas sans intérêt mais demeure insuffisant. Il faut faire un pas de plus et chercher comment, à travers la division des auditoires par les réseaux, se réalise la reproduction des rapports de classes. À ce sujet, compte tenu du développement actuel de la télévision au Québec, on peut avancer que la diffusion de l'idéologie dominante selon qu'elle vise à reproduire tantôt la domination, tantôt la sujétion ne fait pas appel exclusivement à la division des divers réseaux, au moins en ce qui touche la masse.

Cependant, à court terme et à moins de transformation radicale, il s'opérera entre le réseau TVA et ceux de Radio-Canada et de Radio-Québec une répartition des auditoires selon les classes aussi précise que celle que réalisent les cours professionnels de l'école secondaire et du CEGEP, d'une part, et certaines facultés de l'université, de l'autre.

En bref, au niveau de l'idéologie dominante, qu'elle s'adresse aux classes bourgeoises ou au prolétariat, la division en réseaux reproduit des différences certaines. Ainsi, *Radio-Québec cherche à développer chez ses auditeurs* ce que certains appelleront *la « québécité », le goût du Québec*, l'impression d'être entre soi, le sens de l'hospalité, un certain régionalisme, etc. Théoriquement, *il y a de quoi satisfaire l'appétit de la bourgeoisie « nationaliste et populiste »*.

Le réseau de Radio-Canada se distingue des autres dans la mesure où *le « développement de l'unité canadienne » et « l'expression de la réalité canadienne » constituent sa raison d'être spécifique.* Comme nous l'avons vu, la direction de Radio-Canada tente depuis 1970 de canadianiser son réseau de télévision française, d'en faire un réseau national, même si 94 % de son auditoire est québécois. Radio-Canada développe un sens du Canada aussi bien dans l'information que dans le divertissement. Au niveau du Téléjournal, des correspondants postés d'Halifax à Vancouver donnent une dimension canadienne à cette émission du seul fait de leur présence. De même, la météo, qui est désormais au programme, contribue à sa façon à développer le mappisme canadien.

La fragmentation du réseau d'État en réseaux français et anglais n'empêche pas la reproduction du « citoyen canadien », mais cette reproduction passe, au Québec, par la répression des résistances québécoises à l'unité nationale canadienne. Telle est la portée actuelle du mandat spécifique de Radio-Canada. Actuellement, cette canadianisation passe de plus en plus par la prétendue « interpénétration des réseaux anglais et français », c'est-à-dire « par des coproductions des réseaux anglais et français ; par le doublage ou l'adaptation d'émissions anglaises de Radio-Canada à la télévision française et par la présentation graduelle aux auditoires d'émissions françaises de Radio-Canada doublées ; enfin, par la production, par chacun des services français et anglais de radio et de télévision, d'émissions sur l'autre collectivité linguistique [53] ». Cela nous a valu la série *Sur la côte du Pacifique/Newcomers, Le Grand Défi/The National Dream* et, plus récemment, *Les Arrivants.* Il n'est pas nécessaire d'être devin pour entrevoir que cette interpénétration des réseaux anglais et français se fait au détriment de la dimension québécoise du réseau français et qu'elle n'est en fait qu'une pénétration du réseau anglais de Radio-Canada au Québec.

Le réseau TVA, dont les auditeurs par excellence sont les classes « populaires », est le canal privilégié du divertissement et d'une information réduite au divertissement, d'où l'importance des personnalités dont la présence constitue l'événement. *La spécificité de ce réseau, c'est la reproduction du consommateur.* Ainsi, il est possible d'imaginer Radio-Canada (comme Radio-Québec actuellement) sans publicité commerciale, mais la chose est impensable pour le réseau TVA. Cette production du consommateur ne se limite pas à la réclame commerciale mais se réalise également dans l'écoute massive d'émissions qui simplifient et mystifient, de sorte que le téléspectateur est plongé dans l'univers du discontinu et qu'il est finalement dépossédé de sa capacité de production culturelle. Si la télévision produit une « culture mosaïque »[54], c'est bien auprès des téléspectateurs des classes subalternes et à partir de telles émissions. À la différence des productions de la « haute » culture, ces émissions « populaires » ne présentent aucune logique et ne fournissent pas les clés nécessaires pour être autre chose que de la consommation. Si tel est le caractère spécifique de la télévision commerciale dans la reproduction idéologique, nous verrons, par l'étude de la division des émissions en genres différents, que cette reproduction est finalement celle des places occupées dans la division de la société en deux classes antagonistes.

La radio

En 1972, la direction de Radio-Canada tenta de faire de la radio FM une radio d'élite spécialisée dans la musique, le théâtre et les beaux-arts, et de la radio AM, une radio populaire, diffusant de l'information, de la musique légère, etc. « L'idée était excellente, nous dit la direction de Radio-Canada, mais le projet était prématuré. L'idée de créer deux réseaux offrant chacun un service d'émissions distinct — l'un populaire, l'autre sérieux (selon le modèle de la BBC) — ne résista pas à l'expérience[55] ». Une des raisons de cet échec résiderait dans le fait que seulement 20 % des auditeurs pouvaient alors capter Radio-Canada FM, de sorte que de l'insatisfaction se manifesta parmi les 80 % qui étaient réduits au radio AM.

Le problème causé par la spécialisation du service FM ne venait pas tant des auditeurs de ce service que des fractions bourgeoises qui ne pouvaient syntoniser que le service AM. Quoi qu'il en soit, il est certain que, pour la direction de Radio-Canada, la « notion traditionnelle d'auditoire de masse » n'est plus pertinente pour la programmation et qu'elle « a tout simplement été remplacée par celle de la fragmentation de l'auditoire »[56].

Cela dit, la polarisation émissions populaires et émissions d'élites a été reprise en termes d'horaire, comme nous le verrons un peu plus loin. De plus, la programmation des radios AM n'en demeure pas moins distincte. « Si l'on partage l'auditoire (de la radio AM et FM de Radio-Canada) en strates correspondant aux études primaires, secondaires, ou universitaires, on constate que les groupements les plus importants d'auditeurs à l'écoute du service AM sont des gens qui ont commencé ou terminé le cours secondaire et que la majorité des auditeurs de la radio FM ont commencé ou terminé des études universitaires[57] ».

L'enquête menée auprès des collégiens de la région de Québec montre que les parents écoutent à 67,8 % les postes « populaires », et les postes de « haute culture » (CBV Radio-Canada et CKRL-FM de l'Université Laval) à 16,4 % (voir le tableau 5). Par contre, les professionnels syntonisent Radio-Canada à 35 %, comparativement à 15 % pour les autres classes.

L'écoute est également très différenciée au niveau des étudiants, où elle est également « typifiée » selon la provenance de classe. Alors que les enfants des professionnels syntonisent à 20,9 % les postes de « haute culture », ceux des autres classes ne le font qu'à 18 % ; par contre, les enfants d'ouvriers syntonisent à 74,3 % les postes « populaires », comparativement à 44,1 % pour les enfants de professionnels (voir le tableau 6).

TABLEAU 5

Écoute de la radio par les parents

CHRC	38,4 %	67,9 %
CHRC-FM	14,9 %	
CJRP et CFLS	13,3 %	
CFOM (anglais)	1,3 %	
CBV-R.-C.	14,9 %	16,4 %
CKRL-FM (Un. Laval)	1,5 %	

TABLEAU 6

Écoute de la radio par les étudiants selon le type et selon la classe

PÈRES	CKRL-FM (Un. Laval)	+	CBV-R.-C.	=	Total	CJRP + CFLS	+	CFOM (anglais)	=	Total
Propriétaires et directeurs	12,5 %	+	5,9 %	=	18,4 %	25,0 %	+	27,7 %	=	52,7 %
Professionnels	20,6 %	+	9,3 %	=	29,9 %	14,4 %	+	29,7 %	=	44,1 %
Ouvriers spécialisés	14,3 %	+	4,1 %	=	18,4 %	47,9 %	+	26,4 %	=	74,3 %
Manoeuvres	13,2 %	+	4,0 %	=	17,2 %	23,5 %	+	29,8 %	=	53,3 %

TABLEAU 7

Écoute de la radio par les étudiants selon le sexe

	TOTAL	M	F
CHRC	8,6 %	9,0 %	8,0 %
CHRC-FM	8,8 %	6,8 %	11,1 %
CJRP-CFLS	21,5 %	21,2 %	22,1 %
CFOM (anglais)	29,0 %	31,1 %	27,4 %
CBV - R.-C.	5,8 %	5,3 %	6,4 %
CKRL-FM (Un. Laval)	15,5 %	16,2 %	14,8 %
N'écoutent pas	9,2 %	9,3 %	9,2 %

La segmentation du temps

Dans la programmation, la segmentation du temps est capitale : « pour assurer que chaque émission rejoint son auditoire "naturel", nous dit la direction de Radio-Canada, (...) la mise à l'horaire a une importance capitale : (...) l'émission doit être diffusée au jour et à l'heure où, selon l'avis des programmateurs, l'auditoire est libre et réceptif[58] ». La segmentation du temps se présente donc en premier lieu comme la mise en contact d'une émisssion — une émission pour enfants, par exemple — avec un auditoire, les enfants en l'occurrence.

Ceci dit, la segmentation du temps est plus complexe qu'on ne l'imagine à première vue. Qu'il suffise d'indiquer qu'il existe une double segmentation : une *segmentation verticale* selon les heures et une *segmentation horizontale* que réalisent les événements spéciaux au cours d'une année. La première de ces segmentations se fait plutôt en fonction de la famille et de la journée de travail alors que l'autre est en quelque sorte réservée au pouvoir, à ses institutions et à ses grands hommes.

La segmentation verticale

Selon les heures de la journée, la radio et la télévision s'adressent à des auditoires différents. La segmentation du temps est alors avant tout une division de l'auditoire et cette division se fait en fonction de la famille et des heures de travail. Le rapport Davey l'a noté, « la télévision est le médium par excellence pour toute la famille[59] ». Patrick Champagne[60] a bien montré que ce médium « s'adresse essentiellement à la famille ». La réception, l'écoute se fait également en famille : l'appareil principal est situé dans la pièce de séjour, la cuisine ou le salon selon les classes.

Les heures de pointe de 16 heures (15 heures) à 21 heures (22 heures) sont donc réservées à la famille : le père, la mère et les enfants d'âge scolaire. À une exception près, les vingt émissions les plus populaires des réseaux TVA et Radio-Canada (soit celles qui atteignent 400 000 téléspectateurs québécois et plus) sont diffusées au cours de cette période. Les nouvelles en moins, ces émissions sont en quasi-totalité des émissions populaires de divertissement : téléromans et séries américaines.

Les émissions diffusées à ces heures viseront donc à restructurer « le mode de vie populaire autour de la famille » et à renforcer l'institution familiale par la réaffirmation des valeurs familiales et de la nécessité des divers rôles qui la fondent. Les émissions qui s'adressent à la famille contribuent ainsi à reproduire la famille comme un ensemble, comme une unité de base. Et ce sera une unité non seulement de diffusion de l'idéologie, mais aussi *de consommation.*

Comme unité, comme ensemble, la famille se fonde à la fois sur des rôles différents (ceux de mère, de père et d'enfant) et sur une division des sexes. Le début et la fin de l'avant-midi seront consacrés aux enfants d'âge pré-scolaire pendant que la mère fait le ménage ou prépare le dîner. Entre les deux, quelques émissions pour que la mère garde sa ligne ou reprenne sa forme. Cette segmentation du temps se veut fonctionnelle ; l'analyse des contenus montrerait sans doute que ceux-ci ne sont pas innocents. Qu'il suffise de retenir qu'on s'adresse ici à des rôles qui n'ont leur sens que dans la famille traditionnelle et qui sont reçus en tant que tels, c'est-à-dire comme définissant la femme à partir de ses fonctions traditionnelles de « compagne de l'homme », de « mère » et de « bonne maîtresse de maison ». Les étudiants (à 77,9 %) et étudiantes (à 66,7 %) définissent la femme par son rôle traditionnel... surtout celui de « compagne de l'homme » (étudiants à 57,1 % et étudiantes à 52,6 %)[61]. Ils ne sont pas innocents car ils renforcent, ainsi que le montre Champagne[62], le quotidien où, *comme activité*, les filles préfèrent davantage que les garçons les activités sociales et culturelles, apprécient moins qu'eux le sport et négligent davantage qu'eux la politique[63] ; où, *comme activité culturelle*, les filles préfèrent davantage que les garçons la danse, le théâtre et la lecture, tandis qu'eux préfèrent la musique, le ciné et la télé[64].

Dans l'après-midi, la segmentation se fonde principalement sur la division des sexes et la division selon l'âge. Le tout débute et se termine par des informations pour monsieur. Entretemps, on s'adresse à madame : *Femme d'aujourd'hui* à Radio-Canada et *Ciné-Matinée* à TVA. Enfin, après la sieste, les gens du troisième âge ne sont pas oubliés. C'est encore *Le Temps de vivre*. En fin d'après-midi, les enfants qui reviennent de l'école retrouvent leurs émissions. Au moment où il faut passer à table, les émissions pour toute la famille peuvent accompagner le repas. Les enfants couchés, la journée au petit écran s'achève avec les quelques adultes qui ne réussissent ni à dormir, ni à rêver parce que d'autres le font à leur place.

Que retenir sinon que la reproduction des rapports sociaux se fait à travers les divisions selon l'âge, le sexe, les rôles de père, de mère, etc. Ces divisions sont présentes dans la plupart des émissions (v.g. les téléromans) mais la segmentation du temps offre la possibilité d'une reproduction de ces divisions comme telles, ou mieux la reproduction de ces divisions une à une. Cela permet d'interpeller le téléspectateur comme sujet, c'est-à-dire comme homme ou femme, comme enfant ou adulte, comme jeune ou vieux, comme mère ou père, comme habitant de la périphérie ou du centre (v.g. émissions régionales versus émissions nationales), etc. *La reproduction des rapports de domination et de sujétion est produite dans les individus selon toutes les différences caractérisant les classes antagonistes* et, en même temps, l'interpellation comme sujet voile efficacement la reproduction des places spécifiques à ces classes.

La segmentation horizontale

Tout au long de l'année, des « émissions spéciales » bouleversent la grille habituelle des émissions de télévision et de radio. Les émissions sont exigées par des événements politiques plus ou moins prévisibles : le décès d'un homme politique « important », une élection provinciale ou fédérale, la visite de la reine, un congrès de parti, une conférence fédérale-provinciale, la visite d'un premier ministre à Washington, etc. [65] Le sport amène lui aussi son cortège d'émissions qui bouleversent la programmation habituelle. Il s'agit sans doute d'événements sportifs saisonniers comme les séries mondiales de baseball, les séries de la Coupe Stanley, le Super Bowl, etc., et aussi d'événements plus ou moins prévisibles : la visite des Russes au hockey, le Grand Prix, etc. Enfin, après les hommes politiques et les dieux du stade, les grands Dieux... Nous pensons aux événements liturgico-saisonniers : la période de Noël, la Semaine Sainte, etc.

Ces émissions sont plus fréquentes qu'on ne l'imagine. Ainsi, dans le seul domaine politique, trente-neuf émissions spéciales ont été diffusées à Radio-Canada en 1976 et trente-trois en 1977. En somme, *tous les dix jours, une émission spéciale concernant la politique est diffusée.* À cela, il faut ajouter les émissions spéciales sportives, religieuses, etc. Au total, les émissions spéciales font partie de la vie quotidienne bien qu'elles viennent de l'extérieur de cette vie. Du seul fait de leur programmation, ces émissions nous révèlent la transcendance, une transcendance qui fonde le pouvoir des dieux et qui déifie les hommes du pouvoir.

Sans faire une analyse complète de ces émissions et de leur fonction, il nous apparaît qu'elles servent en premier lieu à fonder idéologiquement le pouvoir et à le renforcer. La vedette sportive nous apprend que l'effort individuel permet d'atteindre les premières places [66]. Les événements politiques présentés révèlent généralement que ce sont les grands hommes qui font l'histoire. Que ces grands hommes s'entendent entre eux, et la terre pourrait connaître l'harmonie, la paix et la prospérité. Aussi, lorsque l'un de ces grands hommes disparaît, il faut le pleurer et en être ému comme s'il était de la famille.

La segmentation horizontale du temps fournit l'occasion aux classes bourgeoises de comprendre la grandeur de leur mission et au prolétariat d'entrevoir la chance d'être gouverné par de si « grands hommes ». Il ne reste plus aux émissions religieuses spéciales qu'à rappeler que les souffrances de ce monde peuvent ouvrir la porte au bonheur éternel. Les émissions spéciales encadrent donc la vie quotidienne du peuple aussi efficacement que le faisait autrefois la liturgie de l'Église catholique.

La division des émissions en genres

L'étude des émissions de télévision selon les genres peut être faite de deux façons. Une première, plus répandue, consiste à étudier les genres les plus typés : les téléromans, l'information, le sport, etc. Une seconde, moins familière, cherche à découvrir comment, à travers les genres, toutes les émissions s'articulent de manière à former deux grandes catégories d'émissions dont l'une est à toutes fins pratiques inaccessible à la masse des classes subalternes.

Les genres les plus typés

La classification par types peut donner quelques indications sur la tendance à l'écoute divisée selon l'appartenance de classe et selon le sexe. Aussi l'étude du type d'émissions préférées par les parents des collégiens de la région de Québec montre-t-elle que chez les professionnels, c'est à 50,9 % l'information qui est préférée ; dans la classe ouvrière l'information n'est préférée qu'à 27,5 % (tableau 8) ; chez les étudiants, l'écoute se diversifie surtout selon le sexe. Ainsi les filles écoutent-elles moins que les garçons l'information, le cinéma et beaucoup moins qu'eux le sport ; par contre, elles sont particulièrement « portées » vers les divertissements (52,8 % contre 22,1 % chez les garçons) (tableau 9).

TABLEAU 8

Émissions préférées par les parents selon la classe

	Information	Sport	Divertissement	Cinéma
Propriétaires et directeurs	34,4 %	2,7 %	57,2 %	5,2 %
Professionnels	50,9 %	6,1 %	34,6 %	7,0 %
Ouvriers spécialisés	27,5 %	6,0 %	59,1 %	6,5 %
Manoeuvres	22,9 %	5,1 %	64,4 %	5,9 %
Total parents	32,4 %	5,3 %	54,7 %	6,6 %

TABLEAU 9

Émissions préférées par les étudiants selon la classe

PÈRES		Information	Sport	Divertissement	Cinéma
Propriétaires	T	21,3 %	14,8 %	38,6 %	19,5 %
et directeurs	M	23,0 %	26,8 %	22,3 %	22,3 %
	F	19,8 %	3,3 %	54,2 %	16,9 %
Professionnels	T	24,4 %	13,1 %	34,9 %	20,4 %
	M	28,8 %	20,0 %	25,3 %	16,7 %
	F	20,1 %	6,3 %	42,5 %	23,0 %
Ouvriers	T	21,9 %	15,4 %	35,7 %	20,1 %
spécialisés	M	22,9 %	24,2 %	23,6 %	23,0 %
	F	20,4 %	5,4 %	49,5 %	17,1 %
Manoeuvres	T	21,2 %	19,8 %	27,9 %	24,7 %
	M	20,1 %	27,6 %	19,2 %	28,0 %
	F	23,1 %	6,9 %	42,3 %	19,2 %
Total	T	21,7 %	15,6 %	34,5 %	21,5 %
étudiants	M	23,2 %	25,2 %	22,1 %	23,4 %
	F	20,1 %	4,8 %	58,2 %	19,5 %
					100 %

De toutes les émissions, les téléromans avec les séries américaines et le téléjournal constituent des émissions qui représentent bien les catégories du divertissement et de l'information. Ces émissions sont parmi les plus populaires et tout laisse supposer que leur auditoire se recrute parmi toutes les classes de la société. Que nous enseignent-elles, ces émissions ?

Le thème principal des téléromans n'est autre que la famille. Ces émissions sont faites pour être écoutées en famille. C'est donc à partir de relations entre les familles que la société sera présentée. Selon Lyne Ross, la mécanique est la suivante : des circonstances assez fortuites amènent « des familles de milieu relativement modeste » à rencontrer « des familles très bourgeoises ». Cette rencontre qui se fait à partir d'une relation amoureuse, amène « les deux extrêmes de la hiérarchie sociale » à se rencontrer dans une sorte d'échange égal où le bourgeois incapable de résoudre ses problèmes est présenté comme dépendant de la personne de milieu modeste. « Ainsi se trouve niée la position privilégiée de ceux qui ont argent et éducation : ce ne sont pas eux mais leurs amis moins favorisés qui apparaissent les plus aptes, les mieux situés pour affronter les difficultés de la vie [67] ». En somme, les qualités individuelles de la personne compensent pour une position sociale inférieure.

Les téléromans dégagent ainsi une vision harmonieuse de la société où les conflits sont réduits à des questions de personnalité et où la réalité sociale est tronquée. Le travail, les problèmes urbains, les questions linguistiques et culturelles, l'hiver, la misère, etc., sont des réalités absentes. Quand les héros sont des routiers, nous dit le *Dossier noir sur la radio et la télévision commerciale*, l'émission porte sur « la camaraderie entre hommes. C'est pas croyable comme ils s'amusent ces travailleurs ». Tout cela fait écrire aux auteurs de ce *Dossier* que « les téléromans présentent une conception du monde opposée à celle mise de l'avant par les organismes voués à la promotion collective des classes populaires [68] ».

L'information procède d'une même inspiration. À la suite de Paulo Freire, Herbert Schiller a montré que l'information dans les mass media réalise une véritable manipulation de l'esprit qui repose sur un certain nombre de mythes présents aussi bien dans la fiction que dans l'information [69]. Mythe de la neutralité, de l'objectivité, du pluralisme des mass media, d'une nature humaine trans-historique, d'une société harmonieuse, etc. Au nom de la neutralité et de l'objectivité, on s'interdit d'expliquer : « le fait est isolé, coupé de ses racines, vidé des conditions qui expliquent son apparition, soustrait au système qui lui confère un sens, et dans lequel il a une place significative ». En fait, cette objectivité consacre un « intérêt idéologique de classe comme valeur universelle [70] ».

Enfin, comme le téléroman, l'information renforce les institutions en place non seulement par son contenu mais aussi par une technique qui la spécifie comme produit capitaliste en faisant d'elle une marchandise. Ce qui caractérise alors l'information, c'est la « parcellisation », son découpage en flashes, en unités sans liens les unes avec les autres. Cette technique « introduit le lecteur ou l'auditeur dans des mondes particuliers, qui apparaissent comme autonomes et cloisonnés et qui, en dissimulant leur caractère fragmenté, empêchent de comprendre le monde comme une totalité à l'intérieur de laquelle se manifestent des oppositions de classes [71] ».

Les genres selon les classes

Dans toutes les émissions diffusées, la division la plus fondamentale serait celle opposant émissions destinées aux classes populaires et émissions destinées aux classes bourgeoises. Les catégories d'émissions proposées par le C.R.T.C. permettent d'entrevoir cette opposition de deux grandes catégories d'émissions.

Cette opposition est manifeste au sein même de la grande catégorie INFORMATION, qui comprend les nouvelles et les émissions locales et spéciales, destinées à tous, et les émissions d'affaires publiques, les causeries et les émissions éducatives, qui ne sont accessibles qu'aux classes bourgeoises et cultivées. L'opposition est encore plus manifeste entre le « divertissement populaire », qui comprend les téléromans, les séries américaines, la musique légère, la danse disco, les questionnaires et les jeux, d'une part, et le « divertissement bourgeois », constitué de musique classique, de ballet, de théâtre, poésie, critique d'art et recherche scientifique, d'autre part.

Pierre Bourdieu a déjà montré comment la culture de masse n'était en somme qu'une sorte de vulgarisation de la culture d'élite [72]. Aussi, les classes bourgeoises et cultivées découvriront à l'occasion une certaine continuité entre leur culture et celle que diffusent les mass media. Mais il faut faire un pas de plus et découvrir que les classes subalternes sont en fait exclues de toute une série d'émissions d'information et de divertissement qui ne peuvent être qu'ennuyantes quand elles ne sont pas simplement exclues par les heures où ces émissions sont disponibles.

Comme pour l'école, il existe bien deux circuits : l'un qui va du primaire à l'université et un autre qui conduit directement aux postes subalternes sur le marché du travail, à la sujétion et à la dépendance. Bref, cette division, autant dans les media qu'à l'école, reproduit le rapport de classe.

La division qui reproduit la division

Elle reproduit la fragmentation nationale

Cette division des appareils sur l'axe d'unification-fragmentation de l'unité nationale canadienne fait qu'au Québec, les Québécois sont socialisés comme différents et qu'ils se perçoivent comme différents. Cela apparaît clairement chez les étudiants de niveau collégial de la région de Québec. Ces étudiants s'identifient comme Québécois à 81,6 % et comme Canadiens à 9,7 % [73].

Elle reproduit la division sexuelle

Nous avons souligné que les appareils avaient comme fonction de produire et reproduire des qualifications diversifiées de la force de travail. En plus de reproduire les classes (ce que nous verrons au point suivant), ces appareils, à travers leurs divisions, reproduisent de façon élargie la sujétion des femmes.

Il apparaît, grâce à l'enquête menée auprès des collégiens de la région de Québec, que les filles (1300 sujets) atteignent ce niveau en moins grand nombre que les garçons (1453 sujets), le pourcentage étant de 47,2 % pour les filles et de 53,8 % pour les garçons. Et celles qui atteignent ce niveau vont à 60 % au professionnel-technique, comparativement à 40 % pour les garçons.

De plus, il apparaît hors de tout doute que leur production (leur culturation-socialisation) est faite dans la reproduction élargie des tâches traditionnelles de mère (cela s'appelle aussi le procès tendanciel de socialisation des tâches domestiques). L'enquête montre en effet une nette ségrégation entre tâche de « maternage » et tâche de production... autant au niveau professionnel-technique qu'au général. Aussi les techniques que nous qualifions de « féminines » sont-elles à 88,12 % étudiées par les filles (tableau 10), les « masculines » le sont à 85,22 % par les garçons (tableau 10). Les sciences pures et appliquées et les sciences administratives sont étudiées à 84,19 % par des garçons alors que les lettres le sont à 60,2 % par des filles (tableau 11).

Elle reproduit la division en classes

Dans la problématique, nous avons affirmé que de façon tendancielle et élargie, la classe retourne à la classe. Cela est également apparu avec force dans l'enquête menée dans la région de Québec.

Ainsi les enfants de professionnels vont-ils à 76,3 % au général alors que ce n'est le cas que pour 40 % et 38,2 % pour les enfants d'ouvriers spécialisés et les manoeuvres (tableau 12). De plus, les enfants des ouvriers spécialisés et des manoeuvres alimentent à 46,7 % le professionnel-technique, comparativement à 28,2 % pour le général. Qu'en resterait-il à l'université ? Très peu ! En dernière année d'université ? Encore moins, etc.

TABLEAU 10

Orientation des étudiants/es au professionnel-technique : les techniques « féminines » et « masculines »

Les techniques féminines	M N.	M %	F N.	F %	T N.	T %
Radiologie	5	8,6	53	91,4	58	2,1
Inhalothérapie	3	8,8	31	91,2	34	1,2
Radiologie	0	0,0	5	100,0	5	0,2
Laboratoire médical	2	3,2	61	96,8	63	2,3
Assistance sociale	15	23,1	50	76,9	65	2,4
Bibliothéconomie	0	0,0	11	100,0	11	0,4
Hygiène dentaire	1	10,0	9	90,0	10	0,4
Éducation spécialisée	11	22,0	39	78,0	50	1,8
Secrétariat	3	4,3	67	95,7	70	2,6
Garderie	1	5,6	17	94,4	18	0,7
Vestimentaire	0	0,0	7	100,0	7	0,3
Infirmerie	11	5,1	204	94,9	215	7,9
Diététique	2	3,6	53	96,4	55	2,0
Beaux-arts	19	35,8	34	64,2	53	1,9
Techn. de sc. naturelles	10	32,3	21	67,7	31	1,1
Esthétique	8	38,1	13	61,9	21	0,8
Total	91	11,9	675	88,1	766	28,0

52,16 % des filles au collège

Les techniques masculines	M N.	M %	F N.	F %	T N.	T %
Instruments de contrôle	7	77,8	2	22,2	9	0,3
Architecture	27	90,0	3	10,0	30	1,1
Équipement motorisé	10	90,9	1	9,1	11	0,4
Cartographie	22	84,6	4	15,4	26	1,0
Électrotechnique	135	97,1	4	2,9	139	5,1
Mécanique	23	100,0	0	0,0	23	0,8
Génie civil	49	98,0	1	2,0	50	1,8
Techniques du bâtiment	31	100,0	0	0,0	31	1,1
Administration	104	65,8	54	34,2	158	5,8
Génie chimique	9	75,0	3	25,0	12	0,4
Total	417	85,27	72	14,7	489	17,88

28,96 % des garçons au collège

TABLEAU 11

Orientation des étudiants/es au général : le général « masculin » et « féminin »

	M		F		TOTAL	
	N.	%	N.	%	N.	%
Les sciences masculines						
Sc. de l'administration	178	84,4	34	16,0	212	7,8
Sc. pures et appliquées	216	84,4	40	15,6	256	9,4
Total	394	84,19	74	15,8	468	17,2
		27,36 % des garçons au collège				
Les sciences féminines						
Lettres	47	39,8	71	60,2	118	4,3
Les sciences partagées						
Sciences humaines	290	55,2	235	44,8	525	19,2
Sciences de la santé	136	53,1	120	46,9	256	9,4
Total	426	54,5	355	45,5	781	28,6
		29,3 % des garçons au collège 27,3 % des filles au collège				

TABLEAU 12

Orientation (général-professionnel) selon la provenance de classe

Classe	Général		Professionnel	
Propriétaires et directeurs	19,6 %	39,6 %	21,4 %	27,8 %
Professionnels	19,6 %		6,5 %	
Gérance	9,3 %		8,4 %	
Représentants	6,9 %		5,3 %	
Travail de bureau	8,0 %		5,0 %	
Ouvriers spécialisés	18,6 %	28,2 %	30,0 %	46,7 %
Manoeuvres	9,6 %		16,7 %	
Techniciens	5,1 %		5,6 %	
Protection policière	2,6 %		1,7 %	
	1400/100 %		1308/100 %	

Répartition de la classe dans l'orientation

	Propriétaires et directeurs	Professionnels	Gérance	Représentants	Travail de bureau	Ouvriers spécialisés
Général	49,5 %	76,3 %	54,2 %	58,4 %	63,3 %	40 %
Professionnel	50,5 %	23,7 %	45,8 %	41,6 %	36,7 %	60 %

	Manoeuvres	Techniciens	Police
Général	38,2 %	54,1 %	62,7 %
Professionnel	61,8 %	45,9 %	37,3 %

Conclusion

Cette analyse, si sommaire soit-elle, nous permet de constater la grande complexité des appareils idéologiques et plus largement celle de la reproduction.

Elle a le « mérite », du moins le croyons-nous, de sortir la problématique de la reproduction du simplisme de la reproduction classe à classe, de la reproduction - sans - changement. Nous sortons en effet du simplisme qui permet aux fonctionnalistes de contester la validité du concept de reproduction des rapports de classes dès que l'analyse de la reproduction devient celle de la reproduction du rapport de classe dans son procès d'élargissement.

Ce procès, comme nous l'avons souligné, se fait par l'approfondissement du champ de mise en valeur du capital et par l'ouverture de nouveaux champs bouleversant les postes de travail et les positions d'accumulation du capital. Ce procès d'élargissement n'est pas sans effet sur les appareils. Ces derniers sont entraînés, pénétrés, transformés par/dans ce procès d'élargissement. Ainsi la conjonction des appareils, leur organisation hiérarchisée se transforme-t-elle dans ce procès. Des appareils nouveaux « apparaissent » et réorganisent le fonctionnement unifié (la conjonction) des appareils. C'est à ce titre qu'il nous semblait important d'analyser l'appareil de Radio-télédiffusion.

Cette analyse nous a permis de constater que l'appareil de Radio-télédiffusion « travaille » à reproduire la fragmentation, la division sexuelle, la division en classes. Elle nous a aussi permis de saisir le lien entre l'élargissement du champ d'accumulation et le développement de nouveaux appareils (télévision, câblodistribution, télécommunications, etc.). Par contre, elle a seulement permis d'entrevoir la question du fonctionnement à la non-reproduction qui peut avoir lieu dans ces appareils. Autrement dit, la question des agents de ces appareils, celle de leurs luttes, celle du contrôle sur les appareils (sur les agents des appareils) et donc celle de la pénétration par des idéologies non dominantes et même antagoniques restent ouvertes. Il en est de même de celle du lien entre l'élargissement du champ d'accumulation et la réorganisation de l'unification des appareils sous la direction-domination ou non de la fraction hégémonique ou non dans une formation sociale.

Jean-Guy Lacroix
Cegep de Limoilou, et

Benoît Lévesque
Département des lettres et sciences humaines
Université du Québec à Rimouski

Notes

[1] E. Austin Weir, *The Struggle for National Broadcasting in Canada*, Toronto/Montréal, McClelland and Stewart, 1965, 477 p.

[2] Canada, Commission royale d'enquête sur la radio et la télévision, *Rapport*, Ottawa, Imprimeur de la Reine, 1957, volume I, p. 147.

[3] Tood Gitlin, « Media Sociology : The Dominant Paradigm », *Theory and Society*, n° 6 (septembre 1978), p. 203-253.

[4] L. Althusser, « Idéologie et appareils idéologiques d'État », *in La Pensée*, n° 151, juin 1979, p. 16 et suivantes ; et N. Poulantzas, *Fascismes et dictatures*, Paris, Éd. du Seuil/Maspero, 1974, p. 338.

[5] L. Althusser, *op. cit.*, p. 19.

[6] *Ibid.*, p. 18-19 de même que 20 et 21.

[7] D. Bertaux, *Destins personnels et structure de classe*, Paris, P.U.F., p. 172.

[8] A. Huet, J. Ion, A. Lefevre, B. Miège et B. Peron, *Capitalisme et industries culturelles*, Grenoble, Presses universitaires de Grenoble, 1978.

[9] A. Mattelart, « Communications sans frontières et impérialisme » *in Le Monde diplomatique* (Paris), mars 1978, p. 7-8.

[10] La non-unité des appareils idéologiques renvoie autant chez Poulantzas que chez Althusser à leur pluralité-multiplicité. Pour notre part, nous pensons que cette unité-non-unité s'exprime beaucoup plus dans la fragmentation ou non des appareils. Elle est ainsi l'indice d'une double tendance, tendance à la fragmentation et tendance à l'unification. Ces tendances contradictoires renvoient à la domination-direction de la classe qui s'hégémonise dans la construction de l'État national et donc à la prise du pouvoir qui renvoie à la mobilisation autour de la classe qui s'hégémonise. Alors nous devons tenir compte de deux dialectiques : 1) celle liant la fraction dominante au reste de la bourgeoisie comme mouvement d'unification-fractionnement de la bourgeoisie comme classe bourgeoise et comme classe dominante ; 2) celle liant la classe dominante à la masse (ensemble des classes subalternes) dans un mouvement d'unification-fractionnement du bloc historique constitutif de l'État national. Ces dialectiques expriment des axes de fractionnement-unification dans lesquels la tendance dominante est fonction de la réussite de l'hégémonie. Cette hégémonie est elle-même fonction de la possibilité-capacité de la fraction dominante de mobiliser sous sa direction les fractions non hégémoniques de la bourgeoisie et les classes subalternes. Au Canada, il est clair, à partir de la construction et du développement fragmenté des appareils tant administratifs (États fédéral, provincial) qu'idéologiques (famille, école, religion, télédiffusion, syndicats, groupes et partis politiques, etc.) et même répressifs (tribunaux, police, armée), que cette hégémonie ne fut pas réussie et que la tendance à la fragmentation a nettement dominé, tout particulièrement au niveau des appareils idéologiques. Sur l'axe unité-fractionnement de la bourgeoisie, c'est donc la tendance à la fragmentation qui a largement dominé et qui a ainsi constitué un axe de développement constant de blocs historiques contestant l'oppression de la résistance à l'unité canadienne. Cette tendance à la fragmentation a fait qu'au Québec les appareils idéologiques n'ont pas joué le rôle d'appareils « homogénéisateurs » de la

représentation, ni celui d'appareils constituteurs de l'identité-volonté unitaire ; au contraire, ces appareils ont constitué une représentation, une identité-volonté différente. Cette tendance à la fragmentation a revêtu une telle importance qu'on peut dire qu'elle a « organisé » au Québec l'autre axe d'unification-fragmentation. C'est donc dire qu'au Québec les appareils dont le rôle est l'élaboration et la transmission de l'idéologie et de la culture, dont le rôle est la formation de la conscience des individus et la constitution d'individus en sujets interpellables avec efficacité en fonction du code symbolico-linguistique et culturel de la fraction hégémonique, produisent et reproduisent une représentation-identité-volonté non conforme et résistante à l'unité canadienne.

[11] Voir à ce sujet l'extrait de la lettre d'Engels à Block, cité par L. Althusser, *in Pour Marx*, Paris, Maspero, 1972, p. 111.

[12] C. Bucci-Glucksmann, *Gramsci et l'État*, Paris, Fayard, 1975, p. 129.

[13] *Ibid.*, p. 440.

[14] Voir à ce sujet A. Mattelart, *op. cit.*, et A. Huet (et *al.*), *op. cit.*

[15] Voir à ce sujet B. Ostry, « La révolution silencieuse des télécommunications » *in Le Devoir*, Montréal, 14/03/79, p. 5.

[16] D. Bertaux, *op. cit.*, p. 63-64.

[17] P. Champagne, « La télévision et son langage : l'influence des conditions sociales de réception sur le ménage », *in Revue française de sociologie*, XII, 1971, p. 406-430.

[18] A. Huet (et *al.*), *op. cit.*, p. 79.

[19] T. Gitlin, *op. cit.*

[20] E. Katz et P.E. Lazarsfeld, *Personnal Influence: the Part Played by People in the Flow of Mass Communications*, New-York, Free Press, 1955.

[21] A. Huet (et *al.*), *op. cit.*, p. 61-84.

[22] Principalement celle de la C.E.Q., *École et luttes de classes au Québec*, Québec, C.E.Q., 1974 ; et C. Baudelot et R. Establet, *L'École capitaliste en France*, Paris, Maspero, 1973.

[23] L. Althusser, « Idéologie et appareils idéologiques d'État », *op. cit.*, p. 6 ; D. Bertaux, *op. cit.*, p. 53.

[24] D. Bertaux, *op. cit.*, p. 63.

[25] L. Althusser, *op. cit.*, p. 29.

[26] D. Bertaux, *op. cit.*, p. 61-62.

[27] Voir à ce sujet P. Champagne, *op. cit.*, p. 406-430 ; et B. Lévesque, M. Desbiens et Y. Léger, « Sens politique de l'animation sociale et les communications dans les organisations communautaires et coopératives, et les entreprises communautaires et coopératives », Colloque de l'UCI à Rimouski (à paraître).

[28] D. Bertaux, *op. cit.*, p. 41.

[29] À ce sujet, voir C. Baudelot et R. Establet, *op. cit.* ; C.E.Q., *op. cit.* ; C. Escande, *Les Classes sociales au CEGEP*, Montréal, Parti-Pris, 1973 ; H. Chéné et G. Daigle, « L'influence culturelle dans le rendement aux tests d'intelligence ; une étude comparative des tests « Chéné-Daigle » et

« Culture Fair » de Cattell », *Cahiers de l'ISSH*, coll. Psychologie, Québec, Université Laval, 1975.

[30] C. Baudelot et R. Establet, *op. cit.*, p. 81.

[31] M. Tort, *Le Quotient intellectuel*, Paris, Maspero, 1974, p. 23 et 45.

[32] *La Maîtresse d'école*, journal éducatif de l'Université de Montréal, n° 3, février 1976, p. 15.

[33] C.E.Q., *op. cit.*, p. 40, 26 et 36.

[34] C. Escande, *op. cit.*, p. 95.

[35] À ce sujet, voir « Accumulation et reproduction élargie », K. Marx, *Le Capital*, chap. 21, livre 2, T. 2, Paris, Éd. Sociales, 1969.

[36] B. Ostry, *op. cit.*

[37] D. Bertaux, *op. cit.*, p. 259.

[38] *Ibid.*, p. 254-257.

[39] Edgar Morin, *L'Esprit du temps*, vol. 2, *Nécrose*, Paris, Éd. Grasset, 1975, p. 9 et 141.

[40] Armand Mattelart, *Mass media, idéologie et mouvement révolutionnaire. Chili 1970-73*, Paris, Anthropos, 1974, 270 p.

[41] Lyne Ross, *Le Téléroman québécois, 1960-1971. Une analyse de contenu*, Québec, Laboratoire de recherches sociologiques, 1975, p. 298.

[42] Joseph T. Klapper, *The Effects of Mass Communication*, Glencoe, The Free Press, 1960, 302 p.

[43] Cette recherche porte sur la consommation différentielle des mass media (radio, tv, journaux) selon les classes sociales dans deux villes, Longueuil et Rimouski. La direction de ce projet est assurée par Hugues Dionne et Benoît Lévesque. Rita Giguère coordonne les activités de ce collectif.

[44] Jean-Guy Lacroix, *Enquête portant sur la provenance sociale et l'orientation des étudiants de niveau collégial de la région métropolitaine de Québec*. Cette enquête a été menée auprès de 2753 sujets pendant l'année scolaire 1973-1974. Résultats non publiés.

[45] Lyne Ross, *op. cit.*, p. 314-315.

[46] Radio-Québec, *Profil de l'auditoire de Radio-Québec*, Montréal, Service de recherche et d'évaluation, 1975, p. 50.

[47] Gilles Constantineau, « Une cote plus près du zéro que du million », *Le Devoir*, 22 avril 1978.

[48] Le Canal dix obtient 13/15 en février 1978 et 8/15 en décembre 1978 selon les sondages BBM.

[49] *Radio-Canada : vue d'ensemble. Mémoire au Conseil de la radiodiffusion et des télécommunications canadiennes à l'appui des demandes de renouvellement des licences d'exploitation des réseaux*, Montréal, Société Radio-Canada, 1978, p. V.

[50] *Ibid.*, p. 65.

[51] Enquête sur la câblodistribution dont une partie a été publiée. Hugues Dionne et Benoît Lévesque (éd.), Robert Carrier et Rita Giguère, *La Câblodistribution dans l'est du Québec*, Rimouski, « Cahiers du GRIDEQ »,

1978, 200 p. La partie qui concerne les abonnés au câble n'a pas été publiée mais a servi de pré-test pour la recherche dont il est question à la note 43.

[52] *Radio-Canada : vue d'ensemble*, *op. cit.*, p. 324.

[53] *Ibid.*, p. 56.

[54] C'est ce que constatent les théoriciens de la culture de masse. Cette vision culturaliste et techniciste est exposée au grand complet par les « gourous » Moles et McLuhan. Voir Abraham A. Moles, *Sociodynamique de la culture*, Paris, La Haye, Mouton, 1967, 342 p. Voir également Marshall McLuhan, *Pour comprendre les media. Les profondeurs technologiques de l'homme*, Montréal, HMH, 1964, 390 p.

[55] *Radio-Canada : vue d'ensemble*, *op. cit.*, p. 82.

[56] *Ibid.*, p. 163.
[57] *Ibid.*, p. 245.
[58] *Ibid.*, p. 116.
[59] Canada, Comité spécial du Sénat sur les moyens de communication de masse, *Les Mass media*, Ottawa, 1970, volume I, p. 217.

[60] Patrick Champagne, *op. cit.*, p. 412 sq.

[61] DÉFINITION DE LA FEMME PAR LES ÉTUDIANTS/ES SELON LE SEXE

	ÉTUDIANTS	*ÉTUDIANTES*
Bonne maîtresse de maison	*5,6 %*	*3,1 %*
Bonne compagne de l'homme	*57,1 %*	*52,6 %*
Bonne mère	*15,2 %*	*11,0 %*
Aussi efficace que l'homme dans son travail	*22,2 %*	*33,3 %*
	100,0 %	100,0 %
	1397	1240

Source : tiré de l'enquête citée à la note 44.

[62] Patrick Champagne, *op. cit.*, p. 406-430.

[63] ACTIVITÉS PRÉFÉRÉES PAR LES ÉTUDIANTS SELON LE SEXE

	CULTURELLES	POLITIQUES	SPORTS	SOCIALES	
T	27,4 %	3,3 %	43,4 %	25,9 %	100 %
M	22,8 %	5,1 %	52,5 %	19,6 %	100 %
F	32,4 %	1,4 %	33,6 %	32,8 %	100 %

Source : tiré de l'enquête citée à la note 44.

[64] ACTIVITÉ CULTURELLE PRÉFÉRÉE PAR LES ÉTUDIANTS SELON L'APPARTENANCE DE CLASSE ET SELON LE SEXE

PÈRES		DANSE	MUSIQUE	CINÉ	THÉÂTRE	LECTURE	SPECT.	TÉLÉ
Propriétaires	T	18,7 %	25,0 %	13,9 %	8,0 %	16,3 %	10,7 %	7,6 %
et directeurs	M	11,6 %	33,6 %	18,3 %	5,6 %	11,6 %	8,2 %	11,2 %
	F	24,8 %	16,2 %	7,4 %	10,1 %	20,5 %	13,0 %	4,0 %
Professionnels	T	8,4 %	35,5, %	15,1 %	9,9 %	17,5 %	9,3 %	4,7 %
	M	4,7 %	42,6 %	17,7 %	6,5 %	11,8 %	8,2 %	8,8 %
	F	12,1 %	28,7 %	12,6 %	13,2 %	22,4 %	10,3 %	0,6 %
Ouvriers	T	17,2 %	30,9 %	18,1 %	6,5 %	14,6 %	8,0 %	4,6 %
spécialisés	M	10,0 %	37,8 %	22,3 %	4,1 %	13,8 %	6,7 %	5,3 %
	F	25,5 %	22,8 %	13,6 %	9,3 %	15,2 %	9,6 %	3,9 %
Manoeuvres	T	15,6 %	34,3 %	12,1 %	4,6 %	16,7 %	16,7 %	6,1 %
	M	12,0 %	35,4 %	16,3 %	2,7 %	12,0 %	12,0 %	9,1 %
	F	21,0 %	32,6 %	5,8 %	7,3 %	23,9 %	8,0 %	1,4 %
Total	T	14,8 %	31,3 %	15,2 %	7,4 %	16,9 %	9,7 %	4,7 %
étudiants	M	9,4 %	38,4 %	18,6 %	4,4 %	13,1 %	9,6 %	6,6 %
	F	20,8 %	23,4 %	11,5 %	10,7 %	21,0 %	9,9 %	2,7 %

Source : tiré de l'enquête citée à la note 44.

[65] *Radio-Canada : vue d'ensemble*, *op. cit.*, p. 179.

[66] Voir Pierre Laguillaume, « Pour une critique fondamentale du sport », dans *Sport, culture et répression*, Paris, Maspero, « Partisans », 1972, p. 32-60.

[67] Lyne Ross, *op. cit.*, p. 123.

[68] *Dossier noir sur la radio et la télévision commerciales. Rapport-synthèse*, Montréal, Front commun sur les communications, 1977, p. 31.

[69] Voir Herbert Schiller, *The Mind Managers*, Boston, Beacon Press, 1973, 214 p.

[70] Armand Mattelart, *op. cit.*, p. 66.

[71] *Ibid.*

[72] Pierre Bourdieu, « Le marché des biens symboliques », *L'Année sociologique*, vol. 22 (1971), p. 49-126.

[73] Parmi les étudiants qui estiment militer au provincial, 73,27 % le font au P.Q. Ce qui est pour le moins indicatif de la fragmentation. Tiré de l'enquête citée à la note 44.

Bilan provisoire

La transformation du pouvoir au Québec : quelques réflexions en guise de synthèse

On ferait face au Québec à une entreprise systématique (mais non voulue) d'encadrement, de contrôle, de bureaucratisation des différentes sphères de la société, par des appareils techno-bureaucratiques auxquels il est difficile d'échapper : telle est la première impression qui se dégage des exposés des sociologues qui, au cours de ce colloque, ont présenté l'analyse détaillée des diverses transformations qu'a connues la société québécoise depuis quinze ans. Que ce soit dans la dernière « colonie » de l'arrière-pays, que les nouveaux dirigeants décident de fermer [1] après en avoir établi « scientifiquement » la non-rentabilité, ou dans le mouvement Desjardins, qui invite les citoyens à assister aux nombreux spectacles présentés à la place du même nom [2], en lieu et place de leur participation aux décisions dans les caisses locales, décisions maintenant prises par les bureaucrates que désigne le palier régional, partout, l'initiative a échappé au citoyen, partout il est pris en charge, partout le contrôle communautaire et local a été remplacé par des organisations issues du centre (le centre, c'est ce qui est loin de tout), sorties « de la côte de l'État », suivant l'expression de Jean-Jacques Simard [3].

Tout cela pour le plus grand bien des citoyens, qui sont d'ailleurs conviés à participer à cette vaste entreprise, comme on le verra plus loin. À ce quadrillage de l'espace social québécois par les « équipements du pouvoir [4] » échappent peut-être le mouvement des femmes, les entreprises locales autogérées ou les coopératives, surtout en milieu rural, et la contre-culture. Mais à cet égard, l'unanimité n'existe pas chez les intervenants, et certains, comme

Jules Duchastel, n'ont pas hésité à affirmer que la contre-culture, par exemple, n'avait pour résultat final que de consolider la mainmise des appareils, le pouvoir de ceux qui s'occupent des choses sérieuses... Nous reviendrons plus loin sur ces points de rupture possible, sur ces espaces encore gérés par leurs habitants. Voyons d'abord rapidement, mais en introduisant certaines nuances, comment se manifeste la tendance générale.

C'est dans le secteur public que l'unanimité des chercheurs est le plus explicite : quel que soit le domaine considéré, affaires sociales, santé, institutions scolaires, municipales, régionales, tous concluent que les structures créées par l'État québécois depuis quinze ans sont inaccessibles (voire allergiques...) aux citoyens; tous affirment qu'elles sont le lieu de luttes intestines entre professionnels et bureaucrates pour le contrôle d'organismes dont le public est exclu. C'est prononcer, indirectement, le constat de l'échec global des politiques de participation qui accompagnaient la mise sur pied de la plupart des institutions. Nos propres analyses de ces organismes conduisent, à certaines nuances près, à des résultats similaires [5].

Un jugement analogue est porté sur le secteur de la coopération. Gary Caldwell montre que les caisses populaires locales voient diminuer leur autonomie au profit du palier régional et de ses bureaucrates, qui sacrifient le contrôle communautaire aux impératifs de la croissance. Dans le domaine des pratiques sportives, Roger Boileau constate que les Québécois ont accru leur participation aux différentes associations sportives, mais que ce mouvement s'est accompagné d'une multiplication des organismes bureaucratiques chapeautant les organismes locaux. On voit ici apparaître explicitement un second phénomène concomitant au développement des appareils bureaucratiques : l'accroissement de la puissance (plutôt que du pouvoir au sens strict), de la capacité d'intervention des Québécois francophones sur leur environnement par rapport aux anglophones. Dans le secteur syndical, Mona-Josée Gagnon établit aussi un lien explicite entre l'accroissement de la capacité d'intervention de l'organisation sur son environnement et la diminution du pouvoir des membres au sein de l'organisation : si le pouvoir du mouvement syndical s'est accru dans la société, c'est parfois au détriment du contrôle exercé par les membres du syndicat. Ainsi, tout se passe comme si, dans chaque secteur, les Québécois et leur organisations avaient accru leur capacité d'intervention et d'influence sur leur environnement, mais cela au profit d'un appareil bureaucratique de plus en plus imposant et au détriment du contrôle communautaire, de l'enracinement local.

Ces analyses suscitent une première question : le pouvoir des citoyens était-il si important avant l'apparition de ces appareils ? On peut en douter puisque, comme nous le rappelle Raymond Laliberté, seul le citoyen organisé a du pouvoir. Il n'en demeure pas moins que, dans la société organisée sur la base du patronage politique, le pouvoir politique était enraciné localement. La prise en main par une bureaucratie gouvernementale de plusieurs des fonctions assurées antérieurement par les organisations politiques introduit une différence importante d'*accès* au pouvoir pour les citoyens, de contrôle des appareils par leur clientèle. Certes, l'idéologie de la participation qui accompagnait la mise en place de ces appareils affirmait que les structures remplaceraient avantageusement les mécanismes traditionnels et compenseraient cette absence d'enracinement local. Mais les analyses des structures de participation ont permis de constater que dans la plupart des cas, non seulement elles n'ont pas rempli leur rôle prévu de relais entre le citoyen et les appareils, mais elles ont le plus souvent servi à renforcer le pouvoir réel des professionnels dans l'organisation, au détriment des instances élues détenant le pouvoir formel [6]. De plus, les citoyens n'ont que faiblement répondu à l'invitation qui leur était faite de venir jouer les figurants sur une scène où on leur avait préalablement enlevé tous les rôles importants.

Comment interpréter ce double mouvement d'accroissement de la puissance des organisations au profit d'appareils techno-bureaucratico-professionnels et de diminution du pouvoir et du rôle de la communauté locale, qui semble ressortir de l'analyse des différents secteurs? Pour répondre à cette question, il convient d'élargir la perspective, de recourir aux analyses globales du pouvoir dans la société québécoise et de situer cette dernière dans son environnement nord-américain; certains participants l'ont fait. Car même si les appareils d'État et autres bureaucraties sont fort puissants dans chaque secteur, on ne doit jamais oublier que la règle de la multiplication par zéro s'applique au phénomène du pouvoir : beaucoup de pouvoir sur rien ne produit jamais un grand pouvoir. Les idéologies traditionnelles qui justifient le repli historique de la société québécoise tentaient, de plus en plus vainement, de faire oublier cette règle arithmétique. Et c'est un apport non négligeable des analyses marxistes de la dernière décennie d'avoir insisté sur l'importance du contrôle économique et sur la précarité de la situation québécoise dans ce domaine. Ces analyses ont signalé et mieux fait connaître la nature et l'importance de la domination économique étrangère sur le pouvoir politique québécois, ont permis d'analyser les liens entre le pouvoir économique et le pouvoir politique. Cela permet de replacer le phénomène de l'émergence des appareils bureaucratiques dans un contexte plus large, de mettre en évidence leur fonction de soutien du pouvoir politique québécois dans son effort pour diminuer la dépendance économique. Loin donc de remplacer le pouvoir politique, l'apport de « techniciens » a pu avoir pour résultat de l'augmenter, si l'on ne le considère plus seulement de façon interne, mais par rapport au milieu dans lequel se situe la société québécoise [7]. On a là une première interprétation de l'apparition des appareils et de la centralisation du pouvoir constatées plus haut.

Cependant, comme le rappelle Louis Maheu, l'analyse marxiste n'a pas toujours échappé au piège de l'idéologie traditionnelle, notamment lorsqu'elle applique la thèse du capitalisme monopoliste d'État à un État qui ne contrôle pas l'économie de la société. L'application d'un tel modèle à la société québécoise ne peut-elle pas être interprétée comme une adaptation moderne de l'idéologie traditionnelle qui conduit à centrer l'analyse sur la distribution du pouvoir interne à la société, sans établir la relation avec les contrôles de la société sur son environnement [8]?

Utilisant le modèle des sociétés dépendantes, Maheu constate d'abord que l'économie québécoise est contrôlée par des classes dominantes étrangères. Le Québec ne gère pas son économie. Il n'y a pas de bourgeoisie monopoliste autochtone. Sur cette toile de fond, Maheu reconnaît toutefois que des changements importants se sont produits depuis quinze ans : une nouvelle fraction de la classe moyenne s'est constituée, qui réussit à contrôler une partie de la croissance, et cela en transformant profondément l'État québécois et les secteurs traditionnels contrôlés par la bourgeoisie québécoise (comme le mouvement coopératif). À l'image traditionnelle d'un État gérant une société rurale qui se rapetisse chaque jour un peu plus comme une peau de chagrin, absorbée par une société urbaine que persistent à ignorer les gouvernants, succède celle d'un État suffisamment fort pour négocier le partage du contrôle du développement économique et de l'urbanisation avec les bourgeoisies étrangères. Au lieu de projeter le Québec dans une société post-industrielle qui aurait fait l'économie du stade industriel [9], on attribue maintenant les changements à un effort de la bourgeoisie pour participer au contrôle de l'économie québécoise. Même si c'est souvent dans des perspectives différentes, Maheu, Laliberté (« la bourgeoisie mise à jour »), Fortin et Simard se rejoignent pour situer l'origine des principaux changements de pouvoir au sein de la bourgeoisie. C'est de cette façon que s'expliquent la constitution d'un appareil bureaucratique et la perte de pouvoir des citoyens constatées dans les analyses sectorielles rapportées plus haut.

Si la pertinence de cette analyse ne peut être mise en doute, il faut cependant se demander si l'on ne considère pas comme explication ce qui, précisément, serait à expliquer, c'est-à-dire l'apparition et le développement d'une bourgeoisie « modernisatrice » (Maheu), différente de la bourgeoisie « traditionnelle » et opposée à elle. Étrangement, ne retrouve-t-on pas ici un vocabulaire couramment utilisé au début des années soixante par les sociologues [10] : société traditionnelle et société moderne... ? Si la théorie des sociétés dépendantes est certes très utile pour comprendre la société québécoise, n'y a-t-il pas un certain danger à l'appliquer sans égard aux spécificités de cette société par rapport à l'ensemble des sociétés dépendantes, et notamment aux sociétés latino-américaines où ce modèle a été élaboré ? L'absence de grande bourgeoisie et la non-souveraineté politique sont notamment deux traits « originaux » de la société québécoise, qui découlent de l'absence, tant au Québec qu'au Canada anglais, de révolutions bourgeoises de libération nationale. On oublie trop que le Canada est le seul pays des Amériques dont la bourgeoisie n'a pas réalisé l'indépendance politique contre la métropole [11]. Or ces traits rendent d'autant plus nécessaire l'élaboration d'une explication sur la genèse de cette « nouvelle bourgeoisie modernisatrice », qu'il paraît insuffisant de considérer comme un phénomène allant de soi et expliquant le reste. Bref, ces « opérations entre fractions » de la bourgeoisie demandent à être expliquées, à moins que l'on postule que tout ce qui est important dans une société capitaliste se passe nécessairement au sein de cette classe, qui aurait seule droit au statut d'acteur dans l'histoire, les autres groupes de la société étant nécessairement manipulés par ses différentes fractions ou déterminés par les exigences objectives de la reproduction de la force de travail.

Ces traits spécifiques à la société québécoise la rendent particulièrement fragile : être québécois ne va pas de soi de la même façon qu'être argentin, brésilien ou même hondurien... Cela est tellement évident que la société québécoise était en voie d'assimilation avant l'apparition de cette bourgeoisie modernisatrice : car pendant que la bourgeoisie « traditionnelle » persistait à définir une société québécoise rurale, religieuse, etc., les Québécois étaient majoritairement urbains, industrialisés, ouvriers, souvent non pratiquants, et en voie d'anglicisation. C'est sous la pression des changements occupationnels et spatiaux de la majorité de la population qu'une stratégie nouvelle est apparue : au lieu de nier les changements qui se produisaient, cette stratégie visait à contrôler les mouvements économiques qui transformaient le Québec réel, malgré les risques que cela comportait [12].

C'est dans ce contexte qu'il faut étudier la genèse de la bourgeoisie modernisatrice et les transformations de l'État québécois. Autrement, on a tendance non seulement à exagérer l'importance de ces deux phénomènes [13], mais aussi à leur attribuer un rôle moteur dans les transformations du Québec, alors que souvent, ils n'ont constitué que des adaptations de la pensée nationaliste et des structures étatiques à des changements déjà réalisés dans la société québécoise, adaptations qui ont été influencées par ceux qui se situent au coeur de la réalité, comme les organismes syndicaux. C'est ce contexte qui explique que les leaders de la société québécoise, quels qu'ils soient, se trouvent dans l'obligation de convaincre la classe ouvrière qu'il est préférable de demeurer membres de cette société (« problème » qu'on ne rencontre pas ailleurs) ; ils doivent négocier non seulement avec la bourgeoisie dominante étrangère, mais aussi avec la population autochtone, ce qui donne lieu à des phénomènes qu'on ne rencontre dans aucune autre société dépendante, tels qu'un salaire minimum plus élevé que dans le reste de l'Amérique du Nord... Dans ce contexte nord-américain, tout projet de société québécois doit nécessairement s'adresser à l'ensemble des groupes sociaux. Voilà une interprétation possible de l'échec qui a frappé, jusqu'à maintenant, les projets politiques qui n'ont pas fait appel à tous les membres de la société.

Conclusion

L'analyse concrète des relations entre cette bourgeoisie modernisatrice et les autres acteurs sociaux (y compris les réseaux traditionnels, qui demeurent très présents) est essentielle à la compréhension des transformations de la structure du pouvoir au Québec. À ce propos, j'aimerais souligner que la sociologie des organisations était pratiquement absente de ce colloque [14]. Il n'existe pas de sociologie des organisations au Québec, et cela me paraît significatif d'une certaine incapacité, qui se perpétue, à prendre un minimum de distance vis-à-vis des mécanismes sociaux.

Seules des analyses de ce type permettraient de comprendre la genèse de cette bourgeoisie modernisatrice au lieu de la considérer comme déjà présente dans l'analyse. Elles permettraient aussi d'examiner de façon nouvelle les problèmes du pouvoir technocratique. À ce propos, il me paraît important de distinguer entre le pouvoir bureaucratique et le pouvoir technocratique : le premier repose sur la connaisance des règles de l'organisation ; le second sur une connaissance technique acquise et contrôlée hors de l'organisation et ne relevant pas directement d'elle. Si le premier se développe trop, et au détriment du pouvoir des usagers et des citoyens, le second est peut-être encore insuffisamment développé pour permettre à la société d'exercer un contrôle minimum sur son environnement. Si cela est vrai, les difficultés sont nombreuses pour les mouvements sociaux qui restent à l'écart de cette dynamique et préparent peut-être des transformations plus fondamentales : mouvement des femmes, organismes autogérés, contre-culture. On ne peut qu'être favorable à de telles tentatives, tout en notant que la distribution du pouvoir dans un tel contexte n'est pas illimitée. De façon générale, Laliberté nous rappelait que la proportion de la population adulte active dans la société actuelle oscille entre 10 % et 15 %, pas plus. On n'a pas assez pris au sérieux la loi de Michels, que pourtant toutes les expériences ultérieures de transformation de la société ont confirmée, comme d'ailleurs les innombrables tentatives de décentralisation : le pouvoir tend toujours à se concentrer, et quelle que soit la structure mise en place, il existe des seuils, des mécanismes et des lois de recentration du pouvoir que les citoyens désireux de transformer la situation auraient intérêt à mieux connaître, ne serait-ce que pour les utiliser et pour ne pas atteindre des résultats contraires aux objectifs qu'ils s'étaient fixés. Ces lois existent-elles dans tous les types de civilisation ? Non, si l'on en croit le mouvement de la contre-culture, qui nous propose d'élargir nos capacités psychiques pour opérer une transformation radicale des relations de pouvoir et rendre inutiles les appareils bureaucratiques qui nous dominent. Sous cet aspect, la contre-culture constitue peut-être la seule véritable utopie qui se situe à l'échelle des problèmes actuels.

Jacques Godbout

Institut national de la recherche
scientifique-Urbanisation
Université du Québec

Notes

[1] Mais que les élites traditionnelles avaient encouragé à défricher.

[2] Et à constater par la même occasion que les Québécois sont aussi capables que les « autres » de construire des tours au centre-ville...

[3] Les citations sans référence renvoient aux différents chapitres de ce volume, que j'ai eu l'avantage de lire avant de rédiger mon texte.

[4] Voir François Fourquet et Lion Murard, *Les Équipements du pouvoir. Villes, territoires et équipements collectifs*, Paris, U.G.E., 1976, 318 pages.

[5] Voir Gérard Divay et Jacques Godbout, *La Décentralisation en pratique. Quelques expériences montréalaises, 1970-1977*, Montréal, I.N.R.S.-Urbanisation, « Rapports de recherche », n^0 5, 1979.

[6] À ce sujet, voir Jacques Godbout, « La participation : support à la bureaucratie ou pouvoir des citoyens? », *Actes du colloque annuel de l'ACSALF*, Ottawa, 1978, p. 68-81.

[7] Pour une intéressante illustration de la faiblesse des gouvernements québécois antérieurs en matière de contrôle économique, voir Albert Faucher, « Pouvoir politique et pouvoir économique dans l'évolution du Canada français », dans Fernand Dumont et Jean-Paul Montminy (éd.), *Le Pouvoir dans la société canadienne-française*, Troisième colloque de la revue *Recherches sociographiques*, Québec, Les Presses de l'Université Laval, 1966, p. 61-80.

[8] Les analyses du pouvoir économique restent malheureusement trop rares. Voir Association des économistes québécois, *Qui décide au Québec? Les centres de décision de l'économie québécoise*, Textes du congrès de l'ASDEQ (avril 1978), Montréal, Les Éditions Quinze, collection « Économie et développement », 1978, 227 pages.

[9] Comme le faisaient plusieurs participants du colloque de la revue *Recherches sociographiques*, en 1966.

[10] Dans un contexte théorique fort différent cependant.

[11] À ce sujet, voir Anthony Wilden, *Le Canada imaginaire*, Québec, Presses Coméditex, 1979, 213 pages.

[12] Le président du mouvement Desjardins ne parlait-il pas récemment de « l'impasse » (le mot dépassait sans doute sa pensée...) historique et permanente des Canadiens français, qui ont toujours eu à choisir entre la marginalisation par rapport à la société nord-américaine et l'intégration au prix de leur langue et de leur culture? Voir Alfred Rouleau, « Les centres de décision économiques et le développement d'un milieu : rôle du mouvement coopératif », dans *Qui décide au Québec?*, *op. cit.*, p. 215.

[13] À la suite de Daniel Latouche, Jean-Jacques Simard affirme que dans le secteur des dépenses publiques, « les véritables innovations ne datent pas vraiment d'après 1960, car le nouvel aiguillage (...) se produit entre 1945 et 1960 ».

[14] Si l'on excepte la participation de Vincent Ross.

Pouvoir des appareils et pouvoir des réseaux

Commençons par opposer les appareils et les réseaux avant de soumettre quelques propositions sur les appareils au Québec, en particulier les appareils étatiques, et d'explorer quelques-unes des solutions qui s'offrent aux citoyens qui n'acceptent pas la régulation des appareils. Nous retrouverons à ce propos la distinction entre les appareils et les réseaux.

Les appareils et les réseaux

Les appareils sont des organisations de grande taille vouées à une régulation spécialisée des publics. Ils se donnent généralement pour cela une forme hiérarchique et centralisée qu'on retrouve dans la plupart des organigrammes. A commande à B et à C, B commande lui-même à D et à E, alors que C commande à F et à G, etc. La régulation consiste à rendre des activités ou des états conformes à des finalités ou à des normes, décidées ou du moins adoptées officiellement par ceux qui commandent l'appareil et qui s'en servent comme d'un instrument de pouvoir. De plus, les appareils ont généralement des frontières précises et permettent difficilement la remontée du feedback.

Les réseaux ont des caractéristiques opposées à celles des appareils. Leurs frontières ne sont pas précises. Ils ne sont pas hiérarchiques ni centralisés et s'ils se régulent eux-mêmes ou régulent leur environnement, cette régulation n'est pas spécialisée. La rétroaction y circule facilement, selon différents cheminements.

Les réseaux peuvent relier entre eux des appareils. On en trouve aussi à l'intérieur des appareils, chez les publics des appareils, ou tout à fait à l'écart des appareils. Les réseaux peuvent être fonctionnels ou dysfonctionnels par rapport aux appareils et ils sont toujours menacés de se transformer eux-mêmes en appareils ou en quasi-appareils, par le phénomène de l'institutionnalisation.

Les appareils dans la société québécoise

La grandeur ou la quantité de régulation d'un appareil ou d'une coalition d'appareils dépend entre autres du nombre d'acteurs auxquels elle s'applique, du nombre de relations entre ces acteurs, et de ce qu'elle change dans le pouvoir que comportent ces relations.

Parmi les principaux appareils de la société québécoise, certains sont étatiques (les ministères) ou para-étatiques (les sociétés d'État et les autres organismes autonomes), d'autres sont davantage non étatiques (les hôpitaux, les écoles, les universités), d'autres sont entièrement non étatiques (les entreprises, les syndicats).

Les appareils étatiques, fortement coalisés par rapport aux autres ensembles, exercent actuellement au Québec une grande quantité de régulation, dont l'augmentation constante des dépenses gouvernementales par rapport au produit intérieur brut n'est qu'un indice parmi d'autres. Tous les acteurs de la société sont maintenant soumis directement à cette régulation, qui touche des relations de plus en plus nombreuses, comme en témoigne l'accroissement prodigieux des lois et des règlements gouvernementaux. Mais les relations de pouvoir dans les publics et des publics (y compris les autres appareils) à l'État en sont-elles transformées ? C'est une question très débattue, en particulier entre ceux pour qui l'appareil étatique domine actuellement le Québec, et ceux qui ne voient en lui qu'un appareil dirigeant, soumis à des appareils ou à des intérêts dominants qui seraient non étatiques.

Que ce soit les uns ou les autres qui dominent ne change pas grand-chose, il me semble, du point de vue des publics. Les décisions d'ordre intellectuel que nous pouvons prendre là-dessus n'empêcheront pas que certains citoyens contestent plutôt la régulation des appareils étatiques alors que d'autres seront plutôt portés à contester la régulation des hôpitaux et des écoles, et d'autres encore celle des entreprises ou des syndicats.

Formulons quand même quelques propositions qui seront utiles dans la suite, même si elles ne font pas l'unanimité. D'ailleurs, quelles propositions sur le Québec, autres que banales, font aujourd'hui l'unanimité ?

Voici donc ces propositions, formulées dans les termes des trois caractéristiques signalées plus haut, qui se rapportent au nombre d'acteurs et de relations touchés par la régulation et au pouvoir transformé par celle-ci.

1° Tous les acteurs d'une société sont aujourd'hui atteints par la régulation des appareils étatiques, aussi bien que par celle des grands appareils de production et d'information para-étatiques ou non étatiques. Il y a peu de différence à cet égard.

2° Par contre la coalition des appareils étatiques régule une plus grande variété de secteurs que toute coalition d'appareils non étatiques. Cet écart dans l'extension de la régulation n'a cessé de s'accroître depuis 30 ans, et au Québec plus particulièrement, depuis 20 ans.

3° Cependant, cette grande variété de la régulation étatique n'a pas transformé également les relations de pouvoir dans la société. En particulier, elle a imposé inégalement sa loi aux groupes et aux organisations élitistes. La régulation positive (par attribution de ressources) ou négative (par attribution de contraintes) a transformé davantage le pouvoir des communautés religieuses que celui des médecins dans le secteur hospitalier, elle a transformé davantage le pouvoir des dirigeants des écoles primaires ou secondaires que celui des universitaires, elle s'est imposée davantage aux petites entreprises agricoles qu'aux grandes entreprises industrielles, commerciales ou financières.

4° De tels constats conduisent certains analystes à dire que les appareils étatiques demeurent plus dominés que dominants par rapport à certains groupes ou à certaines organisations : les médecins, les grands capitalistes industriels ou financiers, les experts en connaissances spécialisées. Cela parce que les secteurs concernés sont estimés déterminants, en dernière instance ou autrement. D'autres analystes opposent à cette vue l'énorme pouvoir, d'ordre idéologique, qu'ont les appareils étatiques de cultiver ou d'entretenir la dépendance par identification mystificatrice à l'État ou à la nation. Aucune des organisations concurrentes à celles de l'État n'arriverait à exercer un tel pouvoir.

Encore une fois cette discussion a plus d'importance pour les analystes que pour les publics. Dans la suite je vais m'efforcer d'adopter le point de vue des publics, en me concentrant sur les appareils étatiques, que je connais mieux que les autres en tant que politicologue.

Ce serait sans doute aux sociologues d'étudier les autres appareils au lieu de se laisser fasciner eux aussi par les appareils étatiques.

Le citoyen et les appareils étatiques

Dans ses relations avec les appareils étatiques le citoyen rencontre au moins cinq difficultés qui tiennent à certaines caractérisques de la régulation opérée par ces appareils. On verra plus loin que ces caractéristiques doivent être prises en compte dans l'opposition aux appareils étatiques. Limitons-nous pour le moment à montrer les contraintes qu'elles imposent aux publics régulés.

1° Comme je viens de le signaler, ces appareils, par leurs idéologies étatistes ou nationalistes, ainsi que par le caractère cumulatif de leurs interventions, arrivent à convaincre de nombreux publics des avantages qu'a pour eux la dépendance envers l'État. Les systémistes expliquent le succès de ce courant idéologique par l'incapacité des systèmes autres qu'étatiques à régler les problèmes de ces publics. De façon un peu semblable, des sociologues voient dans cette dépendance la compensation à des solidarités plus horizontales qui n'existent plus ou qui sont affaiblies. Les économistes de l'école dite du « public choice » voient plutôt dans cette situation le résultat d'un ensemble d'illusions où quelques avantages concentrés sont évalués comme supérieurs à de nombreux coûts diffus : autrement dit le citoyen surévalue les avantages visibles de la dépendance et en sous-évalue les inconvénients moins visibles.

2° On insiste souvent sur le caractère excessivement sectoriel de la régulation des appareils étatiques. Les problèmes des jeunes, des vieux, des handicapés, etc., sont soumis à la régulation de plusieurs ministères, ou de plusieurs services à l'intérieur d'un même ministère. Bien souvent la coopération est insuffisante entre ces instances. Dans une étude sur l'information administrative, faite il y a quelques années, j'ai pu constater le caractère dysfonctionnel de cette sectorialisation excessive. Pour en combattre les méfaits, on crée de nouvelles organisations : Office des handicapés, Communication Québec, etc., par lesquelles s'étend la dépendance envers l'État, et qui, parfois, sont elles-mêmes trop sectorielles par rapport à des activités voisines. Par exemple, les C.L.S.C. font aussi bien, sinon mieux, que Communication Québec, en information administrative.

3° La sectorialisation a d'autant plus d'inconvénients pour les publics que les appareils étatiques ont un caractère monopolistique. Le citoyen qui s'estime injustement traité par un service gouvernemental ne peut généralement pas s'adresser à un autre service. Mais il peut toujours recourir au protecteur du citoyen, ou à son député. Évidemment, la situation est bien différente dans le domaine non étatique, où, par exemple, le consommateur a généralement le choix entre plusieurs entreprises concurrentes.

4° Les appareils étatiques ou para-étatiques se caractérisent généralement par un fort degré de centralisation, ce qui se traduit par la normalisation excessive de la régulation et par les nombreux obstacles à la remontée du feedback. Le ministère de l'Éducation est un exemple typique de cela. La centralisation et la normalisation sont aussi généralement recouvertes d'opacité et entraînent des délais dont souffrent les publics. D'un certain point de vue, il n'y a rien de moins « public » que l'administration publique, surtout à ses niveaux intermédiaires. Nous sommes encore loin de la transparence promise avant le 15 novembre 1976.

5° Enfin, les appareils étatiques ont cette caractéristique d'avoir une direction « politique », pour ne pas dire partisane. Il y a là pour le citoyen une prise qui peut permettre de contrer les trois dernières caractéristiques : sectorialisation, caractère monopolistique, centralisation doublée de normalisation et d'opacité. On le verra dans le développement suivant.

Auparavant je voudrais discuter quelque peu, en rapport avec les cinq caractéristiques qui viennent d'être proposées, le pouvoir des technocrates ou des techniciens. Il en était souvent question, au colloque de *Recherches sociographiques*, en 1966, et il en est toujours question aujourd'hui, même si l'intérêt des analystes s'est déplacé vers des questions structurelles qui tendent à réduire l'autonomie du « pouvoir technocratique ».

Certains traits de la régulation par les appareils étatiques manifestent le pouvoir des techniciens ou des technocrates. C'est en particulier le cas de la normalisation. D'autres manifestent plutôt le pouvoir des bureaucrates, c'est-à-dire de ceux qui sont chargés d'appliquer la régulation davantage que de l'élaborer. C'est le cas de la sectorialisation, et aussi de l'opacité (bien qu'il y ait aussi des technocrates « opaques »). Mais, avant le technocrate et le bureaucrate, il y a ce que j'appellerais le « statocrate », c'est-à-dire l'homme politique, généralement ministre, habité de la passion ordonnatrice et coordonnatrice de l'État, celui qui aspire à mettre de l'ordre dans les publics, au nom de la justice, de la coordination, de la planification. Bien sûr, certains de ces statocrates sont aussi des technocrates, experts en savoirs spécialisés, qui veulent organiser le monde pour qu'il corresponde, de façon rassurante pour eux, aux configurations de ce savoir. Mais on oublie trop souvent que seul le statocrate, s'il est ministre ou dirigeant d'un appareil étatique ou para-étatique, peut légitimer que soit donnée l'impulsion initiale qui fera ensuite les délices des technocrates qui l'entourent, ou du technocrate qu'il est.

Auprès du statocrate on peut d'ailleurs trouver des technocrates de la communication et de l'opinion, tout autant que des technocrates des problèmes substantiels, comme le montre la façon actuelle de gouverner du Parti Québécois.

La contestation des appareils

Que peuvent les citoyens contre ces caractéristiques de la régulation des appareils étatiques et le pouvoir qu'elles comportent, si ce pouvoir n'est pas accepté. Car ce pouvoir peut être accepté, même si, du point de vue de l'analyste, il ne devrait pas l'être. Supposons qu'il ne le soit pas. Trois solutions sont possibles, comme je l'annonçais au début. Il y en a sans doute d'autres. Mais je vais me limiter à celles-ci.

1° Quelques citoyens, peu nombreux, peuvent aspirer à accéder aux postes de direction des appareils étatiques ou para-étatiques, dans le but de les transformer de l'intérieur. Quand cette motivation existe, elle risque fort d'être perdue après un certain temps, soit que la résistance au changement dans les appareils décourage les réformateurs, soit que l'exercice du commandement et le poste qui permet cet exercice deviennent plus valorisés pour eux que les projets de réforme. C'est un phénomène d'observation courante que ceux qui jouent le jeu de la politique ou de l'administration cherchent à établir une structuration plutôt égalitaire du pouvoir tant qu'ils sont parmi les dominés, mais qu'ils sont portés à maintenir une struturation non égalitaire quand ils sont parvenus aux postes de commande.

2° La contestation des appareils étatiques peut aussi se faire par la participation à d'autres appareils ou à d'autres organisations, dont les réseaux, qui exercent, de l'extérieur, un certain pouvoir sur ces appareils. On pense aux syndicats, aux groupements d'usagers, aux partis politiques, etc. Généralement ces organisations réussissent d'autant mieux qu'elles parviennent à atteindre la direction politique des appareils d'État, c'est-à-dire les ministres et leur entourage partisan. À condition toutefois d'obtenir que des actions immédiates soient posées. Il faut pour cela que les contestataires arrivent à créer un événement, sinon une situation de crise.

3° Le retrait est un autre moyen de contester la régulation des appareils étatiques. Cela signifie le refus de la dépendance dont il a été question plus haut. Le retrait n'est pas toujours possible : ainsi on ne peut refuser de payer l'impôt, ou de se procurer une plaque d'immatriculation pour son automobile. Mais combien de groupes qui font appel aux appareils étatiques pour des subventions, pour le règlement de certains conflits, pour que soit précisée telle ou telle réglementation, pourraient en fait se passer de ces appareils qui ne font qu'alimenter la propension des appareils étatiques à étendre leur régulation. Le renversement de cette tendance suppose, bien sûr, plus de bénévolat, un plus grand recours à des initiatives privées, ou à des arbitres autres qu'étatiques pour le règlement des conflits. Des trois solutions exposées ici, c'est peut-être la plus radicale, dans la mesure où elle fait échec au développement des appareils, alors que les deux solutions précédentes favorisaient plutôt ce développement.

Le pouvoir des réseaux

Les communautés qui arrivent à se réguler elles-mêmes, sans recours aux appareils étatiques ou à d'autres appareils, prennent souvent la forme de réseaux. Les réseaux, laissés à eux-mêmes, peuvent aussi contester de façon active les appareils, mais il arrive souvent que pour des raisons d'efficacité ils se transforment en quasi-appareils ou même en appareils. Ces organisations risquent alors de reproduire en elles-mêmes les défauts de ceux qu'elles contestent. C'est ainsi que dans plus d'une organisation volontaire la participation des membres a été prise en charge par des permanents ou des dirigeants qui se servent de l'organisation comme d'un appareil. Cette déviation est ressentie par les membres. Un de mes étudiants l'a montré récemment dans une thèse sur la participation au Saguenay-Lac-Saint-Jean.

Pour éviter cela il faut que les appareils ou les quasi-appareils demeurent animés par des réseaux, que ce soit à leur base, à l'intérieur d'eux-mêmes, ou encore dans leurs rapports avec d'autres organisations qui poursuivent les mêmes fins. Les réseaux ont alors le pouvoir d'empêcher que les organisations de contestation deviennent des appareils comme les autres.

La distinction entre les appareils et les réseaux va plus loin. Il y a ceux qui pensent en appareil, avec un centre explicatif fait d'une dimension dominante ou de variables principales. Et il y a ceux qui pensent en réseau avec des explications par voisinage et des principes d'organisation qui s'en dégagent. Les premiers ne peuvent concevoir la régulation que par un centre, les seconds conçoivent qu'elle puisse être acentrée.

Vincent Lemieux
Département de sciences politiques
Université Laval

Québec & Frères inc. : la cybernétisation du pouvoir

On peut, je crois, résumer l'essentiel des espoirs de la Révolution tranquille par un slogan : l'État, moteur du développement ! Pour peu que ce slogan ait porté des idéaux, ils ont été déçus. La gauche ajoute aujourd'hui : ah, mais il s'agissait de l'État bourgeois ! Et elle a bien raison. La droite boude et se dit victime de la bureaucratie ; on la comprend. Les nationalistes, comme toujours au Québec se tenant la main autour de la rosace idéologique, chantent que la prochaine fois on se donnera vraiment un État national. Comme un peu tout le monde ces jours-ci, je voudrais critiquer cette espérance à la lumière des déceptions courantes.

Nous nous en tiendrons à certaines transformations structurelles survenues dans notre société politique depuis 1945 en glanant, au fil de récentes publications, des indices dont l'interprétation générale sera d'abord livrée en première partie. Les trois parties suivantes feront comme si la première ne demandait qu'une démonstration empirique, ajustée au Québec. Elles portent sur l'État et sa gestion ; l'ascension des « nouvelles classes » ; les règles de la participation politique. L'article dans son ensemble n'apportera aucun fait nouveau, puisque son but est d'interpréter.

Appareils et sociétés

Le concept d'appareil est le produit de la distillation du concept d'organisation. Dans une organisation, on trouve des relations informelles, des complicités d'intérêt ou de valeurs, des statuts inavoués, des idiosyncrasies venues de la routine, de la résistance à la routine, des personnalités et des conflits. Quand toute cette vapeur substantielle et vitale s'est retirée, ne reste que l'essence purement *instrumentale* des relations sociales délibérément organisées, les mécanismes froids et abstraits de la mobilisation extrinsèque de la participation des individus à un travail collectivement accompli. On appelle appareil des chaînes opératoires de fonctions et de tâches impersonnelles distribuées et réglées en vue de la manipulation efficiente du monde objectif à partir de buts calculés.

Graphiquement, on a représenté de deux façons les appareils sociaux. L'image statique est celle des organigrammes (les chaînes de tâches et de statuts) et des matrices de programmes (représentant les buts et moyens abstraits). L'illustration dynamique, plus récente, s'appuie sur la théorie des systèmes et ajoute une dimension capitale : les rapports systémiques entre l'organisation bureaucratique et son *environnement* spécifique, défini selon les buts de l'appareil lui-même. La communication, c'est-à-dire la circulation des informations opérantes, aptes à déclencher ou à inhiber des comportements utiles au maintien de l'appareil, se place au coeur des nouveaux schémas, dont le vocabulaire traite des ressources disponibles, du milieu ou de la clientèle, des circuits de gouverne et d'autocorrection, de boucles rétroactives.

Ce n'est pas pour rien que la théorie des systèmes embrasse d'un même regard les cuvettes des cabinets d'aisance et les réseaux de contrôle de l'action sociale. Elle participe de la grande tradition positiviste, occupée depuis deux cents ans à mystifier les rapports sociaux sous les apparences de lois naturelles abstraites, indépendantes de la volonté des acteurs, donc où les intérêts de pouvoir sont occultés. La science de la gouverne nous apprend ainsi que le gouverneur ne gouverne pas, que le contrôle est diffus dans l'ensemble des fonctions du système et que le pouvoir appartient aux mécanismes immanents de l'auto-régulation. Bref, la logique de l'appareil lui-même suffit à expliquer l'existence « nécessaire » des appareils.

La popularité de la théorie des systèmes tient à ce qu'elle colle admirablement bien aux impératifs du capitalisme avancé tout en laissant croire que ce régime ne résulte pas d'un processus historique, spécifique, mais incarne plutôt l'achèvement d'une évolution inéluctable au terme de laquelle la raison humaine se réconciliera enfin avec les lois objectives et transparentes de la Société. Ainsi les hommes pourront-ils enfin être « guidés sans force et conduits sans leaders » (le mot est d'Érich Fromm).

De fait, les modalités de la maîtrise exercée par le capital sur le travail de la société ont constamment évolué depuis l'origine.

La fabrique expropriait le temps de travail des artisans, et les clôtures, le rapport des paysans à la terre. Le machinisme et l'ingénierie taylorienne réalisent ensuite l'aliénation des métiers. La croissance des sociétés par action, donc du *management*, entame un mouvement de dissociation des fonctions du capital et des personnes qui en sont dûment propriétaires. À compter du début du XXe siècle, les premiers laboratoires de recherche apparaissent dans les grandes firmes et, avec le développement des chaînes de montage,commence l'application des sciences du comportement à la motivation des employés, à la publicité et à la mise en marché. Pour se prémunir contre la concurrence sur les prix, l'innovation technologique et le conditionnement de la demande finale rejoignent l'émiettement des tâches parmi les modalités de l'accumulation. Mais en même temps, parce que la science devient moyen de produire, l'entreprise accueillera désormais une proportion croissante de salariés à qualifications intellectuelles diverses.

Selon Christopher Lasch [1], on a commencé dès la fin du XIXe siècle à retirer à la famille des fonctions de reproduction physique et culturelle des futurs travailleurs. Ces initiatives découlaient de la logique même du développement technique : l'exploitation intensive ou « rationalisée » du travail suivait l'exploitation extensive. Élever des jeunes adultes en bonne santé physique et mentale, aux besoins malléables, prêts à servir les organisations et formés selon les exigences de la gestion scientifique de l'ouvrage ne pouvait plus appartenir à des parents amateurs. Il s'agit là d'une innovation aussi importante que la mainmise du capital sur le temps et les métiers du travail. Outre ses conséquences évidentes en matière d'expansion de l'État, elle annonce un immense virage idéologique : aux anciennes légitimités morales, réclamées par le capital et transmises par l'Église et la famille, succéderont les justifications positivistes, « scientifiques » — c'est-à-dire que les classes régnantes ne demanderaient plus au citoyen ou au travailleur de se soumettre à une autorité légitimée par des croyances, mais à la réalité même. On évoquera, écrit Lasch, « l'autorité immédiate des faits [2] ». De nouveaux professionnels assument les fonctions du capital pour contrôler et socialiser la reproduction de la société au même titre que la production avait été socialisée. (C'est ainsi que je comprends Althusser de faire de la famille un « appareil idéologique d'État ».)

Évidemment, tout cela efface singulièrement la traditionnelle frontière entre la « société civile » et l'État, d'autant plus que, par ses agences « régulatrices », ses politiques économiques keynesiennes, ou ses travaux d'infrastructure, celui-ci conjugue ses interventions à celles des grandes entreprises. On parlera désormais d'un même ensemble divisé en « secteurs »public, para-public et privé — ce dernier étant dominé par d'immenses compagnies « publiques », inscrites en bourse. Comme l'économie politique avait su mystifier les rapports marchands, les sciences sociales allaient enfariner l'imbrication, la centralisation et l'implacable unité d'intention du nouveau système d'appareils sous les dogmes « scientifiques » de l'interdépendance et de l'intégration croissance des « fonctions sociales différenciées » sous l'empire, non plus seulement de lois économiques universelles, mais d'une Société supérieure à la somme de ses parties et dominant abstraitement la toile d'araignée des réseaux de relations interpersonnelles ou interorganisationnelles de la production et de la reproduction sociales. Le capital ayant complètement transcendé ses anciennes formes personnalisées, il se trouve pour ainsi dire présent partout ; dans les appareils, il exerce ses fonctions sous la guise des professions de la gestion, de la planification, de la santé physique et mentale, du travail social, de l'information et de l'éducation ; il imprègne aussi directement les citoyens ou les travailleurs sous la forme d'une personnalité « extro-déterminée », à motivation extrinsèque, ouverte à « l'ascension des attentes », à l'autorité des faits, à la rationalité instrumentale — ou si on préfère : à l'efficacité sans autres buts qu'elle-même.

Il est devenu extrêmement difficile de concevoir des espaces sociaux qui échapperaient à l'emprise multiforme des appareils industriels, commerciaux ou administratifs, dont les restes de la famille, des corps intermédiaires ou des véritables entreprises privées sont devenus clients, partenaires ou sous-traitants. Le rêve de Hegel se réalise : l'État incarne la Raison Collective Suprême, abstraction indépassable et pôle d'aliénation terminale de la vie en commun. Henri Lefebvre en arrive à parler d'un mode de production étatique quand l'État aspire vers lui tout discours et toute représentation des groupes désirant infléchir le développement de la société. Pour une grande part, les mouvements collectifs récents ont été apolitiques, pathologiquement tournés vers les relations interpersonnelles et la recherche d'une communauté de sentiments : contre-culture, charismatisme, renouement conjugal, sectes, voire certaines formes de gauchisme complètement fermées sur elles-mêmes, malgré leur rhétorique ; ces expériences privées à cadre social ne diffèrent guère qu'en intensité ou en intimité de la vogue du disco et des clubs de

« quatre par quatre ». C'est que l'État tend à monopoliser le champ de l'innovation sociale.

Les conseils supérieurs, les canaux officiels de consultation, les sondages, les enquêtes visant à mesurer les besoins, les tréteaux des media et la communication de masse nettoient graduellement la place publique de ses anciennes médiations sociales. Devant le reflux de la société civile sous l'invasion des appareils, les chantres de la théorie des systèmes — et de celle de la communication, cela revient au même — expliquent à la « population » que sa participation dépendante est en vérité à l'origine même de « l'auto-régulation » du système de gouverne collective, où elle remplit une fonction de *feedback* ou de rétroaction dans la mécanique d'un pouvoir que nul groupe n'exerce pour son propre compte, puisque les « décideurs » eux-mêmes n'y occupent qu'une fonction parmi d'autres. Ainsi, la domination politique s'effacerait derrière les lois de la cybernétique, comme son pendant économique derrière celles qu'enseignent les comptables et les économistes.

L'État et sa gestion

Que la Révolution tranquille ait été accompagnée d'un développement fulgurant des institutions et dépenses de l'État, cela ne fait nul doute. Mais des travaux récents nous obligent à réviser une commune acception quant au rôle innovateur prêté aux élites sous ce rapport. Selon un article de Gary Caldwell et Dan Czarnocki [3], les dépenses gouvernementales tenaient effectivement une place plus importante dans l'économie ontarienne qu'au Québec après la guerre. De 1950 à 1975, nous avons bien « rattrapé » nos voisins à ce chapitre, les courbes de budget provincial bondissant immédiatement après 1960. Cependant, considérée sur l'ensemble du quart de siècle qui suit la guerre, la croissance des activités gouvernementales au Québec n'a rien d'extraordinaire : les coefficients moyens annuels d'accélération sont à peu près les mêmes des deux côtés de la rivière Outaouais. « Sur la foi de cette observation », s'étonnent nos collègues de Bishop's,

> nous pouvons nous demander si d'autres facteurs ne seraient pas responsables de l'épanouissement de l'État au Québec et si la Révolution tranquille n'aurait pas été une rationalisation de ce qui était déjà en marche sans égard aux idéologies [4].

Daniel Latouche aboutit aux mêmes interrogations par une autre voie. Considérant les affectations du budget provincial en 1945 et en

1970, il constate que seulement 20 % de ces dernières s'expliquent par les priorités évidentes en 1945 : il y a eu réorientation majeure, mais les véritables innovations ne datent pas vraiment d'après 1960, car le nouvel aiguillage des dépenses publiques se produit entre 1945 et 1960.

> On peut dire que si la Révolution tranquille a multiplié les capacités d'intervention de l'État, celles-ci ont cependant continué d'être réparties selon la tendance établie durant la période [précédente].

Ce serait en conséquence au cours même du néolithique duplessien, conclut Latouche,

> qu'auraient été prises les décisions politiques qui viendront jeter les bases du Québec moderne. La Révolution tranquille n'aurait donc rien modifié à ces orientations mais les aurait tout simplement accentuées et accélérées [5].

Nous devons nécessairement chercher ailleurs que du côté des projets idéologiques progressistes, des prises de conscience et de la loi des trois États d'Auguste Comte [6] les véritables forces qui ont commandé l'expansion et la réorientation de l'État québécois. Le retard, puis le rattrapage, s'expliquent évidemment par la conjoncture historique proprement québécoise ; comme, d'ailleurs, la part légèrement supérieure des paiements de transfert compense un vieillissement des entreprises à haute intensité de main-d'oeuvre dont il eût été prévisible dès la fin du XIXe siècle que le Québec souffrirait un jour [7].

L'aiguillage des dépenses publiques vers l'éducation, la santé, les affaires sociales — engagé sous Duplessis, il faudra sans cesse s'en souvenir — n'a donc pas grand'chose à voir avec les particularismes du Québec, si ce n'est son appartenance à l'empire capitaliste américain, c'est-à-dire occidental. Soixante-douze pour cent du budget provincial actuel va ainsi « à la mise en valeurs des ressources humaines », terme qui traduit fort honnêtement le mode de reproduction sociale-culturelle du capitalisme contemporain, comme nous l'avons vu.

Revenons-y brièvement. De nouvelles forces productives ont été mobilisées par les très grandes compagnies. Le Québec n'y échappe sans doute pas, puisque, après 1945, la concentration s'accroît dans la plupart des secteurs industriels au Canada, tandis que les investisseurs étrangers — américains surtout, on le pense bien — ne se contentent plus de placements avantageux mais cherchent à prendre le contrôle des entreprises canadiennes [8]. Il s'agit d'élargir le marché de la maison mère, de maximiser le rendement des technologies coûteuses et du savoir-faire acquis en matière de planification, d'organisation et méthodes, de marketing. Qu'elle s'applique aux marchés, aux méthodes ou aux techniques, c'est ici *l'information*, au bout du compte, que l'on veut monopoliser et exploiter au maximum. Elle est d'ailleurs jalousement gardée : les brevets, les systèmes, le savoir-faire sont le plus souvent vendus à la succursale au prix fort par le « bureau chef » et leur usage est dosé, suivi, contrôlé d'outre-frontière [9]. C'est sous cet impératif pressant qu'il faut comprendre comment le travail dit « intellectuel » se place à la pointe de la création de richesses. « Nous ne manquons pas de capital », avoue un seigneur du savon, « mais nous sommes à la recherche d'idées qui justifieraient des investissements [10] ». Et un sous-traitant de l'industrie automobile promet de ne se reposer que le jour où 100 % de ses employés — au lieu de cinquante seulement sur les cinq cents qu'il dirige — apporteront une contribution intellectuelle quelconque à son entreprise [11]. Outre l'emploi de compétences spécialisées et la coordination de leurs efforts, la *motivation* compte de nos jours beaucoup plus que la simple surveillance parmi les fonctions du capital. Mais de quoi s'agit-il sinon de mobiliser, d'assujettir, de canaliser, d'exploiter la volonté libre elle-même, la créativité, l'intelligence autonome. L'autorité légitime, répétons-le, ne suffit plus : le salarié doit projeter son identité même dans le rôle qui lui est assigné au sein de l'appareil. C'est cela qui appelle le type de personnalité que Riesman nommait : hétéro-déterminée [12].

On réalise, comme l'a déja mentionné Touraine [13], à quel point les déterminants de la croissance glissent hors des cadres restreints de l'entreprise. L'homme autodéterminé, celui-là même que formait la famille patriarcale, comme l'homme traditionnel de la parenté élargie et de l'Église, sont maintenant désuets. L'État, les corporations professionnelles, l'université, le milieu scolaire prendront le prolétaire en charge. Relisez le rapport Parent, le rapport Castonguay-Nepveu : vous verrez que c'est là l'essentiel de leur message. Nos jeunes sont bien obligés de le saisir : au coeur de l'adolescence, le choix des options scolaires est devenu le principal rite de passage que l'État leur impose; on exige d'eux qu'ils moulent déjà leur identité sur les attentes, les possibilités d'un marché du travail lointain et terrorisant. Dans d'autres domaines, l'État se contente de suppléer aux efforts accomplis par les entreprises; planification, dépenses d'infrastructure, recherche scientifique, formation professionnelle, maintien d'un panier de base de la consommation, diffusion d'attitudes favorables à la mobilité et à l'éphémère, recyclage, subventions à l'investissement, propagation du vocabulaire technique, entretien d'une névrose de la crise.

L'État (provincial et fédéral) réclame 45,3 % du P.N.B. québécois en 1975 [14]. Au strict point de vue des comportements économiques, il influencerait « fortement », selon un rapport récent, les particuliers, les P.M.E., les grandes firmes, les coopératives, les syndicats.

> Non seulement les dépenses publiques représentent-elles une part de plus en plus grande du P.N.B. mais ce sont ces dépenses qui ont le plus important impact sur l'économie [15].

Effet multiplicateur majeur et influence ne signifient pas autonomie d'intervention non plus qu'ils ne nous renseignent sur les effets réels de ces dépenses sur l'orientation du développement économique. En gros, il semble n'exister qu'une réponse à cette dernière question : indépendamment des gouvernements qui se sont succédé, les interventions de l'État n'ont pas modifié les tendances établies.

Ne prenons qu'un exemple : celui de l'aménagement du territoire, où se sont conjugués les investissements fédéraux et provinciaux. Le rapport ci-dessus mentionné reconnaît aussi une « forte influence » de l'État sur « le système urbain et régional ». Or, F. Martin, qui y participa, apprécie succinctement les efforts bruyants d'Ottawa pour corriger les inégalités régionales :

> J'aurais pu résumer ma pensée en disant que les politiques générales et les actions du gouvernement canadien accentuent les disparités régionales [16].

Le même diagnostic pèse sur les initiatives provinciales : Clermont Dugas [17] l'a posé à propos des effets du Plan de l'Est du Québec et, à l'échelle du territoire entier, les subventions du ministère de l'Industrie et du Commerce, déductibles, donc imbriquées à celles du ministère de l'Expansion économique régionale, vont aux entreprises qui en font la demande, donc déjà en place [18]. Résumant, un cadre d'Industrie et Commerce me disait à peu près : tout ce qui paraît certain, c'est que la croissance se localise dans les secteurs géographiques ou industriels que pointaient déjà les tendances avant l'entrée en scène des politiques gouvernementales ; celles-ci renforcent par conséquent les conditions existantes [19].

Ceux qui craignent le socialisme feraient donc bien de se rassurer : on assiste à l'étatisation de maintes fonctions du système productif, et non à une réorientation politique des activités économiques vers des fins ou des valeurs collectivement choisies. Les cultivateurs, les petits commerçants, les artisans veulent défendre la famille et l'esprit d'entreprise : ils nomment socialisme ce qu'en nos milieux on appelle plus précisément du morne vocable de « capitalisme monopoliste d'État ». (C'est à cause de cette profonde convergence que la gauche éprouve des sentiments ambigus à l'endroit des créditistes.)

Il est pourtant une contribution structurelle attribuable aux interventions de l'État québécois en économie : elles ont facilité l'émergence d'une bourgeoisie autochtone. Nous y revenons plus loin. Quant au reste, il vaut mieux chercher la véritable nature du pouvoir d'État du côté des modalités de sa gestion et de son organisation, et mesurer sa place en appréciant le rôle essentiel qu'il joue en matière de reproduction sociale et de production systématique de la nouvelle main-d'oeuvre qualifiée.

De fait, plutôt que d'imposer par ses réformes un modèle de développement différent, l'État, au Québec comme ailleurs malgré les chants nationalistes et les appels vibrants à l'authenticité culturelle et à la *différence*, adopte plutôt la logique, les objectifs, les méthodes mis au point par les oligopoles de l'entreprise privée nord-américaine pour les appliquer systématiquement à toutes sortes de domaines de l'activité sociale. On vise à rationaliser, à rentabiliser, à contrôler,à centraliser, à organiser selon la logique des appareils tout le *travail* que la société exerce sur elle-même et son monde. Il y a longtemps que l'aliénation des puissances créatrices de l'homme ne touche plus seulement le travailleur ou le croyant mais aussi l'habitant, l'étudiant, le marginal et le mal-pris, le véritable entrepreneur, l'urbain, le citoyen, le parent, l'enfant. Au nom d'une rationalité supposée immanente à une « société industrielle » abstraite, les sociologues québécois de la Révolution tranquille se sont chargés de traduire l'impératif en idéal :

> Le développement rationnel est de plus en plus considéré comme l'orientation et comme la tâche principale de la société industrielle. Ce développement implique la formation d'un milieu technique de plus en plus cohérent, des principes d'organisation, la compétence, la complémentarité et la coordination des fonctions. Ce modèle d'organisation se développe non seulement dans les industries et dans les activités économiques, mais il tend aussi à devenir le modèle d'organisation de toute la société [20].

Attention aux mots clefs : rationnel, technique, cohérence, organisation, compétence, coordination, fonctions, toute la société. Et, en sourdine, au piano d'accompagnement, on entend : socio-économique, interdépendance, structures, planification, participation, ressources humaines, concertation, systèmes.

Deux lignes de force ont ainsi animé la Révolution tranquille : l'élargissement des appareils bureaucratiques d'État ; la généralisation des méthodes technocratiques de décision et de gestion en leur sein. Ces deux battants se dissocient difficilement puisque c'est leur union qui confère au phénomène sa modernité spécifique.

La bureaucratisation installe des pyramides hiérarchiques sur l'ensemble du territoire et centralise au sommet (sous prétexte de standardisation, de lutte à l'arbitraire et de compétence) l'affectation des budgets, la planification et les normes encadrant l'action à la base. Elle multiplie — fonctionnalité oblige — les juridictions, les départements, les niveaux intégrés d'intervention. Rien d'humain ne lui est étranger : famille, santé, art, pauvreté, éducation, recyclage, entreprise, recherche scientifique, aménagement, habitation, etc. Les citoyens qui ne font pas partie du « personnel » des appareils publics et para-publics — et Dieu sait si l'expansion du secteur dit « tertiaire »repose pour beaucoup sur ce recrutement — s'y inscrivent plutôt au titre de « clientèle ». La frontière démarquant le statut de clientèle et celui de personnel est plus mince qu'on ne pense. Le président d'un C.R.D. est-il client ou personnel officieux de l'O.P.D.Q. ? Comment caractériser le représentant des étudiants au conseil d'une université, ou ceux des parents à l'administration d'un cegep ? Combien d'anciens permanents syndicaux oeuvrent maintenant au ministère du Travail ? Je pense aussi aux membres actifs d'un comité de citoyens subventionné par le Secrétariat d'État.

La participation et la consultation officialisées, dont la place se fit si grande dans les réformes institutionnelles de la Révolution tranquille, parviennent justement à estomper les contradictions entre personnel et clientèle. Elles répondent également à deux objectifs complémentaires. Faire contrepoids à l'apathie et à l'impuissance suscitées par la centralisation bureaucratique des responsabilités sociales hier assumées par les institutions de la société civile. Élargir la base des appareils, diffuser la problématique des choix et recueillir l'expertise des profanes, sonder les reins de la clientère, bref : resserrer et coordonner les circuits cybernétiques du pouvoir.

Parlons maintenant de la technocratie. Le terme désigne à la fois une méthodologie, une idéologie, une strate bureaucratique, une catégorie professionnelle et une classe ascendante aspirant au statut de classe dominante. Sa méthodologie se résume aux recettes de rationalisation instrumentale inscrites dans la logique même des appareils ; pour maximiser le rendement des systèmes, elle s'inspire d'une vulgate sirupeuse où se mélangent des bribes de psychologie behavioriste, d'ingénierie taylorienne, de sociologie fonctionnaliste, de théorie générale des systèmes, d'économie politique keynesienne et, bien sûr, d'informatique. L'idéologie technocratique serait mieux nommée « cybernétiste » ; visant la programmation de l'ordre, de l'équilibre, de la cohérence, elle considère, pour reprendre une expression de Fernant Dumont, la société entière comme « un mécanisme gigantesque de division du travail qu'il s'agirait de rendre plus efficace [21] » et sa *nemesis* est le blocage des articulations et des flux d'information opérante. Le principal message du discours technocratique est que tous les problèmes ont une solution technique ou , ce qui revient au même, que l'efficacité prime sur les finalités et qu'ainsi la compétence et l'expertise avalent la responsabilité morale et la légitimité culturelle.

Cerner la technocratie en tant que groupe et situer son pouvoir exige plus de nuances. Le mot technocratique pourrait s'entendre comme désignant le *régime* politico-économique qui caractérise le capitalisme occidental contemporain — par opposition par exemple au régime certainement aussi capitaliste qui prévaut à l'Est. Les nouvelles pratiques professionnelles qui accompagnent son avènement historique sont d'ordre *technico-idéologique* et c'est ce caractère qui est déroutant : les technocrates remplacent le clergé, mais ce sont des hommes de moyens, de méthodes, de science et de savoir-faire appliqués directement soit à la production des biens et de la demande finale, soit à la reproduction sociale, soit à la production qualitative du travail. L'utilisation de l'information comme moyen de production dans ces divers domaines conduit à une exploitation du travail intellectuel qui embrouille beaucoup les frontières objectives et subjectives des classes : les nouvelles pratiques professionnelles exigent un long apprentissage au terme duquel l'individu intériorise une « compétence » qui est en fait une forme particulière selon laquelle s'exerce le contrôle capitaliste ; cette forme, constituée de modes disciplinés de perception et d'orientation à l'égard de l'action, ne peut se réaliser que dans les chaînes opératoires d'un appareil. Or elle devient souvent pour l'individu une seconde nature où il investit son identité. La solidarité avec les intérêts du capital ne repose donc pas seulement sur l'idéologie ; elle constitue un projet de la personnalité même. Le nouveau prolétariat est forcé de servir les appareils *pour se réaliser*, et non plus seulement pour assurer sa subsistance. De sorte que si les fonctions technocratiques essentielles — planification, gestion, conception des politiques et recherche-développement — tendent à graviter vers le sommet des appareils, elles se diffusent aussi aux niveaux subalternes.

« Le pouvoir, écrivait Dumont à la fin des années 60, se ramène aujourd'hui à la planification : c'est-à-dire la détermination des conditions techniques selon lesquelles peuvent être prises les options sur les valeurs [22]. » Or la détermination des conditions techniques elle-même dépend d'orientations préalables de valeurs : c'est la culture, viennent d'écrire des ingénieurs, qui infléchit en dernière instance la marche de la technologie [23] ; et on sait bien comment les grilles idéologiques sont très intimement entrelacées avec les disciplines qui se réclament de la science. Quand Habermas affirme que la science et la technique agissent aujourd'hui comme idéologie [24], il veut dire que les options de valeurs se font dans la sélection même des conditions techniques qui réduisent les possibles. En conséquence, la seconde partie de la définition que Dumont donnait de la planification se rétracte dans la première, et la planification devient une activité instrumentale poursuivie pour elle-même, un idéal suffisant échappant à toute critique fondée sur des options culturelles ou politiques qui le transcenderait. L'appareil ne respecte que sa propre logique car celle-ci accomplit le pouvoir de classe.

Les technocrates, ceux qui occupent les nouvelles fonctions de contrôle, n'auraient donc pas véritablement d'intérêts spécifiques. Par atavisme de vocabulaire, on dit d'eux qu'ils appartiennent à une « nouvelle classe », alors qu'il semble plus juste d'y voir le mode d'existence nouveau de l' « ancienne classe » bourgeoise, pour autant que le capital — et ce procès n'est pas encore complètement achevé — soit dépersonnalisé, c'est-à-dire qu'il ne se réalise plus dans un rapport à la propriété mais dans un rapport spécifique aux appareils. Les marxistes français explorent la même question, je crois, en parlant de la séparation possible de la « propriété » et de la « possession ». Un tel raisonnement conduirait à considérer que la bourgeoisie avancée, vraiment contemporaine, est nécessairement technocratique. Elle coifferait aussi bien l'État que l'Entreprise majeure, et on pourrait distinguer une grande, comme une petite technocratie (nommée par d'autres nouvelle petite bourgeoisie salariée [25]).

L'ascension des « nouvelles classes » canadiennes-françaises

Les circonstances historiques expliquant les déroutes successives des Canadiens français qui ont essayé de forcer les portes de la grande propriété capitaliste ont été bien décrits. L'avènement du capitalisme technocratique ouvre une voie d'évitement inespérée permettant de contourner le bouchon anglophone. C'est donc grâce à l'érection des appareils de l'État provincial que se réalisa enfin l'élévation d'une première génération de Canadiens français à la bourgeoisie et qu'ils ont quelques chances d'y rester. Dans cette mesure, l'idée de « nouvelles classes » s'applique mieux à la réalité empirique au Québec que, disons, en France ou aux États-Unis. (Au sens où l'arrivée d'une ramée de Canadiens français au seuil de la bourgeoisie amenait du nouveau au Québec.) Ayant goûté à la maîtrise des choses grâce à un État incomplet nettement identifié au seul territoire québécois, il était inévitable que ces apôtres tentent de communiquer au peuple leurs aspirations à un État « normal », leur goût du

Québec. Ce n'est pas tout dire, mais c'est dire quelque chose du nationalisme actuel que de le souligner.

La Révolution tranquille fut affaire de partenaires : les technocrates et leur descendance ont tellement attiré les regards qu'on oublie parfois la petite bourgeoisie d'affaires qui, elle aussi, épaulait le changement[26]. Absente des *hustings*, sauf par ses traditionnels avocats (dont les dicours sortaient de la plume des hauts fonctionnaires), cette voix discrète n'en a pas moins pesé par le canal des chambres de commerce et du Conseil d'orientation économique lors de l'étatisation des compagnies d'électricité, de la création de la Caisse de dépôts, de la S.G.F., du B.A.E.Q. Depuis les années 30, l'École des hautes études commerciales fournissait une sorte d'intelligentsia organique à ces milieux et le ministère de l'Industrie et du Commerce est devenu leur *lobby*. Requinqués par la prospérité de l'après-guerre, les hommes d'affaires francophones avaient besoin du levier étatique pour mobiliser à leur avantage le capital public et rétablir l'équilibre éthnique dans l'économie. Les *joint ventures*, la participation de la Caisse de dépôts au capital-actions des entreprises et son support lors des manoeuvres de fusion, les politiques d'achat du gouvernement ou de l'Hydro-Québec, l'ouverture du secteur bancaire aux investisseurs coopératifs, autant de complicités qui comptent au moins pour une part dans le passage récent de quelques francophones de la petite à la grande bourgeoisie d'affaires. Jorge Niosi a entrepris un travail de recherche à suivre sur ce sujet[27].

La tension entre les hommes du secteur public et ceux du privé, compliquée comme on le soupçonne par la division ethnique du travail, n'en disparaît pas pour autant. Les hommes d'affaires francophones oeuvrent majoritairement à la petite et moyenne échelle, qui ne justifie pas l'implantation d'une gestion technocratique; trop de grandes firmes demeurent, par ailleurs, des succursales qui héritent de la compagnie souche leurs politiques générales, leur planification, leur technologie[28] : les technocrates y sont proportionnellement rares. Ni les petites entreprises locales ou régionales, ni les plus grandes, dont les réseaux d'approvisionnement ou de commercialisation dépassent le territoire québécois, ne se reconnaissent donc dans l'unité qui sert de base à la planification de l'État québécois. Enfin, ce n'est qu'à partir d'un certain degré de « monopolisme » que les compagnies sont forcées de se donner une « conscience sociale » et de partager le « souci du bien commun » dont se réclament les appareils publics ; or on compterait presque sur les doigts de la main d'un manchot les sociétés de cette sorte dont la base est québécoise[29]. En conséquence, des hiatus de perspectives et de vocabulaire, de langue aussi, renvoient dos à dos les hauts fonctionnaires (élus ou non) et les brasseurs d'affaires. Le schisme couve.

Dès 1964, le mot « planification » tend à disparaître des discours des ministres. En 1966, un Parti Libéral abasourdi se purge de ses intellectuels et ratisse les milieux moyens des affaires pour rehausser son *membership*. En 1968, l'O.P.D.Q. déplore « le manque d'une volonté de planifier ». En 1970, le premier ministre Bourassa s'entoure de jeunes « M.B.A. » et d'ingénieurs venus de la pratique privée ; aux sous-ministres, on reproche d'avoir « mis le gouvernement en tutelle » et on ordonne d'aller racoler le capital aux quatre coins du monde en l'aguichant de subventions et d'avantages fiscaux au lieu de mesurer la valeur des projets à l'aulne de leur impact social ou de vaseuses priorités gouvernementales [30].

Il arrive qu'en surface, les *managers* ne s'accordent pas avec les *concepteurs*, tension qui sourd de contradictions plus profondes dans l'économie québécoise. Les premiers gèrent à mesure les organisations dont ils ont la garde. Ils poursuivent une efficacité comptable, à court terme, axée sur les résultats immédiats. Les seconds pratiquent plutôt, à l'échelle de l'administration publique, la gestion par objectifs, fondée sur des résultats anticipés à plus longue perspective. Ils misent donc sur la coordination et la cohérence d'ensemble du système productif. L'hégémonie de l'État, seule capable de contrecarrer les oligopoles privés, s'appuierait alors sur de véritables plans et de fermes politiques. Dans le courant qui mène le capitalisme vers sa maturité, les *concepteurs* représentent les forces progressistes.

Pour convenable qu'il soit aux petits et aux grands technocrates des appareils publics, ce progrès menace tout simplement la petite-bourgeoisie d'affaires canadienne-française et les membres nombreux des anciennes professions libérales : médecins, notaires, avocats traditionnels. La socialisation étatique de la reproduction gruge les privilèges des corporations. Quant à la plupart de nos entrepreneurs, ils sont absents des grandes ligues et se débattent dans des conditions rendues archaïques par l'avènement du capitalisme « monopolistique ». Collés aux zones des rendements décroissants et de concurrence sur les prix, ils sont à juste titre terrorisés par une législation sociale et un syndicalisme d'affaires faisant contrepoids aux réalités nouvelles des très grandes et très puissantes organisations échappant aux vicissitudes du marché. Nostalgiques des beaux jours d'un libéralisme économique d'autant plus pur et idéalisé qu'il a de moins en moins de résonnance dans la réalité pratique, ils trouvent des alliés solides chez les anglophones (inquiets de trouver soudain des égaux autochtones aux commandes du capital public) et leurs idéologues naturels chez les *managers* du court terme.

La question nationale latente, inévitable, force les polarisations, cristallise les coalitions. L'ascension des grands concepteurs technocratiques derrière les réformes de la Révolution tranquille gommait les nuances entre Nation, Société, État québécois. L'activisme de l'État incarnait un projet collectif à la fois de modernisation et d'affirmation nationale. Du repli et de la survivance, le nationalisme passait à la reconstruction et au dépassement. Le « sentiment », dont Laurier faisait notre pitance politique, trouvait dans la technocratie à se réconcilier avec le pragmatisme et la rationalité. La fracture du Parti Libéral survient à propos de l'indépendantisme parce que ceux qui désirent mener à terme l'oeuvre en cours, l'expansion des fonctions sociales de l'État, perdent le support des classes d'argent. Il leur faut partant mobiliser la nation. C'est en ce sens que des mauvaises langues ont reconnu dans le Parti Québécois un « putsch de sous-ministres ».

Rien n'exclut cependant que la brouille entre les « classes » montantes n'en vienne à se résorber. Au pouvoir, les nationalistes doivent accorder l'éloquence des années d'exil avec les dégrisantes réalités de la survie politique. Parallèlement, l'accession de Québécois francophones aux grandes affaires viendra modérer les nostalgies libéralistes et resserrer les complicités aujourd'hui « normales » entre les appareils d'État et les organisations du commerce et de l'industrie. À double titre, on parlera le même langage : unanimité cybernétiste, techno-bureaucratie et solidarité linguistique. Songeons à la loi 101 : au moment où les nouveaux professionnels sortis de l'université se heurtent à l'horizon bouché de la Fonction publique, elle force l'accès des francophones aux cadres de l'entreprise privée établie, alors même que le directeur des H.E.C. célèbre la proportion record d'étudiants québécois inscrits en administration des affaires [31]. Aux jeunes médecins ou pharmaciens, la santé « communautaire » ouvre les bras ; l'aide juridique accueille les apprentis-juristes. Courtisant l'aval des autochtones brasseurs d'affaires, le gouvernement les invite aux tables rondes des « sommets économiques » et attise chez les fameuses P.M.E. le goût du Québec à coups de subventions et de sonnets racoleurs.

Pendant ce temps, le processus de cybernétisation se poursuit sur d'autres fronts.

Quelque chose se prépare dans les zones excentriques du territoire. Une seconde génération d'aspirants-technocrates — après celle des années 60 — attend de plus en plus impatiemment *sa* Révolution tranquille : la *décentralisation*. Autour des campus de l'Université du Québec, dans les C.R.S.S.S., les régionales scolaires, les C.R.D., les bureaux d'urbanisme, chez les jeunes « animateurs » de tout type des services socio-culturels ou des projets « Canada au travail », on réclame l'érection en région de véritables stations relais du pouvoir central, une déconcentration des administrations qui offrirait une niche plus autonome et des moyens plus grands à toutes ces compétences pressées. Le thème de la décentralisation, associé au cours de la décennie 60 à l'idéologie du développement régional, revient curieusement à la mode alors même qu'il est à peu près complètement discrédité auprès des milieux populaires les plus actifs [32], échaudés par les déceptions de la participation provoquée et de l'aménagement étatique du territoire. Pour les petites élites municipales des régions, par ailleurs, des projets comme la réanimation des moribonds conseils de comté ne laissent pas d'inquiéter ; que les technocrates orchestrent là la fin d'un règne, on le soupçonne, et les *establishments* locaux craignent fort qu'il ne s'agisse du leur, sans pouvoir en acquérir la certitude.

Les règles de la participation politique

La métropolisation et l'intégration de l'espace économique québécois ont détruit sous les pieds des anciennes élites paternalistes de la « folk-société » les bases d'un pouvoir essentiellement local et communautaire [33]. Sous les impératifs économiques d'une mise en valeur systématique des « ressources humaines », l'étatisation des services d'éducation, de santé et d'aide sociale n'a pas seulement jeté le clergé à la rue, mais aussi complètement chambardé les canalisations sociales de la communication politique. Moulés sur les structures existantes de rapports sociaux primaires et personnalisés, conjugués aux alliances familiales, aux solidarités de « clan », aux organisations paroissiales ou corporatives, les réseaux de patronage (où le député agissait comme aiguilleur) permettaient aux citoyens d'avoir accès aux ressources de l'État, à l'information politique et aux leviers d'influence [34]. Tel est le monde qui a cédé devant l'attribution bureaucratique et impersonnelle des services. On dirait que la communication politique s'arrache ou se libère, mais en tout cas se sépare des cadres *culturels* qui l'enveloppaient, pour ne plus répondre qu'aux lois abstraites des appareils.

En réalité, les pratiques politiques s'ajustent à la culture de masse, dont la télévision, avec sa programmation centralisée parce que coûteuse, son intimité, son langage visuel taillé à la mesure des *spots* publicitaires et sa pénétration universelle, constitue le médium par excellence. Jean Hamelin et Vincent Lemieux [35], parmi d'autres, ont noté comment la télévision a influencé les moeurs électorales : des politiciens, dont la personnalité et l'appartenance locale importent moins que l'image, livrent des messages préfabriqués même sur les tribunes où ils « jouent » pour les galeries du journalisme électronique et, par des tournées éclair ou des blitz, tentent de fabriquer l'événement qui emportera le réflexe de Panurge.

Les vendeurs de bière et de détergent agiteront désormais la « broue » des politiciens qu'ils conseillent. Le langage des organisateurs d'élection empruntait à celui de l'art et de la guerre ; il puisera à présent dans le lexique de la commercialisation : sondages, *packaging* et *merchandizing* du produit, profils socio-économiques et clientèles cibles [36]. Évidemment, le citoyen a autant de prise sur tout cela qu'il en a sur les décisions de la General Foods, par exemple. Ni plus, ni moins.

La télévision accélère d'une autre manière la rationalisation de l'activité politique. Dans ce cas encore, ses effets ne sont pas autonomes mais participent d'un phénomène social plus vaste. Un Caouette ou un Lévesque devant leur tableau noir rappellent que le médium peut aussi véhiculer des idées et éduquer. Dès 1966, les assemblées électorales accueilleront des salles attentives, politisées, tout à leur affaire, pleines de jeunes et de femmes [37]. Le Parti Québécois, en réunissant une assez étonnante articulation du militantisme au travail intellectuel, conduit à terme une évolution amorcée au milieu de la décennie 50 par la Fédération libérale du Québec [38]. Dans les deux cas, l'anémie de la caisse électorale a stimulé l'innovation, et on ne peut douter que l'élimination de ce pouvoir occulte décharge les partis d'obligations difficilement avouables. De toute manière, l'ordonnance technocratique des priorités ou des échéanchiers d'investissement public et la force d'inertie des bureaucraties avaient rendu de plus en plus caduques les caisses électorales comme instrument privilégié d'orientation des démarches gouvernementales.

Les espoirs de transparence que la participation partisane y gagne ne justifient pas l'euphorie que d'aucuns manifestent. Dumont disait que les partis sont avant tout des véhicules au service d'une confrérie à l'affût du pouvoir [39]. Ce n'est pas être cynique d'avertir que les frustrations de l'opposition et l'ambition des politiciens nouveau genre ne changent rien à cette loi fondamentale en se déguisant sous « l'ouverture aux masses » et « la rationalisation des processus d'élaboration d'un programme d'action ».

Car depuis qu'un premier ministre a fustigé les « non-instruits », on sait que la complexité des affaires de l'État et la montée de la technocratie accentuent le clivage entre les minorités scolarisées et une majorité réduite au silence par la sujétion aux manipulations de masse comme à l'esbrouffe des « experts ». On pense aux séminaires savants organisés par les libéraux ou aux débats byzantins sur l'élasticité de la fiscalité progressive entre un Garneau et un Parizeau. Des experts ambitieux, parachutés dans les comtés, se prêtent à d'odieux racolages dans les asiles de vieillards et à la démagogie hypocrite de l'enracinement local, prêts à tout pour entrer enfin au parnasse du pouvoir exécutif, à mille lieues de la quotidienneté de leurs électeurs.

Les partis ont cessé de servir d'entonnoir primordial des manoeuvres politiques, ainsi que Lemieux l'a noté [40]. Même les fournisseurs des caisses électorales ont dû se recycler : le coup de la Brink's, celui de la Sun Life, et l'épouvantail des sièges sociaux en débandade [41] illustrent les nouvelles tactiques, où se relaient très intimement les règles de la communication de masse, pinçant les cordes sensibles, et le mythe des lois économiques souveraines, visant la raison pour la convaincre de son ignorance et de son impuissance.

Les démarcheurs professionnels et les *lobbies* disputent aux partisans l'influence réelle. Ils ont imposé les habiletés désormais nécessaires à une pratique politique fructueuse. Les *voix organisées* [42], capables de renvendiquer quelque titre à une représentativité fonctionnelle, seront d'abord entendues. On cherchera le soutien des corps intermédiaires, des associations professionnelles, d'un « secteur » de l'opinion, car il s'agit de se situer légitimement parmi les éléments des appareils cybernétiques de la gestion sociale. Il faudra ensuite cultiver ses *talents para-parlementaires* : savoir préparer des mémoires pour les commissions parlementaires et tenir ses dossiers à jour; se faufiler dans les cabinets de députés, y entretenir des sympathisants et des informateurs.

Connaître les rouages de la bureaucratie, trouver quand et où s'adresser devient également capital. Repérer les programmes et les sources de subvention, agir au bon moment dans le long et sinueux processus de fixation des budgets, découvrir les priorités internes inavouées, identifier les clans bureaucratiques avant de mettre cartes sur table, naviguer habilement entre les fonctionnaires et les agents partisans, les supérieurs et les subalternes : voilà comment on évite la « folle farandole » du ballottage d'un bureau à l'autre à la recherche des responsables. *La manipulation du jargon technique,* enfin, sert de « Sésame, ouvre-toi ! ». À défaut de l'être, il faut *passer pour* compétent et opposer l'expertise du peuple, du client, du praticien, à celle des experts de l'État. Et, si nécessaire, en cas de blocage, *savoir créer l'événement*, théâtraliser la crise, ainsi qu'ont dû le faire les gens de Cabano ou de Manville (Abitibi) en mettant le feu, littéralement.

Il tombe sous le sens que ces ressources et ces aptitudes exigent une familiarité avec les normes de fonctionnement des appareils et une expertise difficiles à acquérir et à conserver en dehors des corps un peu constitués, disposant de sources stables de revenus et de fonctionnaires permanents. Voir ce que des fronts populaires *ad hoc*, comme ceux des Opérations-Dignité, du JAL ou de Tricofil (soutenu par la F.T.Q.) sont parvenus à entreprendre, c'est regarder le miracle et l'exception en face.

Les échecs de tant de comités de citoyens ou d'expériences d'autodétermination communautaire, rangés si rapidement par la droite au dépotoir de l'impraticabilité économique ou technique et excommuniés *ex post* par la gauche sous les anathèmes du spontanéISME, de l'anarcho-syndicalISME ou d'on ne sait trop quel autre enseignement d'une histoire revue et corrigée par les académISMES, peuvent se comprendre par le simple bon sens : on n'arrête pas les éléphants avec des tire-pois, et il faut bien du temps aux pratiques d'espoir pour aboutir à une théorie capable d'affronter le pouvoir.

L'animation sociale — je parle des animateurs mais aussi de tous ceux qui se sont laissé emporter — a beaucoup agité le Québec des années 60, jusqu'à assumer les proportions et le souffle d'un véritable mouvement social. (On a les mouvements qu'on mérite : parce qu'elle n'est pas une abstraction, l'histoire se fait avec des peuples particuliers dans des espaces concrets ; porteuse de mémoires collectives données et soumise à un imaginaire social toujours conditionné par les possibles concevables à des moments et en des lieux précis, l'histoire, comme les rivières, ne vire jamais à angles droits. Elle fait son lit.)

Mutation des « oeuvres » catholiques, le courant d'animation s'est perdu dans le gauchisme militant quand il n'a pas été débauché par les bureaucraties gouvernementales, universitaires, ou syndicales [43].

La technocratie publique attendait de l'animation qu'elle domestique les contributions populaires à l'expansion des structures étatiques. Il s'agissait précisément d'aller chercher « les besoins » et d'organiser la « fonction » citoyenne tout en enseignant un vocabulaire de façon à se garantir un « feedback » régulier et discipliné. On aurait apprécié que la clientèle s'accorde avec le personnel, que la coupure entre les deux, pour tout dire, en vienne à s'estomper. À Montréal, la création des comités d'action politique et l'acoquinement de certains éléments venus de la Compagnie des jeunes Canadiens avec le Mouvement de libération du taxi ont dégrisé les tenants de l'Ordre, comme les ardeurs du petit peuple, excitées par les animateurs, avaient refroidi les aménagistes du B.A.E.Q.

Reprenant ses esprits, la technocratie a préféré prévoir, au sein même des appareils, les cases ouvertes à la participation et à la consultation (dans le réseau scolaire ou celui des affaires sociales, par exemple). Ceux dont les stratégies d'influence ou d'avancement s'accommodent d'une complicité avec le personnel en place doivent bien s'y résigner. Ainsi, la petite bourgeoisie a investi les C.R.D., comme elle s'est implantée aux conseils d'administration des cegep, ce qui n'est pas sans produire des confrontations entre elle, les cadres et le personnel (comme l'illustrent les événements récents et déjà banals du cegep de Limoilou).

La création du Conseil du statut de la femme ou de la Commission des droits de la personne — remarquez les abstractions : *la* femme, *la* personne — représente sous ce rapport une sorte d'achèvement. À défaut d'associations volontaires dûment constituées dans certains « secteurs socio-économiques » ou « au niveau de tel problème », ces sommets sans base, sortis de la côte de l'État, ont au moins l'avantage de la transparence : là, les officiels, parlant au nom d'une clientèle absente, conseillent le personnel de l'exécutif. Il faudrait faire l'inventaire de ces organes techno-démocratiques.

Quant au reste, la participation politique doit passer par les corps intermédiaires traditionnels : Conseil du patronat, chambres de commerce, « mouvement » coopératif, corporations professionnelles, syndicats. Dès qu'ils recouvrent un *membership* réel ou théorique un tant soit peu massif, ce sont aussi des appareils régis par leurs « permanents », dont les relations avec les membres miment celles que les technocrates publics entretiennent avec leurs clientèles. Il faut avoir entendu, pour en éprouver la conviction résignée, un employé syndical de gauche élucider la résistance d'une base qui ne « suit » pas par son « manque d'information ». Prêtez l'oreille, vous verrez : on entend constamment cette phrase dans la bouche des « officiels » de tout poil. Elle signifie que les mécanismes de *feedback* cybernétique ne sont jamais au point. Défectuosité incorrigible : le consensus entre la base et ceux d'en haut ne parvient pas à s'appuyer sur des valeurs partagées et intériorisées à tous les niveaux parce que l'appareil, lié au système d'appareils où s'effectue la gouverne sociale, fournit de lui-même les motivations de l'action, extrinsèques aux acteurs.

Plus l'action des corps intermédiaires et des institutions de la société civile se tourne vers l'État, moins ils serviront de *lieux de rassemblement* et de solidarité car leur finalité leur échappe et devient instrumentale [44]. Empruntant la logique, les normes et le langage de leurs correspondants de l'appareil d'État, ils deviennent aux yeux de leurs membres de simples mécanismes parmi d'autres à fonction strictement utilitaire.

Cette canalisation des interventions politiques, par l'intermédiaire d'organisations centralisées et orientées vers l'État, engendre des effets paradoxaux. La soi-disant « politisation » généralisée des groupes sociaux n'est pas le moins déroutant puisque plusieurs tendances de notre régime convergent au contraire vers l'évacuation du champ politique, l'apathie, l'irresponsabilité et la fuite vers le privé.

La lutte électorale devenue permanente emprunte au langage des gestionnaires et des planificateurs. Les oppositions partisanes doivent suivre le courant et s'énoncer dans le jargon de la sociologie et de l'économie politique. La polarité étatique du système des systèmes, polarité à la fois idéologique et partiellement réelle, attire la plupart des revendications ou des initiatives le moindrement collectives. On s'hypnotise sur ce que fait ou ne fait pas le gouvernement. On parle de « politisation », pour laisser entendre que les gens acquièrent un sens de la responsabilité envers leurs collectivités et envers les affaires de tout le monde, alors que ce qui se passe en réalité, c'est que tous les bruits de la place publique convergent vers le gouvernement et visent seulement à orienter les appareils d'État selon des intérêts particuliers, surtout corporatifs. Ainsi la F.T.Q., dont le président a prétendu vouloir « casser le système » sous Bourassa, pour ensuite faire prendre sa photographie entre M. Lévesque et M. Desmarais, de Power Corporation. Quelque chose a sans doute cassé le 15 novembre 1976, mais je doute que ce soit « le système ».

Plusieurs forces convergent plutôt pour dépolitiser les citoyens. La transformation de la politique courtisane en spectacle de masse, le concert des porte-parole autorisés, des experts, des permanents et des « interlocuteurs valables », font de la place publique une scène qui départage nettement les acteurs professionnels et le public. Le débat se fait devant, par-delà les spectateurs, sur une surface unidimensionnelle. Au mieux, comme au théâtre, le spectateur passif se reconnaît dans quelque répartie d'un acteur et il en garde l'impression que l'univers politique dédouble ou reflète le monde réel de la vie quotidienne. Au pire, ainsi qu'on me l'a dit en Abitibi, « la population assiste, résignée, à une mise en scène dont elle connaît d'avance l'issue ».

D'autres éléments, liés au centralisme et à la spécialisation des appareils, ne font pas qu'accroître la distance entre les gens et les lieux de pouvoir : ils combattent contre la construction de véritables communautés politiques, donc de nouvelles solidarités et de projets collectifs raisonnables.

Chaque jour, nous vivons l'expérience des bureaucraties envahissantes et lointaines à la fois. Le poids de la technocratie et des hommes de l'organisation sur la formulation des problèmes transforme chacun en profane ; l'émiettement et la compartimentalisation des instances et des domaines administratifs où peut s'exercer une participation quelconque aux affaires communes excluent d'avance la possibilité de saisir globalement les rapports entre les fonctions, de façon synthétique[45]. Or la vie du corps politique réside justement dans cette dynamique de relations : ne pas pouvoir percevoir l'ensemble et agir sur lui occulte la réalité concrète pour ne laisser que des abstractions réifiées par les appareils. Les technocrates eux-mêmes, médusés par leurs propres abstractions, se lancent dans une recherche pathologique de la synthèse, du côté de « l'interdisciplinarité », des spécialistes de la généralité et de la suprême théorie : la cybernétique, le macroscope.

Si les consensus, c'est-à-dire les significations partagées, ne doivent plus s'appuyer sur les particularismes locaux, les traditions ou les convictions reçues, alors les rassemblements ou les solidarités actives — bref, les articulations de base du corps politique — ne peuvent qu'être construits : donc, se cristalliser autour de projets communs, fondés sur des valeurs critiques. Cela exigerait que les gens débattent *entre eux* des fins collectives, à partir de l'expérience vécue et de la vie quotidienne, dans le cadre du travail, des métiers, de l'habitat. Or les propagandes dominantes de l'idéologie technocratique sont de l'ordre de l'organisation et de l'instrumentalité : efficacité, cohérence, productivité, intégration, etc. Elles se présentent comme des fins en elles-mêmes alors qu'il s'agit de moyens sans autres buts que de graisser les bielles du « système » en place. Ensuite, la participation cybernétique, happée et morcelée par les appareils, défend aux travailleurs, aux citoyens, aux gens ordinaires de parler entre eux : elle attend plutôt qu'ils s'adressent à l'appareil, au sein de l'appareil, à titre de clientèle ou de « population » socio-économique — de réalité statistique.

Quand il ne se passe guère une semaine sans qu'un dirigeant politique ne rappelle que telle question, concernant pourtant tout le monde, est d'ordre technique plutôt que politique ; quand il faut attendre d'une conscience de classe qu'elle se moule sur les milliers d'articles d'une convention collective épaisse comme un bottin téléphonique ; quand l'homme de la rue ne croit pas à la crise de l'énergie parce que, quelque part, « ils » s'en occupent, alors, aux appels si pressants en faveur de « projets collectifs » québécois ne répondront bientôt plus que leurs propres échos, renvoyés par une place publique en train de se vider.

Jean-Jacques Simard

Département de sociologie
Université Laval

Notes

[1] Christopher Lasch, *Haven in a Heartless World. The Family Besieged*, New-York, Basic Books, 1976.

[2] *Ibid.*, p. 23. Ce livre, d'une puissante originalité, et que j'ai l'air de mentionner au passage, bouleversera quiconque essaie de saisir la portée du phénomène techno-bureaucratique sur les rapports sociaux de production, c'est-à-dire au sens le plus large de « production de la société ».

[3] Gary Caldwell et Dan B. Czarnocki, « Un rattrapage raté. Le changement social dans le Québec d'après-guerre, 1950-1974 : une comparaison Québec-Ontario », *Recherches sociographiques*, XVIII, 1, 1977, p. 9-58.

[4] *Ibid.*, p. 33.

[5] Daniel Latouche et *al.*, « Valeurs et idéologies post-industrielles au Québec », dans *Prospective socio-économique du Québec, 1re étape. Sous-système des valeurs*, II, Québec, Office de planification et de développement du Québec, 1977, p. 217-218.

[6] À la manière triomphaliste, par exemple, de Jean-Louis Roy dans *La Marche des Québécois. Le temps des ruptures (1945-1960)*, Ottawa, Leméac, 1976.

[7] Voir à ce sujet André Raynauld, *Croissance et structure économique de la province de Québec*, Québec, Ministère de l'Industrie et du Commerce, 1961 ; Maurice Saint-Germain, *Une économie à libérer. Le Québec analysé dans ses structures économiques*, Montréal, Les Presses de l'Université de Montréal, 1973 ; et, bien sûr, R. Durocher et P.-A. Linteau, *Le Retard du Québec et l'infériorité économique des Canadiens français*, Montréal, Boréal Express, 1971.

[8] Voir Kari Levitt, *La Capitulation tranquille : la mainmise américaine sur le Canada*, Montréal, Réédition-Québec, 1972 ; et Latouche et *al.*, *op. cit.*, tome I.

[9] Roger A. Blais et *al.*, « Rapport-synthèse. Sous-système technologique », dans *Prospective socio-économique du Québec*, *op. cit.*

[10] Rapporté dans K. Levitt, *op. cit.*

[11] Rapporté dans A. Gorz (éd.), *Critique de la division du travail*, Paris, Seuil, 1970.

[12] Dans *La Foule solitaire*, Riesman écrit : « other-directed », pour décrire

une personnalité syntonisée sur son prochain, sur les autres. Il faudrait élargir la notion et parler d'« hétérodétermination » pour désigner, par-delà « les autres », l'ensemble des appareils d'information : la soupe des messages techno-idéologiques.

[13] Dans *La Société post-industrielle*, Paris, Denoël, 1969.

[14] Roland Jouandet-Bernadat, « Rapport-synthèse. Sous-système économique », dans *Prospective socio-économique du Québec*, *op. cit.*

[15] *Ibid.*, p. 75.

[16] F. Martin, *Les Disparités régionales au Québec : les causes et les solutions*, C.R.D.E., 1973, cité par Pierre Fréchette et *al.*, « Rapport-synthèse. Sous-système urbain et régional », dans *Prospective socio-économique du Québec*, *op. cit.*, p. 79.

[17] Clermont Dugas, *L'Est du Québec à l'heure du développement régional*, Rimouski, Université du Québec à Rimouski, 1974.

[18] Voir, pour démonstration plus complète, P. Fréchette et *al.*, *op. cit.*

[19] Communication personnelle.

[20] L. Chabot et G. Fortin, *Perspectives théoriques et étude de quatre C.E.R.*, Québec, Conseil d'orientation économique du Québec, 1968.

[21] Fernand Dumont, *La Vigile du Québec*, Montréal, Hurtubise HMH, 1971, p. 124.

[22] *Ibid.*, p. 144.

[23] Voir Roger A. Blais et *al.*, *op. cit.*

[24] Jürgen Habermas, *La Technique et la science comme idéologie*, Paris, Gallimard, 1973.

[25] Comme Anne Legaré (*Les Classes sociales au Québec*, Montréal, Les Presses de l'Université du Québec, 1978) et Arnaud Sales (*La Bourgeoisie industrielle au Québec*, Montréal, Les Presses de l'Université de Montréal, 1979). Mme Legaré semble confondre les rapports de production et les organigrammes : elle élève les sous-ministres et les directeurs généraux à la bourgeoisie et refoule les grands planificateurs et les professeurs d'université dans l'agglomérat des jardinières d'enfance et des vendeurs de balais. Sales nous offre des denrées beaucoup plus consistantes et d'une grande rigueur, mais son propos ne s'adresse pas au phénomène technobureaucratique proprement dit. Le poids du marxisme d'amphithéâtres est bien lourd : de crainte de se voir marié à Berle et Means ou à Galbraith, et pour éviter de faire des technocrates une classe sociale, on escamote les rapports de production techno-bureaucratiques. Le capitalisme, comme la rose de Gertrude Stein, est le capitalisme... est le capitalisme... est le capitalisme. *Semper idem*, disait le bon cardinal Ottaviani.

[26] Voir, pour redondance, mon article « La longue marche des technocrates », *Recherches sociographiques*, XVIII, 1, 1977, p. 93-132.

[27] Jorge Niosi, *Le Contrôle financier du capitalisme canadien*, Montréal, Les Presses de l'Université du Québec, 1978 ; « La nouvelle bourgeoisie canadienne-française », *Cahiers du socialisme*, 1, 1978. Voir aussi Pierre Fournier, « Les nouveaux paramètres de la bourgeoisie québécoise », dans P. Fournier et *al.*, *Le Capitalisme au Québec*, Éditions coopératives Albert

Saint-Martin, 1978. Et enfin, Gilles Bourque et Anne Legaré, *Le Québec. La question nationale*, Paris, Maspero, 1979 (les deux derniers chapitres).

[28] R.A. Blais et *al.*, *op. cit.*

[29] Cette histoire de « conscience sociale » chez les hommes d'affaires reflète les conditions politiques de la production massive. La chronique « Inside Management » du *Financial Post*, par exemple, y revient régulièrement, car les relations publiques, le civisme d'entreprise et l'ouverture aux « besoins humains » du personnel caractérisent la grande compagnie modèle. En 1969, un sondage de *Fortune* auprès de trois cent cinquante dirigeants de grosses compagnies américaines révélait que 94 % des entreprises étaient engagées dans un « programme social » quelconque : recyclage, recrutement de minoritaires, rénovation urbaine, etc. (rapporté par Jouandet-Bernadat, *op. cit.*, p. 112-113). Au Québec des succursales, le fameux *Rapport Fantus* étalait au contraire le conservatisme indécrottable de nos grands patrons, « nostalgiques de la Main invisible » (M. Guénard, *Le Devoir*, 2 mars 1973). Ce braquage idéologique trahit un retard *technologique* : on ignore encore comment « manager » les données sociales et psychologiques qui infléchissent le développement du secteur « monopolistique ».

[30] Voir Pierre O'Neill et Jacques Benjamin, *Les Mandarins du pouvoir*, Montréal, Québec-Amérique, 1978, p. 150 sq. La nuance utile entre « managers » et « concepteurs » leur est empruntée.

[31] Pierre Laurin, « Le Québec et le monde des affaires », *Le Devoir*, 1er février 1979, p. 5.

[32] Cela a été rabâché à l'ennui. J'ai fait ma part dans *La Longue Marche des technocrates*, Montréal, Éditions coopératives Albert Saint-Martin, 1979, 200 pages.

[33] Voir Hubert Guindon, « La modernisation du Québec et la légitimité de l'État canadien », *Recherches sociographiques*, XVIII, 3, 1977, p. 337-366.

[34] Voir Vincent Lemieux (éd.), *Quatre élections provinciales au Québec*, Québec, Les Presses de l'Université Laval, 1969 ; et « Les partis provinciaux du Québec », dans R. Pelletier (éd.), *Partis politiques au Québec*, Montréal, Hurtubise HMH, 1976. Aussi, Jean Hamelin et Marcel Hamelin, *Les Mœurs électorales dans le Québec de 1791 à nos jours*, Montréal, Éditions du Jour, 1962. Et Robert Rumilly, *Maurice Duplessis et son temps*, I, Montréal, Fides, 1978.

[35] Dans les travaux cités ci-dessus.

[36] Amplement décrit par O'Neill et Benjamin, *op. cit.*

[37] Jean Hamelin et A. Garon, « La vie politique au Québec, de 1956 à 1966 », dans V. Lemieux, *op. cit.* (1969).

[38] Voir Georges-Émile Lapalme, *Le Vent de l'oubli,* Ottawa, Leméac, 1970.

[39] F. Dumont, *op. cit.*, p. 156.

[40] V. Lemieux, *op. cit.* (1976).

[41] Comment croire à ce terrorisme mesquin quand on sait que G.-É. Lapalme s'opposait pour les mêmes motifs à la levée d'un impôt sur le revenu provincial. C'était en 1954. Vingt-cinq ans avant que les séparatistes ne gouvernent la province (*op. cit.*).

[42] J'ajuste ici à mes thèses une terminologie des adresses politiques proposée, à l'origine, par Hugues Quirion.

[43] Voir Jacques Godbout et J.-P. Collin, *Les Organismes populaires en milieu urbain. Contre-pouvoir ou nouvelle pratique professionnelle ?*, Montréal, I.N.R.S.-Urbanisation, « Rapports de recherche »,n° 3, 1977.

[44] Dumont, encore : « Les corps intermédiaires n'apportent guère, en somme, une contribution décisive à la solution des problèmes que nous avons posés [...] C'est qu'ils sont déjà, pour une part, de l'ordre de l'État, qu'ils soient ou non consacrés en des mécanismes officiels ; ils supposent la même structure abstraite des aspirations des hommes » (*op. cit.*, p. 124).

[45] Léon Dion a trop parlé et écrit, à sa manière, sur ces frustrations, pour que je rappelle ici toutes ses interventions.

Achevé d'imprimer
en mars mil neuf cent quatre-vingt-un
sur les presses de l'Imprimerie Gagné Ltée
Louiseville - Montréal.
Imprimé au Canada